一笑
古龍

盛期之風貌

臥龍生作品 帶動武俠風潮

《飛燕驚龍》開一代武俠新風

《飛燕驚龍》(1958)爲臥龍生成名作，共48回，約120萬言。此書承《風塵俠隱》之餘烈，首倡「武林九大門派」及「江湖大一統」之說，更早於香港武俠巨匠金庸撰《笑傲江湖》(1967)所稱「千秋萬世，一統」達九年以上。流風所及，臺、港武俠作家無不效尤；而所謂「武林盟主」、「江湖霸業」等新提法，竟成爲社會大眾耳熟能詳的流行術語了。

《飛燕》一書可讀性高，格局甚大。主要是寫江湖群雄爲覬覦傳說中的武林奇書《歸元秘笈》而引起一連串的明爭暗鬥；再以一部假秘笈和萬年火龜爲餌，交插敘述武林九大門派（代表正派）彼此之間的爾虞我詐，以及天龍幫（代表反方）網羅天下奇人異士而與九大門派的對立衝突。其中崑崙派弟子楊夢寰偕師妹沈霞琳行道江湖，卻如夢似幻地成爲巾幗奇人朱若蘭、趙小蝶之絕世武功技驚天龍幫，而海天一叟李滄瀾復接連敗於沈霞琳、楊夢寰之手；致令其爭霸江湖之雄心盡泯，始化解了一場武林浩劫云。

在故事佈局上，本書以「懷璧其罪」（與真、假《歸元秘笈》有關）的楊夢寰屢遭險難，卻每獲武林紅妝垂青爲書膽(明)，又以金環二郎陶玉之嫉才害能，專與楊夢寰作對(暗)爲反派人物總代表。由是一明一暗交織成章，一波未平，一波又起，極盡波譎雲詭之能事。最後天龍幫冰消瓦解，陶玉帶著偷搶來的《歸元秘笈》跳下萬丈懸崖，生死不明，卻予人留下無窮想像空間。三年後，作者再續寫《風雨燕歸來》以交代陶玉重出江湖，爲惡世間，則力不從心，當屬狗尾續貂之作。

在人物塑造方面，臥龍生寫男主角楊夢寰中看不中用，固然乏善可陳，徹底失敗；但寫其他三名女主角如「天使的化身」沈霞琳聖潔無瑕，至情至性，處處惹人憐愛；「正義的女神」朱若蘭氣質高華，冷若冰霜，凜然不可犯；「無影女」李瑤紅則刁蠻任性，甘爲情死等等，均各擅勝場。乃至寫次要人物如「賓中之主」海天一叟李滄瀾之雄才大略，豪邁氣派；玉簫仙子之放蕩不羈，爲愛痴狂；以及八臂神翁聞公泰之老奸巨猾，天龍幫軍師王寒湘之冷傲自負等，亦多有可觀。

摘自 葉洪生、林保淳著
《台灣武俠小說發展史》

台港武俠文

流行天

臥龍

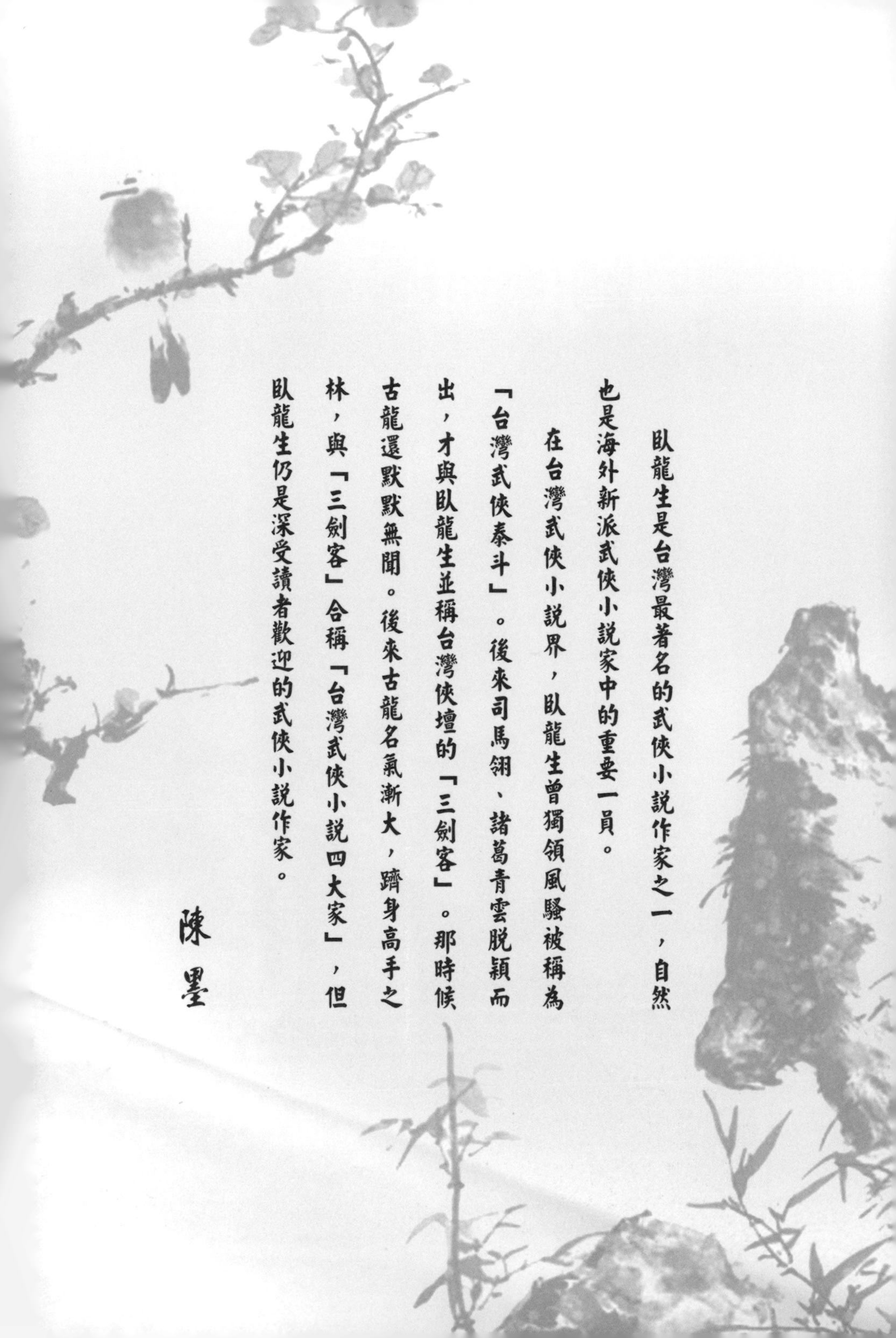

臥龍生是台灣最著名的武俠小說作家之一，自然也是海外新派武俠小說家中的重要一員。

在台灣武俠小說界，臥龍生曾獨領風騷被稱為「台灣武俠泰斗」。後來司馬翎、諸葛青雲脫穎而出，才與臥龍生並稱台灣俠壇的「三劍客」。那時候古龍還默默無聞。後來古龍名氣漸大，躋身高手之林，與「三劍客」合稱「台灣武俠小說四大家」，但臥龍生仍是深受讀者歡迎的武俠小說作家。

陳墨

臥龍生
岳小釵
（三）
臥龍生
武俠經典珍藏版
27

臥龍生精品集27

岳小釵(三)

目錄

卅一 明查暗訪

只見巫蓉櫻口一張，一口鮮血噴了出來。

雙方距離既近，二魔又驟不及防，被巫蓉口中的血噴在臉上，鮮血中挾著粒粒肉塊，擊在二魔兩目之下。

原來，巫蓉自知難免受辱，暗中嚼舌求死。

及見百里冰出手攻襲大魔，又把解藥投向蕭翎，頓時運足全身氣力，把碎舌和鮮血噴向二魔。

二魔雙手抱臉，怒聲罵道：「該死的小賤人。」飛起一腳，踢了過去。

巫蓉穴道被點，眼看一腳飛來，卻無法閃避，被二魔一腳踢中小腹，嬌吟聲中，身子飛了起來，砰的一聲，撞在牆壁之上。

巫婆婆尖聲叫道：「蓉兒！」側身衝了過去。

蕭翎借此工夫，撿起玉瓶，打開瓶塞，倒出一粒解藥，吞入腹中。

二魔一腳踢中了巫蓉，拭去臉上血污，起身向蕭翎行去。

蕭翎服下解藥，立時運氣調息。

巫婆婆瞥見二魔行向蕭翎，奔向巫蓉的身子，陡然一轉，一頭向二魔撞去。

二魔吃巫蓉碎舌打中雙目，雖未重傷，但雙目卻疼得流淚不止，耳目也失了靈敏，巫婆婆中途改變心意，無聲無息地轉向二魔撞去，一頭正撞在二魔肋間。

這一撞乃巫婆婆全身功力所聚，二魔被撞得身不由己，向前奔行數尺，碰在神案之上。

但巫婆婆重傷之軀，這全力一擊，雖然得手，自己卻難再支撐，暈倒地上。

倒是那百里冰和馬波惡鬥一陣之後，手腳漸復靈活，攻勢更是猛惡。

大魔馬波實未想到一個女娃兒，身手如此了得，心中震駭不已。

雖想反擊，但卻是欲振乏力。

二魔連番吃虧，心中大怒，挺起身子，一提真氣，伸手向蕭翎抓去，口中罵道：「老乞婆，老夫先收拾了蕭翎，再和你們祖孫算帳。」

忽覺兩腕間一麻，脈穴已被人拿住。

蕭翎內功深厚，稍經調息，已然恢復了部分體力，但心知嶺南二魔並非好與人物，心中沒有把握，不敢貿然出手。

及見二魔一把抓來，才出手擒住了二魔右腕脈穴。

凝目望去，只見百里冰拳、掌縱橫，占盡優勢，心中稍安，一面加力緊扣二魔脈穴，一面運氣調息。

二魔被扣拿脈穴之後，本已不再掙扎，閉目等死。

哪知過了半晌，仍不見有何動靜，睜眼看去，只見那蕭翎閉目而立，運氣調息，不禁心中一動，求生之念油然而生，暗中運氣，閉住右臂穴道，左手一抬，揮手一掌，劈向蕭翎前胸。

但聞砰的一聲，擊個正著。

一則蕭翎又經一陣調息，功力已恢復不少，再者二魔右腕脈穴被扣，功力大受影響，掌勢不重，雖然擊中蕭翎，也不過把蕭翎打得向後退了一步。

蕭翎睜開雙目，冷笑一聲，道：「兩位陰險惡毒，留你們不得。」

左手加力，一收五指，把二魔向前一帶，右手一掌劈出。

二魔半身麻木，無能閃避，眼看一掌劈來，就是無法閃避，吃蕭翎擊中天靈要穴，腦漿迸流，當場而死。

蕭翎放開左手，二魔屍體栽倒於地。

抬頭看去，只見百里冰拳掌交錯，逼得那馬波只有招架之功，沒有還手之力，當下大步行到廟門口處，高聲說道：「冰兒，去拯救巫婆婆和巫蓉姑娘，把他留給小兄收拾。」

百里冰生性刁蠻，但她對蕭翎卻是百依百順，應聲收招而退。

蕭翎冷笑一聲，道：「今宵是你嶺南雙魔惡貫滿盈之夜，令弟已在黃泉路上候駕了。」

揚手一掌，劈了過去。

馬波縱身避開，還未來得及還手，蕭翎第二掌又已攻到。

蕭翎的掌勢快速，一連攻出八掌，馬波未來得及還攻一招，人卻被逼得團團亂轉，一腳踏在二魔屍體之上，身子向一側滑去。

蕭翎的左手閃電擊去，砰的一聲，擊在馬波右肩之上。

這一掌落勢甚重，只打得馬波筋斷骨折，忍不住悶哼一聲，倒退三步。

蕭翎的殺機已動，哪還會容他逃出掌下，右手緊隨劈出，擊中了馬波前胸。

馬波張嘴吐出一口鮮血，身子搖了兩搖，仰臉摔倒地上，氣絕而死。

蕭翎連斃二魔之後，緩步行到百里冰的身前，低聲說道：「冰兒，她們祖孫有救嗎？」

百里冰搖了搖頭，道：「巫婆婆恐怕是不行了，我用本身真氣，攻入她的命門穴中，但始終不見反應。」

蕭翎道：「這位蓉姑娘呢？」

百里冰道：「蓉姑娘自斷舌根，流血甚多，只怕很難救活，我已點了她幾處穴道止血。」

蕭翎道：「唉！如非她那一口鮮血，說不定我已傷在那二魔手中了……」

說話之間，蹲下身子，伸出手去，扶起巫婆婆，接道：「冰兒，你去照顧巫蓉姑娘，我試試看能否憑藉功力，使巫婆婆醒轉片刻，咱們無能救她，至低限度，要使她清醒片刻，交代一點後事。」

百里冰應了一聲，轉身抱起巫蓉。

蕭翎扶起了巫婆婆，右手揚起，按在巫婆婆的背心之上，一股熱流，直攻入巫婆婆的內腑之中。

蕭翎功力深厚，自非百里冰能夠及得，奄奄一息的巫婆婆，吃蕭翎那綿綿不絕的內力，攻入了內腑之後，突然清醒過來。

只見她緩緩睜開雙目，望了蕭翎一眼，說道：「蕭大俠，老身，老身很對不住……你們……」

蕭翎輕輕歎息一聲，道：「事情已經過去，老前輩也不用抱疚了。」

巫婆婆頓一頓，黯然說道：「老身傷勢很重，自知已無生望，人之將死，其言也善，老身一生罪孽，死不足惜，但我那小孫女蓉兒……」

話至此處，一陣急咳，打斷了未完之言。

但她似是急於要把心中之話說個明白，強打精神，說道：「我那蓉兒，卻未做過一件壞事，還望蕭大俠答應老身……」

話至此處，一口氣接續不上，氣絕而逝。

蕭翎再加內力，熱流滾滾攻入巫婆婆的內腑。

但巫婆婆元氣已耗盡，蕭翎雖然盡力施爲，但也是回生乏術，無能爲力。

蕭翎放下巫婆婆的屍體，緩步行到百里冰的身前，歎道：「冰兒，這姑娘怎麼樣？」

百里冰道：「很難說。」

蕭翎心中暗道：事到如今，那也不用顧及什麼男女授受不親了……

蹲下身子，左手攔過巫蓉柳腰，右手扳過巫蓉的臉兒，凝目望去，只見那巫蓉雙目緊閉，似是在強忍無比的痛苦。

蕭翎道：「冰兒，你帶有火摺子嗎？」

百里冰搖搖頭，道：「但我想這位巫姑娘定然帶著火摺子。」

伸手搜去，果然，在巫蓉身上摸出了火摺，隨手晃燃。

蕭翎拍活了巫蓉兩處止血穴道，捏開巫蓉牙關，凝目望去。

只見巫蓉口中血肉模糊，舌頭已然嚼碎了大半。

百里冰輕輕歎息一聲，道：「好慘啊！」

蕭翎緩緩放開巫蓉牙關，說道：「姑娘，你要聽我幾句話。」

巫蓉杏目轉動，望了蕭翎一眼，微微頷首。

蕭翎輕輕咳了一聲，接道：「你傷得很重，但並非無救，但要姑娘有著強烈的求生意念，我等才能助你。」

說話之間，只見巫蓉口中又湧出鮮血。

蕭翎伸手又點了巫蓉頸間兩處穴道，接道：「姑娘請盡量保護元氣，不要它再有耗損……」

巫蓉突然舉起右手搖揮一陣，又指玉頸，似是要蕭翎解開她頸邊止血穴道。

蕭翎輕輕歎息一聲，道：「姑娘已經失血很多，不能再讓鮮血流出了。」

巫蓉右手搖動，杏目亂眨，似是要蕭翎盡快解她穴道。

蕭翎無奈，出手解了她頸間雙穴。

巫蓉長長吸一口氣，突然挺身而起，行到巫婆婆身前，雙膝跪了下去。

蕭翎心中雖想伸手去扶她一把，但又覺著不便，只好停身不動。

只見巫蓉伸出雙手，撩開巫婆婆的長衫。

這時，天色已亮，廟中景物，清晰可見。

巫婆婆衣服之內，都是口袋，裝滿著各種藥物。巫蓉從數十個裝滿藥物的口袋中，找到了一個玉瓶，拔開瓶塞，盡傾瓶中藥物，放入口中，和血吞下。

蕭翎和百里冰分站在兩側，呆呆地望著，一時間無法斷定她用心何在，不便出手阻止。

只見那巫蓉又從巫婆婆懷中選出幾個玉瓶，揣入懷中，揮手在地上寫道：「賤妾已無力埋葬祖母屍體，有勞兩位掘坑掩埋，此恩如山，永銘肺腑。」

蕭翎點點頭，道：「令祖母雖然死去，但嶺南雙魔也被殲當場，大仇已報，還望姑娘節哀順變，收葬令祖母之事，在下等自然是義不容辭了。」

巫蓉又揮手在地上寫道：「謝謝兩位。」

轉身出廟，狂奔而去。

百里冰黯然說道：「她身受重傷，肉體、精神，都有著不能負荷的感覺，如何能讓她單獨行動，我去追她回來！」

蕭翎道：「唉！讓她去吧！她們祖孫相依為命，這刺激對她太大了，有一個幽靜孤寂的環境，使她能夠盡情的大哭一場，對她是有益無害……」

他仰起臉來，長長吁一口氣，道：「正因她身受重傷，才會激起她強烈無比的生命力，如若她完全無傷，決無法承受這等沉重的打擊。」

目光一掠巫婆婆的屍體，接道：「冰兒，咱們先把巫婆婆的屍體埋起來。」

百里冰應了一聲，兩人一齊動手，就在廟後挖了一個土坑，把巫婆婆屍體埋了起來。

蕭翎望望嶺南二魔的屍體，接道：「冰兒，咱們再挖一個坑，把嶺南二魔也埋起來，如何？」

百里冰道：「這兩個人作惡多端，讓他們暴屍荒野，餵狗吃算了。」

蕭翎道：「人死不記仇，兩人生前雖然作惡多端，但他們既然死了，那也不用記恨他們了，兩具屍體在此必然會很快的傳揚出去，如若被那沈木風的眼線瞧到，沈木風必然知曉，請巫婆婆出山對付咱們的毒計又已失敗，必將另設毒計謀害咱們。」

百里冰道：「大哥說得是，看起來！你比我聰明多了。」

兩人一齊動手，又挖了一個土坑，埋好嶺南雙魔屍體。

百里冰拍拍手上的灰土，道：「大哥，咱們此刻要到何處？」

蕭翎沉吟了一陣，道：「最好是咱們先別露面，隱起行蹤，暗中查訪沈木風和四海君主的行動，多知曉他們一些，也好多了然一些內情，找出對付他們的辦法。」

百里冰點點頭，道：「只是這一次，咱們不能再裝成老道士了。」
蕭翎道：「那要裝扮成什麼身分？」
百里冰沉吟了一陣，道：「你裝成一個中年文士，我扮作你的隨身小廝，好嗎？」
蕭翎道：「那你不是太吃虧了嗎？」
百里冰莞爾一笑，道：「應該的，你是大哥啊！」
蕭翎回身對著巫婆婆墓地一拜，和百里冰連袂而去。

中午時分，北上長沙的大道上，出現了一個中年文士，和一個青衣小帽的小廝。
這一對主僕，正是蕭翎和百里冰所裝扮。
蕭翎見四野無人，回顧了百里冰一眼，道：「冰兒，咱們要留神著鄧一雷和展葉青，發覺之後，也不要招呼他們，咱們在暗中把解藥給他們就是……」
話到此處，突然住口不言。
遠處，蹄聲得得，一匹健馬疾奔而至。
蕭翎轉眼望去，只見那馬上人十分矮小，伏在馬背之上，加上一頂青色氈帽，低壓眉際，更叫人無法看出他的面貌，快馬如飛，疾越兩人身側而過。
轉眼間，快馬已然奔行得不知去向。
蕭翎望著消失的快馬，低聲說道：「這人騎術精湛，馬又是千里良駒，決非一般行商，咱

們要多多留心才是。」

百里冰道：「難道又是那沈木風的眼線嗎？」

蕭翎沉吟了一陣，道：「很難說，未得證明之前，小兄不敢妄言，不過，就事而論，那沈木風決不會放心嶺南二魔，身後必然還派有監視之人……」

百里冰接道：「大哥之言，可是說那嶺南二魔死亡一事，沈木風等已經知曉了？」

蕭翎道：「二魔死亡一事，他們也許不知，但二魔迎到那巫婆婆一事，他們或已知曉。」

百里冰道：「大哥怎麼知道呢？」

蕭翎道：「我只是如此推想，那沈木風耳目遍佈，巫婆婆施毒飯店之中，又有那樣多人，其中只怕有沈木風的眼線……」語聲微微一頓，接道：「武林中人提到沈木風，無不畏懼異常，似是他無事不知，無事不曉，原因就在那刺探工作做得太好了。」

百里冰道：「如若能把沈木風佈置的奸細耳目除去，那就不難對付他了。」

蕭翎道：「不錯，如若能把沈木風派在各大門派的奸細，和佈置在江湖上的眼線除去，那就等於挖去了他的雙目，堵住了他的雙耳，這回見到孫不邪老前輩和無為道長時，定要設法從此處著手，先要設法清除他佈置在江湖上的眼線。」

百里冰點點頭，不再多言，放步向前行去。

兩人曉行夜宿，走得很慢，沿途數日，竟然未發生任何事。

蕭翎一路留心，也未發覺鄧一雷和展葉青等兩人。

這日中午時分，長沙府境一個小鎮之上。

蕭翎量度形勢，這小鎮實是北上長沙的要道，心中暗道：如是那展葉青和鄧一雷，已見到無爲道長說明此事，那無爲道長和孫不邪，必將派人追查我等行蹤，他們定然早已離開原址，倒也不必急急趕去會見他們。

加上沈木風頓然失去了嶺南二魔的行蹤，亦必引起一番混亂，倒不如借此機會，暗中查訪一下沈木風的舉動再說。

心念轉動，找了一座最大的酒樓，行了進去。

這時，正當午時，酒店中上了八成客人。

蕭翎心中有謀，暗中留意著酒樓中所有的客人、景物。

店小二送上香茗，蕭翎點了幾樣小菜。

片刻之後，菜飯送上。

突見一個村童手中舉著個白布招兒，行入酒樓之中。

只見那白布招兒上寫著「相天下士」四個大字。

蕭翎看到布招之後，立時舉手一招，道：「小兄弟請過來。」

那村童舉著布招行了過來，道：「大爺看相嗎？」

百里冰轉臉看去，只見那村童只不過十二、三歲，又蓬首垢面，滿手汙塵，怎麼看也不似

個會看相的人。

但聞蕭翎說道：「小相士，看看在下的運氣如何？」

那童子也未望蕭翎一眼，說道：「相君之貌，乃公侯之相，可惜的是，相帶三煞，三煞不破，永無出頭之日，不過，小的道行不夠，難破三煞。」

蕭翎道：「那要找何人才能？」

村童道：「我師父。」

蕭翎道：「令師現在何處？」

村童道：「就在這鎮外不遠處。」

蕭翎站起身子，道：「好！有勞小兄弟帶我去見令師。」

那村童舉起布招兒，當先帶路而去。

蕭翎和百里冰，緊隨那村童身後而行。

那村童帶路而行，直出小鎮，行約二里左右，到了一座竹林掩映的茅舍前面。

那村童行至茅舍，推開柴扉，道：「我師父就住在此地。」

蕭翎暗中運氣，緩步行入茅舍之中。

抬頭看去，只見一個白髮白髯的老者，端坐在一張木桌之後。

他化裝之術雖然高明，但卻無法掩飾住便便大腹。

蕭翎打量那老者一陣，輕輕咳了一聲，道：「啇兄弟。」

那老者霍然站起身子，道：「你是誰？」

蕭翎也解下假髮，抹去易容藥物，道：「我。」

那老者看清楚蕭翎之後，突然拜伏於地。

蕭翎急急扶起那老者，說道：「使不得，商兄弟。」

原來，老者正是商八裝扮。

商八除去白鬚，說道：「大哥被巫婆婆生擒消息傳到之後，無為道長和孫老前輩無不震駭，連夜會商，高手盡出，分查大哥下落，大哥吉人天相，卻已自行脫難歸來。」

蕭翎淡淡一笑，道：「你這法子很好，不過，也是太過趕巧，我如不進那酒樓，直奔長沙城，那就見不到了。」

商八道：「小弟已製相招一十二面，分頭由十二位童子，在長沙各大酒樓、客棧之中巡行，由晨至暮，不斷梭巡。」

蕭翎點點頭，道：「原來如此，那是一定可以遇到了。」

百里冰道：「大哥，你怎麼知曉那村童是商大俠所派呢？」

蕭翎還未答話，商八已搶先笑道：「其實說穿了，不值一哂，我在那布招之上，畫有暗記，只是不知之人看不出來罷了。」

蕭翎緩緩說道：「長沙市中是何人主持呢？」

商八道：「杜兄弟和無為道長。」

蕭翎道：「孫不邪老前輩呢？」

商八道：「孫老前輩率領著丐幫中弟子，和幾個武當門下的高手，共分成四批，查訪巫婆婆的行蹤去了。」

蕭翎道：「那鄧一雷和展葉青兩人都爲奇毒所傷，武功盡失，他們如何能這等快速的，把消息傳到此地？」

商八道：「鄧一雷和展葉青此刻是否已回到長沙，小弟還不知曉，但無爲道長告知小弟時，他們還未回來，聞得凶訊，心神已亂，也未追問無爲道長如何知曉這個消息。」

蕭翎道：「是否有法子追回那孫老前輩？」

商八道：「無爲道長大約和他們約定有聯絡之法。」

蕭翎道：「那很好，你盡快設法通知無爲道長，要他追回孫老前輩和諸多高手，不用追查巫婆婆的行蹤了。」

商八道：「那巫婆婆可是已死在了大哥手中？」

蕭翎道：「巫婆婆被嶺南二魔重傷而死。」

商八道：「嶺南二魔呢？」

蕭翎道：「嶺南二魔爲人惡毒，已被小兄擊斃掌下。」

商八道：「大哥可要去見無爲道長？」

蕭翎道：「最好暫時不和他相見，我想暗中查看一下沈木風的動靜，你們可知道沈木風近

日活動情形如何？」

商八道：「數日之前，沈木風曾在長沙出現一次，但瞬即失蹤，不知隱身何處，百花山莊中人，也常常有所行動，近兩日卻突然沉寂不見動靜。」

蕭翎道：「據小兄猜想，那沈木風必然在長沙有一處隱秘的分舵，縱橫百里之內的眼線，都爲那分舵掌管，他也可能就在那分舵中隱身……」話到此處，突然沉吟不語。

商八道：「大哥之意是……」

蕭翎道：「如若咱們能夠挑了他們長沙分舵，那就等於使沈木風在方圓百里內失去了耳目，就算不挑他們分舵，咱們知曉了他們分舵所在地，也好控制他們行動，必要時使用反間之計。」

商八道：「大哥高見，小弟立時去見無爲道長，和他研商此事，遣人踩他們的窯子。」

蕭翎道：「好！咱們分頭進行，我和冰兒仍然易容混入長沙。」

商八道：「小弟隨時遣人和大哥聯絡。」

蕭翎道：「如非必要，最好別常聯絡，百花山莊中人一直未停止活動，只是他們由明入暗更爲隱秘而已，小兄到此之事，不宜讓他們知道，最好你悄然告訴無爲道長和杜兄弟，別讓太多的人知曉此事，以免走露風聲。」

商八只覺數月小別，蕭翎似是已成熟老練很多，智計安排，無不超人一籌，當下應道：

「小弟記下了。」

蕭翎回顧了那執相招童子一眼，道：「這小童子是走露風聲的關鍵，但又不能效法古人，問路斬樵，你要多贈他一些黃金，要他們盡速遷離此地。」

商八道：「小弟自會善自處理，大哥放心。」

蕭翎重新易容，戴上長髯，道：「好！小兄要先走一步。」

商八緊隨蕭翎的身後而出，低聲解說和無為道長研訂的聯絡暗記。

蕭翎停下腳步，待他說完，才點頭說道：「很好，很好，我都記下了。」

商八微微一笑，道：「長沙的會仙樓和七澤茶園，一向是百花山莊中人出沒之地。」

蕭翎道：「好！我們先到那兩處地方瞧瞧！」

商八一抱拳，道：「小弟不送了。」

蕭翎一揮手，帶著百里冰大步而去。

兩人行入官道，安步當車，緩緩行入了長沙城。

轉過兩條大街，瞥見一個高大的招牌，白底黑字，寫著「七澤茶園」。

蕭翎抬頭看去，只見那七澤茶園規模甚大，進得大門，就是一個廣大的院子，蘆蓆遮天，四周擺滿了盆花，還有木桌、竹椅，可躺可坐。

門口處，站著一個青衣小帽的夥計，欠身說道：「兩位可要裏面坐坐？」

蕭翎微一頷首，道：「有勞帶路。」

那夥計帶著兩人行到西北角處，緊傍盆花一個桌位之上。

蕭翎目光轉動，四顧了一眼，只見廣大的院落中，坐了有六成客人，不下五十餘人。很多人一杯清茶，仰臥在竹椅上閉目養神，也有不少人，幾盤小菜，一壺老酒，在小酌清談。

敢情這座七澤茶園，還兼營著酒菜的生意。

蕭翎一面四下打量七澤茶園院中形勢，一面問道：「茶夥計，貴園中後面還有座位嗎？」

茶夥計應道：「有，除了這座前廳茶棚之外，還有三進院子，這座七澤茶園，上滿了客人，少說點，也在千人以上。」

蕭翎淡淡一笑，道：「在下也久聞這座七澤茶園之名了，今日一見，果然是非同凡響。」

那茶夥計道：「兩位請坐吧！在下去替兩位泡茶。」

蕭翎道：「慢著。」

那茶夥計回頭說道：「大爺還有什麼吩咐？」

蕭翎道：「七澤茶園之名，天下皆知，在下想見識一番，不知是否可以？」

那茶夥計笑道：「大爺言重了，這七澤茶園，乃是規規矩矩的做生意地方，客人要在哪座院落之中飲茶，那是悉聽尊便。」

蕭翎道：「既是如此，那就有勞兄台替在下帶路了。」

那茶夥計搖了搖頭，笑道：「咱們這七澤茶園，每一進院落中，都有夥計招呼，在下只招呼前廳茶棚。」

蕭翎心中暗道：一個茶園如此規模，實非平常，無論如何要仔細瞧瞧。

心中念轉，口中卻說道：「多謝夥計指點了。」

緩步向後行去。

百里冰始終是一言不發，緊隨在蕭翎的身後。

蕭翎穿過茶棚，又進了一座門戶，只見一座敞廳，佈置得十分清雅。

四面一色白，白桌布、白椅墊，連用的茶碗、茶壺，也是一片雪白。

除了客人們的衣著之外，看不到第二種顏色。

蕭翎心中暗道：前面那茶棚，叫前廳茶棚，這座大廳，定然是叫前廳了……

忖思之間，一個身著白衣的茶夥計行了過來，道：「兩位請坐。」

蕭翎目光轉動，看那夥計年約二十三、四歲，白衫、白褲、白巾包頭，年紀很輕，但卻不似會武功的樣子。

當下說道：「這是前廳嗎？」

那店夥計應道：「不錯，兩位可是去中廳的嗎？」

蕭翎心中暗道：前廳、中廳，那還有座後廳了，連同那前廳茶棚，可勉強算得上四進院子了。

只聽那白衣夥計道：「這邊走。」

欠身帶路，向前行去。

繞到前廳一角，行出了一座圓門，行在一條白石鋪成的甬道上，兩旁盆花夾道，香氣襲人。

蕭翎心中暗道：前廳如此，中廳想來更是豪華了。

那白衣夥計送蕭翎上了白石甬道之後，輕聲說道：「兩位慢走。」並又退回前廳之中。

蕭翎外表上裝得若無其事，緩步而行，內心之中，卻是留心著一草一木，默記心頭。

突然間，感覺著這庭院佈置形勢，似是在哪裏見過，但一時間，卻想它不起。

走完白石甬道，登上五層石級，到了中廳。

中廳景物，又是一番佈置，四壁一色金黃，桌單、坐墊，也完全黃色，六、七個茶夥計也穿著黃色的衣服。

蕭翎還未進廳門，一個茶夥計迎了上來，長揖肅客。

百里冰目光轉動，只見那大廳中，擺著十五、六張桌子，但只有兩、三張桌上坐有茶客，看上去不過十三、四人。

蕭翎輕輕咳了一聲，道：「到後廳如何一個走法？」

那店夥計怔了一怔，打量了蕭翎等一陣，道：「兩位是……」

蕭翎笑笑，道：「咱們路過此地，聞得七澤茶園之名，特來見識一番。」

黃衣夥計笑道：「兩位來得不巧得很！」

蕭翎道：「爲什麼？」

黃衣夥計道：「後廳中席位已滿，兩位只好明天請早了。」

蕭翎心中暗道：七澤茶園，一層比一層豪華，那後廳景色，不知是如何一個樣子？無論如何要想法子進去瞧瞧！

心中念頭轉動，目光打量廳中景色。

突然間發覺那四面金色牆壁，以及那黃色的垂簾、桌巾、椅墊，無一不是色彩鮮豔，好像是新做不久。

不禁心中一動，說道：「閣下是……」

黃衣夥計接道：「不敢當，小的提茶、送菜的店夥計。」

蕭翎道：「閣下到此多久了？」

黃衣夥計微微一怔，答非所問地道：「客爺是此地常客嗎？」

蕭翎心中暗道：這七澤茶園有些古怪，看來要得施用詐語唬他一唬，當下說道：「在下一年之前常來此飲茶。」

茶夥計道：「原來是常客，失敬，小人給爺上茶。」

一杯香茗，捧了上來。

蕭翎看了看茶碗，道：「再來一杯。」

黃衣夥計應了一聲，又拿了一杯茶來。

蕭翎接過那黃衣夥計的茶，把自己面前一杯，推到那黃衣人跟前，道：「夥計陪在下共飲一杯清茶如何？」

黃衣人道：「小的不敢。」

蕭翎道：「不妨事，客人邀飲，就算是老闆知道了，那也不關你的事啊！」

那黃衣夥計略一沉吟，低聲說道：「是了，貴客可是懷疑我們茶中不潔？」

不再推辭，舉杯喝了一口，放下茶杯，欠身而退。

蕭翎望著那黃衣夥計啓簾而入進去內室，良久之後，仍不見出來，暗施傳音之術，道：「冰兒，這夥計進入室後久不出現，那就證明茶中有鬼，但既被我們瞧出，決然不會輕易罷手，這一計不成，必將另有毒計對付我們，因此我想將計就計，深入內室去瞧瞧，適才那商八說過的暗號，以你聰明才智而言，想必已熟記於胸，你要先行離此，在外面等我，如若我在一頓飯工夫之內，還不出來，你就去和他們會合，告訴他經過之情。」

百里冰一皺眉頭，似要出言反駁，但她終於強自忍了下去，躬身一禮，轉身而去。

蕭翎望著那百里冰的背影消失不見，立時舉手一招。

另一黃衣夥計急步行了過來，道：「貴客有何吩咐？」

蕭翎故意打量那人一眼，道：「好像剛才不是你招呼我們。」

那夥計道：「都是一樣，你老要什麼？只管吩咐就是。」

蕭翎淡淡一笑，道：「我要向剛才那位當值的夥計，問他一件事。」

黃衣夥計道：「七澤茶園中事，在下知曉最多，您老問什麼，只管吩咐。」

蕭翎端起茶杯，道：「好！那就請你喝口茶吧！」

那黃衣夥計呆了一呆，道：「這個和園中規矩不合，小的不敢。」

蕭翎微微一笑，道：「不妨事，閣下儘管吃下就是。」

那夥計要待退走，卻被蕭翎一把抓住，帶到座位上，硬逼他喝下了一口茶。

廳中客人，雖然瞧到蕭翎抓住那黃衣夥計，但他們說話聲音很低，不似爭吵，自是無人多管。

話不重複，不大工夫，廳中五個黃衣夥計，都被蕭翎灌下了一口茶，躲入內室而去。

蕭翎眼看他們寧願飲下毒茶，也不和自己爭吵反抗，心中暗道：大約他們這七澤茶園之中，有此規矩，爲了怕鬧出事傳揚開去，所以，寧喝下毒茶，也不和人吵鬧。

忖思之間，突見黃簾啓動，一個身著黃衣的中年大漢直行了過來，欠身說道：「夥計們年紀輕，少不更事，開罪了你老，現在都在受老闆責罵，但五個夥計，竟然都開罪了你老，實是叫在下有些想不明白……」

蕭翎淡淡一笑，道：「怎麼樣呢？」

黃衣大漢道：「咱們開店的，逢人要帶三分笑，怎能派你老的不是，不過，敝東主在盛怒之下，可能把五個夥計一齊開革了，事關他們飯碗，請你老……」

蕭翎接道：「這是你七澤茶園中事，和在下何干呢？」

黃衣大漢道：「自然和你無干，不過，事既是由你老而起，還望你老去替他們關說一聲。」

蕭翎心中暗暗罵道：這等淺薄的詭計，也在我面前施展。

站起身子，道：「貴東主現在何處？」

黃衣大漢緩緩說道：「在內室之中，在下替你老帶路。」

舉步向前行去。

蕭翎心中暗忖道：他們能在茶中放毒，自然有用毒之能，不可不防備一、二。

心中念轉，雙手探入懷中，套上了蛟皮手套。

黃衣大漢帶蕭翎行入室門口處，掀起垂簾，道：「大駕請。」

卅二　隨機應變

蕭翎暗提一口真氣，舉步行入。

走完了一條丈餘長短的甬道，甬道盡處，現出一個轉向右面的門戶。

只聽一個冷漠的聲音道：「朋友請進！」

蕭翎轉目一看，只見室中光線暗淡，景物模糊不清，但他憑仗藝高膽大，坦然舉步而入。

一腳踏入門內，突覺一縷指風側襲而來，勢道迅快，直指中府穴。

蕭翎微一側身，避開要穴，讓對方指力點偏，自己卻長長吸一口氣，閉住了呼吸，故意摔倒地上。

只聽一個清朗的笑聲道：「咱們把他估計得過高了。」

蕭翎目光微轉瞧去，只見暗中攻襲自己的人，正是沈木風的大弟子單宏章，另一身著黑袍，頭包黑巾的大漢，緊隨在單宏章身後，行了過來。

只聽那黑袍人輕輕咳了一聲，道：「少莊主武功精湛，這一指有如電光石火一般，縱是上乘身手的人，也是閃避不及。」

單宏章道：「大師過獎了，非是在下武功高強，實是咱們對他估計過高。」

蕭翎心道：好啊！原來他是個和尙，我說呢，他這身衣著如此彆扭。

只聽那黑袍人應道：「貧僧不能多留，就此別過，還望少莊主即刻轉呈沈大莊主。」

單宏章道：「大師放心，今夜在下晉謁家師時，先行奉告大師之言。」

黑袍人合掌當胸，道：「貧僧告辭。」

單宏章一抱拳，道：「家師說過，一旦武林霸業有成，大師就是少林派的掌門人。」

那黑衣人欠身說道：「還望少莊主多多從中關顧，口角春風，並代貧僧向沈大莊主致意。」言罷，轉身而去。

單宏章目睹那黑衣人走遠之後，才舉手一招，暗影中奔出來兩個大漢，架起了蕭翎，奔向另一座密室之中。

蕭翎耳聞目睹，已知這七澤茶園是沈木風在長沙分舵之一，但並非主要所在，聽那單宏章的口氣，那沈木風似是另有棲身之處。

他藝高膽大，任那兩個大漢挾持而行，進入了另一座密室之中。

這座密室，只不過是一間房子大小，室中黑暗異常。

單宏章緊隨在兩個挾持蕭翎的大漢身後行了進來，道：「燃上火燭，我要問問這小子是何來路。」

左首那大漢應了一聲，點起了火燭。

室中，登時一片明亮。

蕭翎目光到處，只見四壁油光異常，似是鐵板夾成的房子，心中暗道：大約這所在是他們行刑的地方了。

只見單宏章回手掩上鐵門，一掌拍來。

蕭翎知他要解自己穴道，也不轉動。

單宏章一掌拍在蕭翎肩上，蕭翎也故意裝出穴道被解的樣子，目光轉動，長長吁一口氣，兩個大漢各自扭著蕭翎一條手臂，依壁而立。

蕭翎也不反抗，任他們扭著手臂，但暗中調息運氣，納入丹田。

只聽單宏章冷冷說道：「閣下的膽子不小。」

蕭翎望了單宏章一眼，裝作茫然，道：「在下和諸位往日無仇，近日無怨，諸位這般對待在下，是何用心？」

單宏章冷笑一聲，道：「真人面前不說假話，單某眼中揉不進一顆砂子，朋友如不想皮肉受苦，那就快據實而言。」

蕭翎道：「要我說什麼呢？」

單宏章道：「我問一句，你說一句，但卻不許有一字虛言。」

蕭翎道：「閣下請問，在下知曉的就據實回答。」

單宏章道：「你姓名外號？到此爲何？受人之托而來，還是自行到此？」

蕭翎道：「在下焦銅，江湖薄有聲名，遊歷到此，乘興而來。」
單宏章口中喃喃自語，道：「焦銅，我怎麼沒有聽過這名字呢？」
蕭翎自稱焦銅，取意蕭翎之同音，當下說道：「在下一向在水面活動。」
單宏章道：「這麼說來，你也是線上朋友了。」
蕭翎道：「是的，兄弟一向自做水上生意，陸上行動很少，是以不識閣下。」
單宏章冷笑一聲，道：「下三流的偷竊行動，在下倒是很少參與……」
提高了聲音，接道：「閣下做你的水上生意，和我這七澤茶園是井水不犯河水，閣下來此的用心何在？」
蕭翎道：「沒有用心，只是一時好奇罷了。」
單宏章緩緩說道：「閣下身上帶有何物？」
蕭翎道：「除了幾兩散碎的銀子之外，再無其他之物。」
單宏單一揮手，道：「仔細搜過。」
兩個大漢同時應了一聲，左手緊扣蕭翎之臂，兩隻右手，齊齊向蕭翎口袋摸去。
蕭翎一吸氣，把藏在身上的短劍吸移別位。
兩人在蕭翎袋中摸了一陣，道：「回少莊主的話，這小子未帶兵刃，也未見暗器。」
單宏章一皺眉頭，奇道：「看來，你倒不是故意勘查而來。」
蕭翎心中忖道：看情形再忍一些，或可多偵知一些內情。

心中念轉，口中應道：「少莊主懷疑在下有意來此搗亂嗎？」

單宏章冷冷喝道：「住口，你既非有意來搗亂，為何逼迫我們廳中夥計，連續飲下藥茶。」

蕭翎微微一笑，道：「那只怪少莊主用這些茶夥計太笨了，而且也太沉不住氣，在下只不過和他們閑言數語，他們就在茶中下毒，而且神色不定，被在下瞧出了破綻。」

單宏章沉吟了一陣，道：「閣下雖非有意而來，但我們已然把閣下擒獲，有道是捉虎容易放虎難，七澤茶園一向是規規矩矩的做生意，但閣下已知內情，自是不能放你。」

蕭翎道：「那要如何對待在下？」

單宏章臉上閃掠過一陣獰笑，道：「殺了你，才是最安全的法子。」

蕭翎心中暗道：看來又是難免一場搏鬥，不論搏殺、生擒單宏章，都將使那沈木風得到消息，打草驚蛇了……

但聞單宏章冷冷說道：「你不用害怕，在下雖然決心殺你，但卻讓你死得舒適，不受痛苦。」

蕭翎道：「你很慈善。」

單宏章笑道：「我重擊你天靈要穴，使你一暈而絕，肉體之上，毫無痛苦。」

右手揚起，直向蕭翎頭頂劈了下來。

蕭翎近來雖然內功大進，但也不敢讓那單宏章在天靈要穴拍中一掌。

形勢逼迫，不得不出手還擊。

當下兩手加力一抬，左、右兩手分拿著兩個執著自己手臂大漢的關節要穴，右腿飛起一腳，踢向單宏章的小腹。

同時兩臂加力，把兩個大漢向前一帶，撞向單宏章的前胸。

單宏章作夢也未想到，對方竟有如此武功，一瞬間全面反擊，右手收勢不住，啪的一聲，拍在一個大漢肩上，只打得那大漢悶哼一聲，肩塌骨折。

但他究竟是一流高手，掌勢雖未收住，人卻一收氣，疾退兩尺，避開一腳。

蕭翎兩手用力，向前一推，兩個大漢身不由己地，就向單宏章撞了過去。

單宏章兩掌一分，啪啪兩聲，兩個撞向他的大漢，齊齊被他掌力震倒。

蕭翎卻借勢而起，右手一揮，拍出一掌，擊向單宏章前胸。

單宏章右手奮起，硬接了蕭翎一擊。

雙掌接實，砰的一聲輕震，單宏章被蕭翎強厲的掌力，震得向後退了三步，氣血一陣浮動，不禁心頭大駭，右手一探，從懷中摸出一把手叉子，冷冷說道：「閣下是何許人？」

蕭翎冷笑一聲，道：「要命的！」

左手一揚，「金龍探爪」，直向單宏章腕上扣去。

單宏章接得一掌，已知對方武功非已能敵，不動兵刃，決難是對方之敵，右手一抬，手叉子寒芒閃動，刺向蕭翎的左手。

蕭翎右手一翻，五指一合，生生把手叉子抓住。

單宏章吃了一驚，道：「蕭翎……」

蕭翎右手疾出，左手向前一帶，點中了單宏章的步廊穴。

單宏章叫出蕭翎兩個字，穴道已被點中，右手一鬆，兵刃落地。

蕭翎撿起手叉子，左腳踏在單宏章前胸之上，順勢踢活了他的穴道，冷然說道：「在下已然學會施用毒手了，叫一句，我就挖出你一隻眼睛。」

單宏章果然不敢呼叫。

蕭翎目光轉動，看那被單宏章拍倒的兩個大漢中，有一個爬了起來，心中暗道：我如不下手傷他兩人，只怕這單宏章心中也不害怕。

心念轉動，手叉子隨手揮出。

只聽沙的一聲，一股鮮血隨叉而出，噴了單宏章一臉一身。

再看那掙扎欲起的大漢，已然前胸開裂，內臟流出。

蕭翎緩緩把手叉子上的鮮血，抹在單宏章的臉上，冷冷說道：「大概你相信我已學會了殺人？」

單宏章道：「你真是三莊主蕭叔父嗎？」

蕭翎冷冷說道：「我和那沈木風已經割袍斷義，劃地絕交，不用叫我三莊主了，目下我們是生死對頭。」

單宏章證實了確是蕭翎之後，自知無能反抗，心中反而安靜下來，緩緩說道：「你要什麼？」

蕭翎道：「你這小室中有多少人手？」

單宏章道：「這行刑室中，只有三人，兩個已經死去，還有我一個活的。」

蕭翎四顧了一眼，道：「我志在沈木風及瓦解百花山莊，替武林消除禍害，你不過一個被人奴役的凶徒，殺之不可惜，不殺你也無礙大事……」

單宏章接道：「大丈夫生死何懼，蕭大俠要殺就殺，不用想迫我屈服。」

蕭翎冷笑一聲，道：「看來你也已中毒很深，無可救藥，但我已從令師那裏學得諸般毒辣手段，要我一舉殺死你，只怕你很難如願。」

單宏章道：「那你要如何？」

蕭翎道：「我要你慢慢的受苦，然後再死……」語聲一頓，接道：「不論後果如何，眼下你還有一條路走。」

單宏章道：「什麼路？」

蕭翎道：「和我合作，聽我吩咐！」

單宏章道：「之後呢？」

蕭翎道：「放你一條生路，這次不殺你，日後若再犯在我的手中，哼……」

單宏章沉吟了一陣，道：「什麼事，你說吧！」

突聞室外傳來一個低沉的聲音，道：「少莊主。」

蕭翎低聲說道：「我輕不許諾，但一言既出，決不反悔，講過饒你不死，一定兌現，但你若要再耍花招，動用心機，那是自行取死了。」

單宏章點點頭，默不作聲。

蕭翎道：「要他進來。」

單宏章微一頷首，應道：「什麼人？」

只聽室外人應道：「在下三陰手刁全。」

蕭翎點了單宏章的穴道，閃身躲在門後。

單宏章道：「刁兄一個人嗎？」

刁全道：「在下和毒火井伽同來，那井伽留在前廳。」

蕭翎舉手示意單宏章，要他招呼刁全進來。

單宏章沉吟了一陣，道：「刁兄請進來吧！」

但見人影一閃，刁全推開鐵門疾衝而入。

蕭翎本想在他進入室門之時，悄然一指，點中他的穴道，但那刁全，乃積年老賊，生性狡猾，那單宏章稍一沉吟，再行答話，立即使他生出了警覺之心，左掌護胸，右手待敵，以極快速的身法，疾衝而入，身入室中，右掌疾向後面拍出一掌。

蕭翎雖然身歷了無數的大風大浪，經驗大增，但這些防人施襲的小節，卻是仍不如人，驟

不及防之間，被刁全衝入室中。

室中燭火，早被蕭翎熄去，黑暗異常，那刁全衝入室中，一腳踏在了單宏章的左腿之上，身不由己地向旁側一滑。

蕭翎欺身而上，掌出如風，拍向刁全右肩。

刁全左手疾出，迎擊蕭翎的掌勢，右手握拳下沉，擊向蕭翎小腹。

蕭翎右手加力，啪的一掌，和刁全掌力接實，人卻橫跨兩步，避開了刁全的拳勢。

刁全人稱三陰手，掌上本來練有特殊武功，只要和人掌力接實，對方必將傷在自己掌下，但他和蕭翎對掌，卻吃了大虧。

雙掌接實，響起了一聲大震。

蕭翎手上戴有千年蛟皮手套，不畏劇毒，一掌硬拚之下，刁全立時被震得氣血沸騰，悶哼一聲，倒退了兩步。

單宏章看得清楚，心中暗暗震駭，忖道：看來，他武功又增強了甚多。

蕭翎右掌一舉震傷了刁全，左手疾快點出，擊中了刁全的右肋日月穴。

刁全被震得頭暈眼花，蕭翎左指緊隨而到，擊中了他的穴道，冷冷說道：「刁全，你想死，還是想活！」

說話之間，右手探出，抓住了刁全的右腕。

刁全眼中金星亂冒，搖晃了半晌腦袋，才鎮靜下來，道：「要死怎麼說，要活又將如何？」

蕭翎道：「你如想死，我一掌把你擊斃，你如想活，那就要聽我吩咐。」

這時，刁全神智已然清醒，望望躺在地上的單宏章，道：「少莊主嗎？」

單宏章心中暗道：今日被他瞧到這種醜態，但得能離開此地，非得想法子殺他滅口不可。心念暗轉，口中卻又不能不應，只好接口說道：「不錯。」

蕭翎右手加力一扭，登時把刁全的腕骨扭斷，只疼得刁全臉上大汗淋漓，呼叫出聲。

單宏章心中暗道：看來，他比我吃的苦頭還要大了。

刁全強忍著痛苦，抬頭望著蕭翎，道：「你是什麼人？」

蕭翎冷冷說道：「要命的！」

刁全呆了一呆，道：「少莊主，此刻應該如何？還望少莊主指教。」

單宏章道：「咱們百花山莊，規戒森嚴，洩露了隱秘，勢必處以毒刑，那痛苦，要比死亡更重十倍了，何況，你又不知多少隱秘，對方如是問不出內情，亦將用嚴刑逼供，如你不願耐受酷刑，那就不如死去的好。」

這幾句話，陰毒無比，明裏似是故示同情，怕刁全忍受不住酷刑，暗中卻要刁全自絕一死。

刁全冷笑一聲，道：「少莊主，可是要在下自絕嗎？」

單宏章道：「如是你自信能受得苦刑，不死也不要緊。」

蕭翎右手微微一搖，刁全又是痛得出了一身大汗，說道：「刁全，此時此刻，你生死握於我手，不用請命你那少莊主了。」

刁全穴道被點，也無法運氣和疼苦抗拒，只好說道：「要命的，你要什麼？」

蕭翎道：「沈木風現在何處？」

刁全道：「這個在下不知。」

蕭翎一皺眉，道：「這長沙城中，你們有多少人手？」

刁全道：「這個在下也不清楚，在下只知道我們同行幾人……」

蕭翎道：「好！你說說看，有多少人，何人領隊？」

刁全道：「在下等一行十二人，由申三怪老前輩領隊。」

蕭翎道：「你們現住何處？」

刁全道：「現在長沙城西白雲觀。」

蕭翎道：「白雲觀……」

刁全道：「是的，在下和井伽奉了申三怪之命，到此奉呈少莊主。」

單宏章突然連續輕咳了兩聲。

刁全急急住口不言。

蕭翎冷笑一聲，道：「少莊主定是不想活了。」

抬腿一腳，踢了過去。

單宏章連打了幾個翻身，滾到四尺開外，撞在牆壁上，但卻連哼也未哼一聲。

原來，蕭翎這一腳踢中了他的啞穴。

刁全側耳聽了一陣，道：「他死了。」

蕭翎冷冷說道：「大概吧！說下去，你們來此向單宏章呈送什麼？」

刁全道：「申三怪交我們一封書信，面呈少莊主。」

蕭翎冷冷說道：「拿出來。」

刁全右手腕骨被蕭翎扭斷，難以舉動，只好用左腕探入懷中，取出一封書簡，遞向蕭翎。

這時，刁全認爲那單宏章已被蕭翎踢死，是以，心中少去了甚多顧慮。

但他卻不知單宏章只是被踢中了啞穴，正瞪著一雙眼睛在瞧著他。

蕭翎接過書信，道：「帶有火摺子嗎？」

刁全道：「有。」

蕭翎道：「好！你燃上火燭。」

刁全吃足了苦頭，對蕭翎心中有著很深的畏懼，哪裏還敢使用詐術，拿出火摺子晃燃，點起火燭。

蕭翎借那刁全點燃燭火時，卻拉上了鐵門。

凝目望去，只見那信封之上寫道：「函奉少莊主，呈沈大莊主手啓。」

蕭翎拆開信封，只見上面寫道：「字奉沈兄大莊主木風尊前：大莊主智計絕世，算無遺

策，屬弟依計而行，果然得售，逍遙子已然派遣了高手出動，如是事情順利，近兩日內，就可以和武當派造成一番惡拚。」

那書信很簡單，短短數語，但卻充滿著機詐惡毒。

蕭翎看完了書信，冷笑一聲，道：「好惡毒的用心啊！」

裝好信箋，把書信放入懷中。

刁全呆了一呆，道：「你要把書信帶走嗎？」

蕭翎不答刁全的問話，卻反問道：「你可知道這封信上的內容嗎？」

刁全搖搖頭，道：「在下未得閱讀，如何知曉。」

蕭翎心中暗道：沈木風能有今日成就，固然憑仗他高強的武功、毒辣的手段，但行事隱秘，也是原因之一，單看他這封信，就寫得含含糊糊，想這刁全，決然不會知曉了。

心中念轉，也不再多問，輕輕咳了一聲，道：「刁全，你一生中作惡甚多，殺的人只怕你也難以計算，今日犯我手中，那是要冤冤相報了。」

刁全臉色一變，道：「怎麼？你要殺我嗎？」

蕭翎心中暗道：似此等人物，殺上十個、八個，對沈木風也不會有多大的影響，怎生想個法子，使他能發揮作用，那是強過殺死他了。

當下說道：「你如想不死，只有一途。」

刁全道：「願聞高論。」

蕭翎道：「從此之後，聽命於我。」

刁全道：「在下答應了，只怕閣下也難以相信。」

蕭翎道：「自然是無法相信……」

心中沉吟了一陣，接道：「我點你一處經外奇穴，每隔七天必須推活穴道換個部位，不如此，過了七日，那就要血脈硬化，半身癱瘓，慢慢死亡。」

刁全道：「如此厲害嗎？」

蕭翎道：「希望你能相信我的話，好在五日之後你即將有所感應，那時不容你不信了。」

說完，揮指點了刁全穴道，拍活他日月穴，又接上了他斷去的腕骨，掏出懷中函件，交回了刁全手中，熄去火燭，拉開鐵門，低聲和他說了數語，才放走刁全。

蕭翎放走了刁全之後，重又拉上鐵門，點起火炬，才拍活了單宏章的啞穴，道：「你都瞧到了。」

單宏章道：「瞧到了。」

蕭翎冷冷說道：「有何感想？」

單宏章道：「以他們的身分，絕無法參與機密，而且百花山莊中規戒森嚴，只要他們稍有逾越，立時將遭處死，你想用他們做爲眼線，那是選人不當了。」

蕭翎道：「所以，要憑仗你了。」

單宏章道：「你要如何打算？」

蕭翎道：「在下的易容之術如何？」

單宏章打量了蕭翎一陣，道：「很高明。」

蕭翎道：「你可以告訴我，該改裝成何等模樣的人物，才能和你同行，去見那沈木風。」

單宏章微微一笑，道：「你不怕我出賣了你嗎？」

蕭翎道：「不勞費心，在下自會顧慮及此。」

單宏章沉吟了一陣，道：「好吧！你有此膽氣，在下也只好答應了。」

蕭翎拍活了單宏章被點的穴道，說道：「有一件事，我必須得事先說明。」

單宏章道：「什麼事？」

蕭翎道：「我隨你去見令師，那是深入龍潭虎穴，因此，在無數高手環伺之下，我也不能不作準備。」

單宏章穴道雖然全部解開，但他自知難是蕭翎之敵，不敢妄動。

當下一皺眉頭，道：「你要如何準備呢？」

蕭翎道：「我要先點你兩處穴道，使你無法運氣行功，這樣，如若你出賣了我，我先出手擊斃你，你無法運氣，自是無能逃避。」

單宏章點了點頭，道：「還有什麼？」

蕭翎道：「然後，我用內家手法，點你兩處奇經，一十二個時辰之內，經脈硬化而死。」

單宏章吃了一驚，道：「這又爲什麼呢？」

蕭翎道：「如此一來，閣下就無法不見我面了。」

單宏章笑道：「你想得很周到……」

只聽幾聲砰砰大震，傳了進來，有人在敲打鐵門。

蕭翎一皺眉頭，低聲說道：「什麼人在打門？」

單宏章搖搖頭，道：「閣下太大意了，不該放走刁全。」

蕭翎道：「我想他也沒有重來此地的膽子。」

但聞砰砰大震，不絕於耳，戶外人敲打鐵門，十分緊急。

單宏章低聲道：「可要開門嗎？」

蕭翎左手伸出，扣住單宏章右腕穴，低聲說道：「最好你別讓他進來，如若來人一定要進來，你就出其不意點他穴道。」

單宏章目注蕭翎，微微點頭示意。

這時，那敲門之聲忽停，等待著室中反應。

蕭翎揚手指指鐵門，示意那單宏章拉開鐵門。

單宏章左手拉開鐵門一半，立時橫身擋在拉開的門前，道：「我道是誰，原來是夫人。」

只聽室外傳來一陣嬌笑之聲，道：「少莊主緊閉鐵門，我打了如此之久，你才打開來，不知在室中作甚？」

言語間充滿玩世不恭的輕佻，正是那金花夫人的聲音。

蕭翎心中一動，暗道：這金花夫人和唐老太太，那夜連袂追殺沈木風，怎的又會加入百花山莊之中了，那沈木風心胸狹窄，金花夫人已然正式背叛了他，他又如何能夠忍受呢？

只覺此中疑點重重，卻又是百思不解。

但聞單宏章說道：「在下在這秘室中，和一位朋友談幾點機密大事。」

金花夫人道：「什麼朋友，可否讓我見識見識？」

單宏章道：「夫人不用看了，在下確然有要事和人相商。」

口中說話，人卻伸手去拉鐵門，準備關閉。

金花夫人突然一伸右手，擋住鐵門，緩緩說道：「少莊主，我是奉沈大莊主之命而來！」

單宏章略一沉吟，道：「有何見教？」

金花夫人笑道：「讓我進去再說好嗎？」

右手加力，身子一閃，硬行衝了進來。

單宏章右腕脈穴被蕭翎扣住，單憑一隻左手之力，如何是那金花夫人之敵，眼看金花夫人已衝了進來，只好一收左手，疾向金花夫人右胸點了過去。

金花夫人右手一揮，接住了單宏章的掌勢，笑道：「少莊主爲何下此毒手？」

單宏章左腿一抬，合上鐵門，室中陡然間黑了下來。

但他卻未向金花夫人出手。

卅三　身入虎穴

原來他心想，自己既然答應合作，蕭翎絕不會放過金花夫人，金花夫人武功不弱，蕭翎二、三招未必能夠勝他，如若蕭翎全力對付金花夫人，自然會放開自己的脈穴。

哪知事情出他意料之外，蕭翎竟然是視而不見，仍然扣著他脈穴不動。

室中黑暗如漆，金花夫人雖然目力過人，但她陡然間由明入暗，也是無法瞧得室中景物。

單宏章不見蕭翎有所舉動，只好硬著頭皮喝道：「夫人請放開在下的左手。」

金花夫人冷冷說道：「你這少莊主的威風，擺給別人看可以，但我卻不吃這套，你出手就要傷我的穴道，究竟是何用心？」

右手反而緊扣著單宏章的左腕脈穴，左手晃燃了火摺子。

火光閃爍，室中景物已清晰可見，只見那單宏章，一隻右手腕，已然被人扣住。

那蕭翎臉上塗有易容藥物，金花夫人一眼之下，真是看不出來，但她反應靈快，一看之下，已是心中了然，當下一鬆右手，放開了單宏章左腕脈穴，掌出如風，擊向蕭翎。

蕭翎微一閃身，避開掌勢，一帶單宏章，擋在自己身前。

金花夫人左手探出，燃上火炬，雙手齊出，攻向蕭翎。

蕭翎一面縱身閃避，一面卻用單宏章封擋金花夫人的掌法，始終不肯還手。

金花夫人掌、指齊出，連攻了數十招，仍然未曾傷到蕭翎，已然警覺到遇上勁敵，霍然收掌而退，冷冷說道：「你是什麼人？」

蕭翎緩緩應道：「在下蕭翎。」

金花夫人怔了一怔，道：「你是蕭翎？」

雙目凝注在蕭翎臉上，瞧了一陣，道：「聲音很像。」

蕭翎道：「夫人活得很好啊！」

金花夫人歎道：「慷慨赴死易，從容就義難，姊姊我現在是體會到了。」

單宏章輕輕咳了一聲，道：「你們很好啊？」

蕭翎冷笑一聲，道：「不錯，少莊主可以放心，金花夫人絕不會洩露今日之秘，咱們還依照原意而行如何？」

單宏章道：「金花夫人奉家師之命來此，想是必有要事，或許事情有變，家師已離開長沙了。」

金花夫人道：「單宏章說得不錯，那沈木風確然要離開長沙。」

蕭翎道：「姊姊可知他行向何處？」

金花夫人搖搖頭，道：「他似是聽到了什麼消息，突然改變主意，要離開長沙。」

蕭翎沉聲說道：「單宏章你自己說，咱們約定之言，是否還有效呢？」

單宏章道：「自然有效。」

蕭翎道：「好！縱然是沈木風走了，在下也應該到你們那隱秘的分舵瞧瞧……」

略一沉吟，道：「沈木風離開了長沙之後，你就可以少莊主的身分，發號施令了。」

單宏章搖搖頭，道：「家師任何事務，都有詳明的安排，百花山莊中一些武功高強的人物，算起來，都是在下的長輩，要他們聽在下之命，實非可能。」

蕭翎冷然說道：「誰要你指揮他們了，只要你帶在下去瞧瞧令師的佈置，和留在長沙的實力。」

單宏章當下說道：「既是如此，咱們可以動身了。」

蕭翎道：「在下就穿這身衣著嗎？」

單宏章沉吟了一陣，道：「閣下如能除去鬍鬚，換著勁裝，臉上再塗上易容藥物，和我同行，那就更顯得天衣無縫了。」

蕭翎依言脫下長衫，除去鬍鬚。

金花夫人道：「我替你找衣服去。」閃身出門而去。

單宏章眼看金花夫人去後，低聲說道：「蕭大俠不怕金花夫人洩露出隱秘嗎？」

蕭翎微微一笑，道：「她說出去，別人也不會相信。」

單宏章道：「爲什麼？」

蕭翎道：「第一，別人不會相信你少莊主出賣百花山莊，第二，別人也不會相信我蕭翎肯和你走在一起。」

那金花夫人動作快速，片刻工夫，已然拿著一套衣服回來。

蕭翎換過衣服，道：「少莊主，在下和你如何一個稱呼？」

單宏章道：「你叫單兄，我叫白兄。」

蕭翎道：「少莊主可是有一位姓白的朋友？」

單宏章道：「那人遠在東海，識他之人不多。」

蕭翎道：「這室中屍體呢？」

單宏章道：「我自會要他們收埋，咱們可以走了。」大步向外行去。

蕭翎突伸出右手，抓住了單宏章的肩頭，點了他兩處經外奇穴，道：「現在可以走了。」

金花夫人低聲說道：「蕭兄弟，可要我隨時保護嗎？」

蕭翎搖搖頭，道：「不用了。」

隨在單宏章身後，大步行了出去。

出得七澤茶園，單宏章突然舉手互擊三掌，立時有一個青衣小帽，但身體健壯的少年，大步行了過來，欠身說道：「少莊主有何吩咐？」

單宏章道：「備兩匹快馬。」

那人應了一聲，片刻工夫，牽著兩匹健馬，行了過來。

單宏章手扶馬鞍，一提真氣，突覺兩肋間一陣刺疼，有如利刃刺心一般，滿頭大汗，滾滾而下。

心中一駭，才知蕭翎果有難以思議之能，竟能找出經外奇穴，使人無法運氣，表面上，卻又瞧不出穴道受制。

蕭翎適時行了過來，右手一抬，扶起單宏章上了坐馬。

兩騎馬一先一後，直向前面行去。

轉過了兩個大街，遠遠見到百里冰，站在一處屋簷下，正在東張西望。

此刻，蕭翎已然另行改裝，百里冰自然無法認得出來。

蕭翎回顧一眼，左手平伸，施暗號和百里冰招呼。

百里冰看到暗號，微微一怔，放腿奔了過來。

蕭翎一面施用暗號阻止百里冰，一面放轡疾奔。

兩騎馬快如飄風，直奔正西而去。

百里冰興高采烈地跑了過來，但見蕭翎示意阻攔，只好停下來，望著蕭翎和人並轡奔去。

只見一個肩挑菜擔的漢子，行了過來，掠著百里冰身側而過，借勢低聲說道：「百里姑娘，咱們那邊坐吧！」

百里冰無可奈何地長歎一聲，隨在那大漢身後行去。

兩人行到一處小小的飯店中坐了下來。

百里冰沒好氣地說道：「你叫我來幹什麼？」

那大漢微微一笑，道：「我認識那行在前面的騎馬人！那是單宏章，沈木風的大弟子。」

百里冰道：「糟了，大哥和他走在一起，那不是太危險了嗎？我瞧咱們得快追上去。」

那大漢搖搖頭，道：「大哥如需咱們相助，自然會招呼咱們，既然不讓咱們去，自然是用不著咱們了。」

百里冰霍然站起身子，道：「哼！和你講不通，你不去，我一個人去了。」

杜九急急說道：「且慢。」橫身攔住了去路。

百里冰怒道：「怎麼？你還有麼話要說？」

杜九道：「在下確有幾句話，希望你能聽完，你想，蕭兄弟如有什麼計畫，因姑娘趕去，而受破壞，姑娘如何交代？」

百里冰慢慢坐了下來，道：「照你這麼說來，那是一定不能去了，但咱們就算不能去，也該想個法子，暗中接應他呀！」

杜九緩緩說道：「那無為道長足智多謀，咱們去見他商量商量，或可想出一個辦法來。」

百里冰道：「那就快些去吧！」站起身子，當先出店。

且說蕭翎和單宏章，兩騎健馬，奔出長沙城，單宏章一勒疆繩，健馬緩了下來，說道：

「咱們先到白雲觀去。」

一轉韁繩，健馬直奔白雲觀。

白雲觀規模很大，煙火鼎盛，香客不絕，由外面看，絕瞧不出有百花山莊中人盤踞於此。

蕭翎、單宏章在觀外下馬，步行入觀。

單宏章似是十分熟悉，進得觀門，直向後殿行去。

穿過了四進院落，到了一所幽靜的跨院前面，一扇緊閉的木門，有其他房舍隔絕。

在整個白雲觀中，這座跨院，顯是獨成一格。

單宏章舉手在門上連扣九響。

蕭翎心中暗道：原來，他們連開門，也有著規定的暗號。

過了片刻工夫，才聽門內有人低聲說道：「什麼人？」

單宏章沉聲說道：「金風送爽來。」

木門呀然而開，一個身著青衣的大漢，當門而立，擋住了去路。

那人一見是單宏章，冷冰的面孔上，立時換了一副笑容，欠身說道：「見過少莊主。」

單宏章道：「不用多禮了，申老英雄在嗎？」

青衣大漢應道：「申領隊剛剛奉得飛鴿函召而去。」

單宏章舉步行入跨院，說道：「什麼人在？」

青衣大漢匆匆關上木門，緊追在單宏章的身側，道：「有副領隊孔湘。」

單宏章道：「好，你替我通報，就說我有事求見。」

青衣大漢應了一聲，急急向前奔去。

單宏章放輕腳步，低聲說道：「要委屈閣下，只能觀察、聽聞，不可插口接言。」

蕭翎道：「少莊主放心，在下自會三緘其口。」

說話之間，瞥見那青衣大漢，帶著一個四旬左右的長衫中年人，急步行了過來。

只見那大漢一抱拳，道：「孔湘見過少莊主。申領隊受飛鴿函召而去，此地暫由兄弟代理。」

單宏章道：「此地有多少人手？」

孔湘道：「除了申領隊之外，還有十二人。」

單宏章道：「人都在嗎？」

孔湘道：「除刁全、井伽兩人奉派而出之外，都在觀中。」

談話之間，到了正房前面。

蕭翎暗中留神打量了四下一眼，只見這座小小院落之中，種滿了花、樹，景物十分清幽，除了一座正房之外，兩側都有廂房。

只見孔湘欠身說道：「少莊主請入房中待奈。」

單宏章緩步行入房中，一面問道：「白雲觀中近日有何變化嗎？」

孔湘道：「申領隊嚴束部下外出，如無差遣，不得離此跨院一步，是以，我等住此一事，

可說十分隱秘……」

單宏章道：「那申領隊被飛函召去多久了？」

孔湘道：「不足半個時辰。」

單宏章回顧了蕭翎一眼，目光又轉到孔湘身上，道：「在下路過此地，特地探望諸位，如若無事，在下就此別過了。」

孔湘沉吟了一陣，道：「事情倒有，就是關於四海君主的事。」

單宏章目光轉動，見蕭翎雙目瞪在自己臉上，只好問道：「四海君主怎麼樣？」

孔湘道：「那四海君主已然派遣了逍遙子來過此地。」

單宏章道：「他們談些什麼？」

孔湘道：「他和申領隊談了很多，在下聽到一點，那逍遙子說蕭翎已被他們生擒了。」

單宏章心中暗罵道：胡說一通，蕭翎就在我的身側站著，怎會被人生擒而去呢！口中卻冷冷問道：「這消息確實嗎？」

孔湘道：「是否確實，在下不敢斷言。」

單宏章道：「還有其他事情嗎？」

孔湘搖搖頭，道：「沒有了。」

單宏章站起身子，道：「我要去了，孔兄不用送了。」轉身大步而去。

蕭翎緊隨身後，一口氣行出了白雲觀。

只見兩匹健馬，仍然拴在原處。

蕭翎扶著單宏章登上馬背，一面低聲說道：「閣下很合作。」

單宏章道：「在下既然答應了你，自然要盡我之力，不過，在下也希望你能守信。」

蕭翎道：「這個，但請放心，只要你不耍花招，在下自會遵守信約……」

語聲一頓，接道：「咱們現在再往何處？」

單宏章道：「帶你到家師宿居之地瞧瞧去吧！」一抖韁繩，向前奔去。

蕭翎緊追在單宏章身後，向前奔去。

一口氣奔行了二十餘里，到了一座農莊前面。

蕭翎目光轉動，只見那農莊是一片茅舍聚集而成，四周竹籬圍起。

單宏章一帶馬頭，直向籬門衝去。

馬近竹籬，那籬門突然大開。

蕭翎心中暗道：這農莊表面看去，不見一點防守，實際上，到處都有人監視。

心中念轉，人卻一夾馬背，緊隨著單宏章衝入籬門中去。

只見兩個勁裝大漢，分由左、右躍了出來，分別抓住兩人的馬韁。

單宏章暗中咬牙，翻身縱下馬背，口中說道：「大莊主呢？」

左首一個青衣大漢，欠身應道：「大莊主已離此地……」

目光卻盯注在蕭翎的身上打量。

單宏章輕輕咳了一聲，道：「這位白兄，有事求見大莊主。」

兩個勁裝大漢微一點首，牽著兩匹健馬，行入一幢茅舍之中。

單宏章低聲說道：「白兄，請隨在兄弟身後，此地戒備森嚴，錯一步立刻有性命之憂。」

蕭翎道：「多謝單兄關顧。」

暗中留神四顧了一眼，但見四周一片寧靜，看不到一個人蹤，聽不到一點聲息。

只有微風吹拂著樹葉，響起輕微的沙沙之聲。

單宏章大步而行，直向正中一幢茅舍之中行去。

蕭翎緊隨單宏章身後，進入室門。

只見人影一閃，四個勁裝大漢同時閃身而出，攔住兩人去路，齊齊欠身道：「少莊主。」

單宏章道：「大莊主去了多久？」

左首一人應道：「去了不足一個時辰。」

四人雖然對那單宏章十分尊敬，但卻不肯讓開去路。

單宏章道：「現在何人主事？」

仍由左首那勁裝大漢答道：「二莊主。」

單宏章道：「我要進去瞧瞧，是否也得通報一聲呢？」

左首大漢應道：「少莊主自是不用，但這位……」

單宏章接道：「這位白兄，是我的朋友。」

左首大漢應道：「和少莊主同來，在下等本不該攔阻，但格於莊主森嚴的禁令，實是無可奈何！還望少莊主多多原諒。」

單宏章冷笑一聲，道：「好，你們去替我通報吧！」

左首大漢一抱拳，轉身而去。

另外三個大漢，卻仍然攔住了二人去路。

蕭翎心中暗道：這沈木風的命令，果然森嚴，連自己的弟子，也要身受限制。

片刻之後，那大漢急急奔了過來，道：「二莊主有請二位。」

言罷，四人同時退開，閃入門後。

蕭翎亦步亦趨，緊隨單宏章。

穿過茅舍，後面是一條白沙鋪成的小徑。

蕭翎流目四顧，只見那白沙小徑的兩側，是一道高逾一丈的竹籬，每隔丈餘，就有一個勁裝大漢守護著。

這小徑約八丈，行到盡處，又是一間很大的茅舍，門口，站著四個佩刀大漢。

四大漢似是都認識單宏章，齊齊欠身說道：「見過少莊主。」

單宏章道：「有勞通報二莊主一聲，就說在下求見。」

那佩刀大漢還未來得及說話，周兆龍已經迎了出來，道：「賢侄……」

目光突然轉注到蕭翎的身上，道：「這人是誰？」

單宏章道：「他姓白，乃小侄一位朋友。」

周兆龍神情肅然地說道：「請他前面坐吧！此地不便留客。」

單宏章道：「他隨小侄同來，有事晉謁大莊主。」

周兆龍道：「你師父已經離開此地了。」

單宏章回顧了蕭翎一眼，低聲對周兆龍道：「周二叔，他既是來此晉見家師，咱們似是不便拒人於千里之外。」

周兆龍沉吟了一陣，道：「好吧，叫他進來，不過，不許東張西望，也不許多問什麼。」

單宏章回顧了蕭翎一眼，道：「小弟替白兄帶路。」當先舉步而入。

蕭翎隨在單宏章身後舉步而入。

周兆龍站在門側，看兩人步入室中之後，隨手掩上房門。

突然舉手，一把扣住了蕭翎的左手腕脈。

蕭翎雖已暗有戒備，但卻仍然讓他抓住。

單宏章聞聲停步，轉眼望著周兆龍道：「周二叔，這是何意？」

周兆龍冷然一笑，道：「賢侄這位朋友很可疑。」

單宏章道：「哪裏可疑了？」

周兆龍道：「他似是不喜說話，有如啞子一般。」

單宏章淡淡一笑，道：「他素來不喜多言，但卻並非啞子。」

周兆龍道：「好！那讓他說句話給我聽聽。」

蕭翎粗著嗓子，道：「二莊主這等手法，豈是迎客之道嗎？」

周兆龍緩緩放開蕭翎的腕脈，微微一笑，道：「得罪了。」

搶在單宏章前面，向前行去。

蕭翎暗道了兩聲僥倖，隨在後面而行。

周兆龍帶兩人行到一間套房之中。

蕭翎的目光轉動，只見這套房墨帷低垂，燃著兩支蠟燭。

四周木椅上，分別坐著六個人。

周兆龍行到正中一張木椅上坐下，低聲對單宏章道：「你也坐下，我們在研商一件很重要的事。」

單宏章就身旁一張空椅上坐了下來。

蕭翎緊傍單宏章身側坐下。

目光轉動，暗自打量了四周之人一眼。

只見六人之中，一個矮胖老者，身著黑衣，極似申三怪。

另一個老嫗，正是四川唐門的唐老太太。

另外四個，全都是身著紅衣的大漢。

四人一般衣著，臉色也一樣，蒼白如雪，不見血色。

打量過四個紅衣大漢之後，蕭翎心中一動，突然想到了沈木風的八大血影化身，暗道：瞧這四人模樣，頗似八大血影化身人物，難道周兆龍也能指揮四人不成……

忖思之間，突聞周兆龍說道：「申兄適才所言，不會有錯嗎？」

申三怪道：「不會錯，在下和那逍遙子會談之後，立時書成秘函一封，派遣刁全、井伽，把密函奉交單少莊主，轉呈大莊主，哪知剛剛派出兩人，在下亦得大莊主的飛鴿相告，只好匆匆趕往會晤之地……」

周兆龍接道：「大莊主放出飛鴿，召見申兄之後，突然間接到一位數十年不見的好友相召，匆匆趕去相晤，臨去之際，交代在下，和申兄詳細的研商此事。」

申三怪道：「大莊主如何吩咐？」

周兆龍道：「他說，關於申兄說起逍遙子和本門中的事，要我和申兄研商辦理。」

申三怪道：「二莊主準備如何處理此事呢？」

周兆龍微微一笑，道：「坐收漁人之利，但時機還未成熟，區區之意，一切悉按你申兄之意進行，這其間稍有修改的是除去一事。」

申三怪道：「哪一件事？」

周兆龍道：「暗中下毒一事，暫行中止，免得一旦被他發覺，反臉成仇，大莊主在此時，自然是不怕他們，區區恐怕難以應付。」

申三怪道：「先讓他和武當衝突的安排，乃大莊主的設計，二莊主既要變更下毒的計畫，不知這方面，是否也要修改？」

周兆龍沉吟了一陣，道：「爲了使得逍遙子信任咱們，在下之意，由申兄率部分高手，趕往接應他們一下，不過，一定要等到他們將勝未勝之際，再行出手，大莊主未在此地，在下不希望咱們在此的人手，有所損傷。」

申三怪道：「二莊主思慮周詳，在下甚是敬佩！」

目光轉到單宏章的臉上，接道：「少莊主對此有何高見？」

單宏章起身說道：「家師既有吩咐，周二叔又設計精密，在下願爲前驅。」

只聽一個沉重的聲音，傳了進來，道：「稟告二莊主！」

周兆龍道：「什麼事？」

那沉重的聲音應道：「金花夫人求見。」

周兆龍略一沉吟，道：「金花夫人是客居身分，不宜拒絕，好在此刻大事已決，要她進來無妨。」

單宏章眼看周兆龍答應了下來，心中雖然有些惴惴不安，但也不便插口多言。

但聞周兆龍高聲說道：「請她進來。」

那人應了一聲，轉身而去。

片刻之後，金花夫人滿臉含笑，快步行入室中。

只見她目光轉動，先行打掠了室中形勢一眼，笑道：「看來你周二莊主，比起那沈大莊來，架子還要大得多了。」

對這位滿身毒物，武功奇高，又放浪形骸的金花夫人，周兆龍似乎是毫無對付的辦法，淡淡一笑，道：「夫人說笑了。」

金花夫人目光又轉到單宏章的臉上，揮揮手，道：「少莊主，你好啊！好久不見了。」

單宏章擔心她提起蕭翎的事，哪知金花夫人卻是一字不提，心中大爲寬慰，微微一笑，道：「夫人好啊！」

只見申三怪突然站起身子，對著周兆龍抱拳一禮，道：「屬下要先行一步。」

周兆龍道：「申兄請便。」

申三怪道：「失禮了。」大步向外行去。

金花夫人站在門口處，正好攔住了申三怪的去路。

眼看申三怪行來，仍是站著不動。

申三怪無可奈何，只好一拱手，道：「夫人請讓讓去路如何？」

金花夫人洪聲說道：「我瞧到一群和尙，到了長沙！一行共五人，兩個老的，三個小的，而且個個都是第一流的高手。」

周兆龍道：「那兩個老的有多大年紀？」

金花夫人道：「那兩個老的嗎？少說點，也有七、八十歲了。」

申三怪低聲說道：「看來，定然是少林寺中的高僧了。」

周兆龍略一沉吟，道：「夫人可瞧到那幾個和尚行向何處嗎？」

金花夫人道：「我只瞧到他們進了長沙城，至於到哪裏，就不曉得了。」

申三怪冷哼一聲，道：「夫人既瞧出了他們都是第一流的高手，爲什麼不追蹤他們呢？」

金花夫人道：「一則咱們百花山莊中，在長沙城布有很多眼線，用不著我去操心；二則我一個婦道人家，不能緊跟著幾個和尚不放啊！」

申三怪一側身子，道：「金花夫人說得不錯，那些人八成是少林寺中的和尚了，在下不能久留，還望二莊主即刻派人追查。」

周兆龍道：「申兄自管請便，不用分心於此事。」

申三怪一側身，從金花夫人身側閃過，匆匆出室而去。

周兆龍目光轉到單宏章的身上，道：「此事要有勞賢侄一行了。」

單宏章道：「小侄遵命。」

起身招呼蕭翎道：「白兄，請和在下一起去吧！」

蕭翎起身追隨在單宏章身後而行。

單宏章帶著蕭翎離開茅舍，一路急行，奔到了五里外一處茂密的樹林之中，道：「蕭兄，在下很守信諾吧？」

蕭翎道：「所以，我也要對你守諾。」

伸手拍活了單宏章數處被點的穴道。

單宏章聳聳肩膀，道：「在下一生中，第一次受人這等逼迫。」

蕭翎道：「有了第一次，難免要有第二次，少莊主在長沙的行動還望能小心一些，別讓在下再遇到你。」

單宏章道：「多謝關照，下一次，在下自然會小心一些。」

言罷，轉身出林，疾奔而去。

蕭翎心知那單宏章絕然不肯甘心受此大辱，此去必將率領高手來此，於是，也匆匆離開密林，奔回長沙城中。

一口氣跑回七澤茶園，天色已到了掌燈的時分。

果然百里冰仍然在附近徘徊等待。

原來，百里冰見了那無爲道長之後，卻被無爲道長勸阻。

百里冰無可奈何，又獨自跑到七澤茶園前面徘徊。

這次，無爲道長和杜九再也無法勸阻，只好暗中保護她。

但蕭翎已然料想及此，回到七澤茶園近處，果然見到了百里冰，當下輕步行了過去，低聲說道：「冰兒。」

百里冰聽出蕭翎的聲音，心中大喜，轉身向蕭翎撲去。

蕭翎一閃身，抓住了百里冰的手腕，接道：「鎮靜些，快帶我去見無為道長。」

百里冰點點頭，反牽著蕭翎，向前奔去。

在迷濛的夜色掩護之下，兩人穿過了幾條大街，到了一條僻靜的小巷之中。

百里冰行到一座白木大門前停了下來，舉手輕扣門環。

蕭翎抬頭看去，只見大門之後，木架聳立，高約三丈，上面掛滿了布匹，原來到了一座染坊，門內也無人喝問，但卻輕輕打開木門。

一個二十幾歲的小夥子，當門而立。

他似是已認識百里冰，打量兩人一眼，閃身讓開去路。

百里冰帶著蕭翎，直登上房，又轉入了一座套房之中。

套房燈火高燃，一個青袍、氈帽的老者，和一個破衣大漢，齊齊起身相迎。

那青袍老者合掌說道：「來者可是蕭大俠？」

蕭翎道：「正是蕭某，老丈何人？」

那青袍老人笑道：「貧道無為，這位是令弟杜九。」

蕭翎仔細看了兩人一眼，道：「兩位的易容之術很高明，連在下也瞧不出來了。」

無為道長道：「百花山莊中人，極善化裝之術，使人防不勝防，對付強敵，那是不得不如此了。」

蕭翎還禮笑道：「不用多禮，我們坐下談吧！我還有要事，奉告道長。」

三人分位而坐，百里冰卻緊傍蕭翎身側坐下，面帶微笑，看上去十分嫺靜。

蕭翎輕輕咳了一聲，道：「在下剛從百花山莊的大本營歸來，目下沈木風已然離開長沙，周兆龍代他主事，逍遙子也已派遣高手……」

當下把經過情形很仔細地說了一遍。

無爲道長只聽得緊皺眉頭，道：「逍遙子和沈木風攜手合作，那可是一樁很大的麻煩事了。」

蕭翎道：「這雙方實力都很強大，也都有著雄霸江湖的野心，二虎相處，本來是極難相容，不知何故，竟然能攜手合作，就目前所見而論，雙方的攜手，似乎不是志同道合，而是百花山莊用一種方法，逍遙子等不得不移樽就教。」

無爲道長神情肅然地說道：「他們如若真的合作起來，對目下江湖的影響太大了，咱們絕不能讓他們合作起來，必得設法破壞才成。」

蕭翎道：「沈木風和四海君主的合謀，原本就是權謀，咱們只要設法去揭穿，就可以引起他們的一場火併。」

無爲道長道：「此事說來容易，做起來只怕是很難如願。」

蕭翎道：「那沈木風在長沙時，原本有下毒對付逍遙子的計畫，只要咱們從中透給那逍遙子等一點消息，就可以促成他們自相殘殺，但此刻，由那周兆龍代主大局，其人的膽子很小，

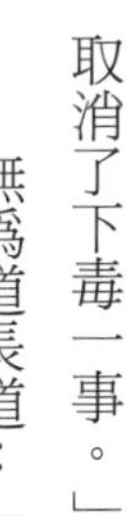

取消了下毒一事。」

無爲道長道：「那申三怪說先讓我們和逍遙子等打鬥一場，又是怎麼回事呢？」

蕭翎道：「在下聽那申三怪的口氣，似乎是逍遙子等，對貴派的情形，十分清楚，沈木風要逍遙子等，先和貴派拚上一陣，待雙方都有了很重大的傷亡，然後，再派高手出戰，大致情形就是如此吧！」

無爲道長起身說道：「既是他們有襲擊的打算，我等不得不稍作準備，我要趕快去吩咐他們一些事情。」

蕭翎道：「道長請便。」

無爲道長點頭一笑，起身而去。

杜九目睹無爲道長去後，低聲對蕭翎道：「無爲道長把數十年來武當派的精英高手，分組隱居於長沙市民之中，除了幾個特別指定的機警高手之外，所有之人都停止行動，以這座『三湘大作坊』作爲大本營，一切生活都和常人無異，沈木風雖眼線遍佈長沙，也是無可奈何。」

蕭翎道：「那無爲道長本是坦蕩蕩的一派掌門之尊，但爲了對付沈木風這等惡毒之人，也不得不使用詐術了。」

談話之間，無爲道長已然返回室中。

蕭翎眼見無爲道長已有了準備，心中稍安，長長歎了一口氣，說道：「那鄧二俠和展兄，還無消息嗎？」

無爲道長搖搖頭，道：「沒有消息，丐幫的孫老前輩也率領了兩個丐幫高手，追覓你的下落去了，目下我們實力不夠強大，不能和人硬拚，但你蕭大俠到此後，情形又截然不同了。」

說話之間，突見人影一閃，一個身著工人裝束的童子，衝入室中，低聲對無爲道長道：「已有夜行人接近作坊。」

無爲道長道：「傳我之諭下去，要他們盡量忍耐，非不得已，不可和來人動手。」

那童子應了一聲，轉身自去。

無爲道長道：「咱們也出去瞧瞧吧！」

呼的一聲，吹熄燈火。

蕭翎緊隨無爲道長身後，百里冰、杜九魚貫相隨，出了套房，行入大廳之中。

無爲道長道：「貧道已囑令屬下，要他們全部隱藏起來，如非對方兵刃加身，不許動手，因此，貧道推想，他們如若能找上此地，必然會直入大廳，咱們藏在廳中，看看他們來的是何許人物。」

蕭翎道：「這大廳雖然不小，但可供藏身之處，實是不多。」

無爲道長道：「這個我已有備，不勞蕭大俠費心了。」

語聲一頓，道：「在東、西兩面屋角處，我已改裝有暗門，只不過裏面地方很小，百里姑娘和杜九，請躲入那暗門中去，壁上掛衣釘架，有著向外探視的小孔。」

百里冰雖然很想和蕭翎在一起，但卻不便說出口去，只好悻悻而去。

蕭翎道：「咱們兩個呢？」

無爲道長笑道：「左、右兩根大樑之上，可供仰臥。」

蕭翎道：「好地方，他們來時，咱們再上去不遲。」

就在百里冰和杜九藏好身子不久，突然啪的一聲，一顆石子，投入了天井院中。

這正是武林投石問路的方法。

蕭翎和無爲道長藝高膽大，仍然站在廳中未動。

緊接著兩條人影，由屋面飛落而下，落入院中。

室外星斗滿天，隱隱可以見物，無爲道長和蕭翎目光過人，已然瞧出來人，一個身著青袍，手執拂塵，似是逍遙子本人，另一個背負單刀，一身黑色勁服。

蕭翎和無爲道長互相望了一眼，縱身而起，分別躍上橫樑。

只聽那青袍人道：「沒有錯嗎？」

蕭翎聽聲辨人，果是逍遙子本人駕到。

但聞那勁裝大漢說道：「不會有錯。」

逍遙子道：「如是那無爲道長和孫不邪住在此地，怎會毫無戒備，何況那孫不邪自負狂傲，豈有不挺身迎戰之理。」

那勁裝大漢道：「也許兩人今夜不在，咱們先進入大廳中瞧瞧如何？」

逍遙子略一沉吟，道：「你先進去，看看是否有人，如是廳中無人，那就燃起火燭。」

蕭翎只聽得心中暗暗道：這逍遙子果然是老奸巨猾。
那身著黑衣的大漢，應了一聲，抬步行入廳中。
他凝神戒備，打量了四周一眼，探手入懷，摸出火摺子，隨手晃燃。
火光照耀之下，只見大廳中空空洞洞，不見人蹤。
那黑衣入在大廳中走了一周，不見人影，當下說道：「只怕那無為道長早已聞風而去。」
但見人影一閃，逍遙子衝入室中，四顧了一眼，冷冷說道：「你可是查清楚是此地嗎？」
那黑衣人道：「查清楚了。」
逍遙子冷笑一聲，道：「放火，先從這大廳燒起。」
黑衣人應了一聲，正待放火，蕭翎卻已忍耐不住，飄身而下，冷冷說道：「道長，不覺這手段太過惡毒嗎？」
逍遙子聽得一皺眉頭，道：「你是誰？」
蕭翎冷笑一聲，道：「咱們不用攀交，似是用不著通名報姓了。」
黑衣人突然向前衝了兩步，行向蕭翎，喝道：「好狂妄的小輩，竟敢對道長無禮，可是活得不耐煩了……」
單刀一揮，直劈過去。
蕭翎早已套上了千年蛟皮手套，右手一伸，抓住刀鋒。
那黑衣人眼看對方，伸手抓住了單刀，心中大吃一驚，右腕加力，一轉刀鋒，希望削去對

方握刀手指。

但蕭翎早已有備，手中暗運內力，五指緊握刀鋒，那黑衣人用力轉刀，竟是文風未動，這才知曉，遇上了勁敵。

正待向後躍去，已自無及，蕭翎左手快速絕倫地拍出一掌。

那黑衣人心中雖知遇上了高手，但又不願甘受棄刀之辱，就這一猶豫，蕭翎的掌勢，已然襲到。

但聞砰的一聲，正擊在那黑衣人前胸之上。

這一掌落勢甚重，震得那黑衣人直向門外栽去，一口鮮血噴了出來。

逍遙子拂塵一探，唰的一聲，疾向蕭翎的右臂之上纏去，希望能解那黑衣大漢之危。

蕭翎的動作太快，逍遙子拂塵探出，蕭翎已然重傷那黑衣人，一吸氣倒退三尺。

逍遙子一皺眉頭，道：「好快的掌法。」

拂塵斜裏伸出，纏住那黑衣人的手，向上一帶，竟然把黑衣人生生拉起。

探手摸去，那黑衣人氣息已絕，竟然被蕭翎這一掌活活打死。

逍遙子一擊未中，輕敵之念，頓然消失，一收拂塵，道：「閣下武功很高強。」

說話之間，忽聞衣袂飄風之聲，傳了過來。

逍遙子轉目望去，只見一個青衣人，由樑上飄身而下，擋在門口處。

當下喝道：「閣下何許人？」

這現身之人，正是無爲道長，他眼看蕭翎已然和對方動上了手，這才由横樑上飄身而下，正好又攔住了逍遙子的歸路。

無爲道長冷笑一聲，道：「貧道無爲，正是道兄要找之人。」

逍遙子回目一顧蕭翎，道：「那一位又是誰呢？」

無爲道長冷笑一聲，道：「你自己不會問嗎？」

逍遙子道：「看他武功，不在你武當掌門之下，定然是大大有名的人物了。」

蕭翎淡然一笑，道：「逍遙子，你不認識我，我卻對你認識的很清楚……」目光轉到蕭翎的臉上，冷冷說道：「閣下這等隱匿姓名的舉動，豈是大丈夫的行徑嗎？」

逍遙子大爲不服地說道：「爲什麼？」

蕭翎道：「因爲沈木風比你更爲陰險，更爲惡毒，你們彼此之間，雖都有著很深的戒心，但在彼此動手暗算之時，你要輸他一著。」

逍遙子道：「閣下究是何許人？似是知道很多事情。」

蕭翎道：「不錯，我還知道你並沒有見到那沈木風，你們之間的合作，全由申三怪從中接引。」

逍遙子一皺眉頭，欲言又止。

蕭翎冷冷接道：「你要討好那沈木風，自詡可以搏殺武當派中人，以作晉見之禮，可惜那沈木風並未把你放在心上，他要借此機會，準備暗中施毒，先一網打盡你們高手，使你們永遠

淪為百花山莊的奴役……」

逍遙子道：「他們準備在何處下手，如何一個下手之法？」

蕭翎冷笑一聲，道：「不必著急，現在你們還可苟安一時！」

逍遙子道：「這話怎麼說？」

蕭翎道：「因為那沈木風一位多年故友來訪，相約會晤，由那二莊主周兆龍主持其事，那周兆龍不求有功，但求無過，不致對你們下手，所以，你們可以苟安一時……」

逍遙子冷笑一聲，道：「閣下究竟是何許人，可否說給在下聽聽呢？」

蕭翎道：「不論我是誰，你要想的應該是，在下說的話對是不對？」

逍遙子雖然無法猜出蕭翎的身分，但他為人心機深沉，已從蕭翎的言語、行動之中，瞧出了蕭翎是一位具有非常武功的人物，竟是不敢對蕭翎貿然出手。

回顧了無為道長一眼，緩緩說道：「道長這一座作坊，已被貧道率領了二十名高手，團團圍困起來，如若貧道需要，只要一聲暗號，百花山莊中的高手，立刻趕來施援。」

無為道長笑道：「可惜百花山莊中人，已然洩露了你的計畫，我等早已有備，武當門人，大都已離開此地，各占有利形勢，在暗中監視你的舉動，此刻留在作坊中人，除了我武當門下高手之外，還有幾位武林高手，留在此地，你如不信，不妨出手一試！」

逍遙子道：「你既有著如此完善的準備，為何不願和貧道放手一搏呢？」

無為道長道：「沈木風希望我們兩敗俱傷，貧道偏偏不想讓他如願。」

逍遙子沉吟了一陣，道：「道長的話，貧道還難相信。」

蕭翎冷冷說道：「你不信就不妨出手試試了。」

話聲甫落，突聞嗤嗤兩聲，百里冰和杜九，已由暗門中行了出來。

蕭翎回顧了百里冰和杜九一眼，道：「你們守在廳門口，拒擋強敵攻入，我要鬥鬥大名鼎鼎的逍遙子，看看近來的武功，是否有了很大的長進。」

百里冰微微一笑，道：「敵眾我寡，今夜之中，可以放手傷人嗎？」

蕭翎道：「你自己酌情決定吧！」

百里冰微微一笑，錚的一聲，長劍出鞘，緩步行到廳門口處。

原來，她躲入暗室之中，看到一柄長劍，隨手取了過來。

杜九一語不發，一側身子，行到廳門口處，和那百里冰對背而立，一個向外，一個向內。

逍遙子聽到女子口音，心中忽然一動，暗道：這小子是女扮男裝，顯然，除了武當派中人外，還有其他的武林高手。

心中念轉，口中卻冷冷說道：「想不到堂堂的武當派，竟然連女弟子也要收錄了。」

百里冰怒道：「大哥，這人胡說八道，你給我打他兩個耳括子。」

蕭翎不理百里冰，卻望著無爲道長說道：「這逍遙子既然執迷不悟，如留下後患，不如把他除掉算了。」

無爲道長道：「情勢逼迫，那也只好如此了。」

逍遙子哈哈一笑，道：「好大的口氣，當今武林之世能夠殺死貧道的，只怕還沒幾人。」

蕭翎突然仰天大笑一陣，道：「對待強敵首腦，咱們似是用不著再心存慈悲了。」

呼的一掌，拍了過去。

掌勢未到，一股暗勁，已然破空而至，直向逍遙子撞擊過去。

逍遙子吃了一驚，左掌一揮，拍出一掌，一擋蕭翎的掌勢，右手拂塵唰的一聲，「攔江截斗」劈向蕭翎右腕。

一面揮塵搶攻，一面說道：「閣下如此托大，貧道只好領教了。」

蕭翎右腕一挫，避開拂塵，不退反進，雙掌連環擊出。

正是南逸公的閃電掌法。

逍遙子大吃一驚，道：「你是蕭翎！」

蕭翎道：「正是在下。」

說話之間，已然連攻八掌，迫得逍遙子連退數步。

他手中空有拂塵，竟被蕭翎閃電一般的掌勢，迫得連連後退。

但他究是久經大敵，身懷絕技的人物，當下凝神運氣，拂塵反攻三招，把敗退的劣勢穩住。

百里冰高聲說道：「大哥不亮兵刃和他動手，豈不是太吃虧了嗎？」

蕭翎心中暗忖：今宵志在求勝，若真以兵刃動手，勝算要增強很多。

念轉神分，手中的掌勢一緩。

逍遙子借勢反擊，蕭翎立即被迫落下方。

百里冰一揚手，投出手中長劍，道：「大哥接劍。」

長劍一閃，直向蕭翎飛去。

逍遙子左掌攻出一招，「挾山超海」，掌含內勁，攻向蕭翎前胸，騰出右手拂塵，呼的一聲，疾向百里冰投來長劍之上捲去。

蕭翎冷哼一聲，右手推出，硬接下逍遙子的掌勢，右手屈指彈出，一縷暗勁，洶湧而出。

這招是少林派七十二種絕技之一的彈指神功。

逍遙子作夢也未想到，這短短近年時光之中，蕭翎又練成了這等冠絕武林的神指，發覺不對時，已自無及，一股暗勁，正中肘間，右手一鬆，拂塵落地。

這時，逍遙子揚起的拂塵，已然捲起百里冰投擲而來的長劍，只因右肘被蕭翎彈指神功擊中，拂塵和長劍一起向地下跌落。

蕭翎右腳一挑，向下跌落的長劍，被蕭翎一腳挑起，抓在手中。

且說逍遙子右肘被擊中之後，整條右臂已然痠疼難抬，心知已無再戰之能，如不早走，只怕定要傷在蕭翎手中。

當下一提氣，疾飛而起，落在橫樑之上，左手一揚，全力發出一掌。

只聽轟然一聲大震，塵土橫飛，屋頂被逍遙子一掌擊裂，破了一個大洞。

逍遙子人隨掌起，穿洞而出。

無爲道長躍縱而上，登上屋頂，凝目看去，只見逍遙子人影一閃，已走得蹤影不見。

蕭翎緊隨而上，道：「道長瞧到他奔向何方？」

無爲道長搖搖頭，道：「追不上啦，但他一個自負武功高強之人，在數回合之內，敗在你手下，嚇的破屋而逃，傳揚出去，已夠他難過了。」

蕭翎輕輕歎息一聲，道：「晚輩只能算僥倖取勝。」

無爲道長低聲說道：「有一件事，貧道本不當問，但卻又想不出原因何在。」

蕭翎道：「什麼事？」

無爲道長道：「關於你勝那逍遙子的一擊，可是修羅指力嗎？」

蕭翎搖搖頭，道：「修羅指力，只能擊三尺以內，適才的一指，在下用的是彈指神功。」

無爲道長呆了一呆，道：「彈指神功，少林絕技。」

蕭翎道：「正是少林派的彈指神功。」

無爲道長點點頭，讚道：「近百年來武林之中，蕭大俠可算得第一奇人了，一個人身兼兩家之長，已屬難得，但閣下卻兼得了數大門派的絕技，此事實是江湖異數！」

仰臉望著天空中朗朗星辰，緩緩接道：「如非你蕭大俠這等奇才異稟，還有何人能夠對付那沈木風呢？」

蕭翎輕輕歎息一聲，道：「道長誇獎了。目下只有貴派傾盡全力，和百花山莊周旋，只怕咱們以後的前途荊棘正多……」

語聲頓了一頓，接道：「沈木風此番肯移玉他往，和人會晤，那人定非一個普通之人，也許，我們又將增多一個勁敵。」

無爲道長道：「目下那沈木風心中最畏忌的人，恐怕只有你蕭大俠一人而已，因此，我已和孫不邪老前輩有過約定，此後要傾盡全力，維護於你……」

蕭翎微微一笑，接道：「兩位老前輩的用心，在下實感激異常……」

抬頭望望天色，又道：「道長，對待百花山莊中人，似乎是不用和他們講究武林規戒，是不是？」

無爲道長道：「咱們如不能以毒攻毒，那只有聽人宰割一途了。」

蕭翎道：「道長既然覺得應該，咱們今晚就可以下手了……」

語聲一頓，道：「貴派現在作坊中的弟子，共有幾人？」

無爲道長略一沉吟，道：「一十二人。」

蕭翎道：「武功高強、經驗豐富的有幾個人？」

無爲道長道：「可以選出五人。」

蕭翎道：「連同道長、在下、杜九、百里冰，共有九人之眾，足夠調配了。」

無爲道長道：「蕭大俠意欲何爲？」

蕭翎道：「我想一舉摧毀那沈木風在長沙的實力，消除他的耳目，過去咱們一直受制於

人，處處被動，此刻，似是應搶制先機，對付他們了。」

無為道長沉吟了一陣，道：「好！貧道這就去選擇人手！」當先躍下屋面。

蕭翎緊隨著躍下屋面，剛剛站好，百里冰已急急迎了上來，道：「大哥，那逍遙子跑了嗎？」

蕭翎道：「跑啦。」

語聲一頓，又接道：「冰兒，去帶上兵刃、暗器，今晚我要帶你去一處所在，讓你好好的開一次殺戒。」

只見杜九緩步行了過來，道：「小弟是否也要同去？」

蕭翎道：「一起去吧！」

談話之間，無為道長已然帶上了五個勁裝大漢，疾步行了過來。

五人一色的墨色勁服，背插長劍。

蕭翎望了五人一眼，道：「在下帶路了。」

當先縱身而起，向前奔去。

百里冰、杜九連袂緊追，無為道長帶著五個武當弟子，行在最後。

蕭翎早已默記下去路，一路疾奔，直撲向那周兆龍等宿居的農莊茅舍。

不過半個時辰工夫，那農舍已然在望。

蕭翎停下腳步，指著夜色中農舍說道：「就在下所知，目下那片茅舍，有幾個最難對付的人物，除了沈木風的幾個血影化身之外，首推那四川唐家掌門人唐老太太，她有數十種帶著劇毒的暗器，實叫人防不勝防，因此，咱們用不著都衝入茅舍。」

無為道長知他顧慮幾個門下弟子武功，無法抵抗那唐老太太的暗器，當下說道：「請蕭大俠一切作主，但請下令就是。」

蕭翎道：「在下之意，貴派中五位，守在莊外，道長和在下當先開路。」

無為道長點頭說道：「好！要他們做什麼，蕭大俠請吩咐吧！」

蕭翎回顧了五人一眼，道：「在下久聞武當劍陣，乃武林一絕，五位道兄想來都是熟悉劍勢的能手了。」

五人齊齊欠身，應道：「我等都很熟悉。」

蕭翎道：「那很好，諸位集中躲在林裏，如是發覺那農舍中有人奔出，最好出其不意生擒他們，不論暗器、偷襲，悉憑諸位，對付百花山莊中人，那也不用和他們講什麼江湖規矩了。」

五人應了一聲，向旁側一小片林中行去。

蕭翎回顧杜九一眼，道：「敵勢很強，不可大意，先求自保，再求傷敵，我和無為道長開路，兩位隨後而行，不可相距太近，但也不能過遠，保持八尺至一丈五尺距離，以便互有照應……」

目光轉到百里冰的身上，接道：「冰兒不可太過逞勇，遇上特強敵手，招呼小兄一聲。」

百里冰微微一笑，道：「小妹記下就是。」

蕭翎道：「咱們走吧！」振袂而起，直撲茅舍。

無為道長一提氣，和蕭翎並肩而奔。

蕭翎道：「道長亮出兵刃吧！」

無為道長應聲拔出寶劍，道：「蕭兄不用兵刃嗎？」

蕭翎道：「我有寶刃，藏在懷中，遇上強敵，再行亮劍不遲。」

四人輕功卓絕，夜色中有如流星趕月，幾句話完，人已到了茅舍前面。

只聽茅舍門內，響起了一聲大喝，道：「什麼人？」

蕭翎身子一側，也不答話，直向茅舍中撲去。

但見寒芒一閃，一柄單刀，劈了過來。

蕭翎右手一伸，攫住刀鋒，用力向外一拖，一個黑衣大漢，應手而出。

無為道長暗暗歎息一聲，忖道：就是孫不邪，也不敢和人如此動手。

蕭翎右手拖出那人，左手一掌拍出，正擊中那人前胸之上。

那大漢悶哼一聲，登時氣絕而逝。

蕭翎揮掌擊斃那執刀大漢的同時，人也同時衝進了茅舍。

但聞兩聲悶哼，又有兩具屍體拋了出來。

無爲道長也未料到，蕭翎會突然間施出這等毒辣的手段，不禁微微一怔，才隨在蕭翎身後，衝入茅舍。

杜九和百里冰，也隨著衝入門內。

茅舍門內，距正廳還有一段距離，四個守護大門的人，被蕭翎以快速絕倫的手法，一剎那間全部殺死，原想室中之人，不會知曉，哪知兩聲悶哼，已然被廳中之人聽到。

蕭翎一馬當先，衝向大廳一丈左右，突聞弓弦聲響，一排弩箭疾射而出。

蕭翎雙掌齊出，撥開弩箭。

他手中沒有兵刃，對那飛蝗般而來的弩箭，卻也有著不易對付之感。

無爲道長一提氣，疾衝而上，手中長劍揮動，白芒盡閃，近身弩箭，紛紛被長劍擊落。

這一派掌門高手，也被蕭翎傷人快速的拳掌，激起了豪壯之氣，劍如輕鍊繞體，護己又護蕭翎，直衝入大廳門口，一劍劈開木門。

蕭翎動作快速，藉無爲道長長劍劈木門時，一個箭步，竄入了大廳之中。

雙掌齊出，劈死了兩人。

無爲道長緊隨而入，長劍左右揮擺，刺傷了兩個大漢。

這時，百里冰和杜九，也隨著衝了進去。

百里冰長劍如風，緊隨無爲道長之後，也傷了兩人。

這茅舍大廳之中，本有十個弩箭手護守，這些人武功雖然不錯，但如何能是這四大心懷殺

機的高手之敵，片刻工夫，這十個人全都躺下，兩個未死之人，也都受了重傷。

蕭翎仍是走在最前，右手一揮，拍在牆壁上，只震得塵土橫飛，牆壁裂開一個大洞。

他心中記著那周兆龍召集群豪會議密室，希望一舉之間，衝入那密室之內，以生擒周兆龍，最低限度，也要把沈木風幾個血影化身殲斃。

是以裂壁而入。

就在蕭翎一掌震裂牆壁之時，突聞一聲怒喝，傳了過來，道：「什麼人？」

緊接著火光一閃，亮起了一支火炬。

蕭翎目光到處，只見正中一人，正是周兆龍，身後，橫站著四個穿著紅衣的大漢，左面站著唐老太太，右面是單宏章。

一個高舉火炬的人，站在周兆龍身前三尺。

蕭翎等看清楚了周兆龍，周兆龍也看清楚了蕭翎，蕭翎仍是白晝那身衣服，只看得周兆龍呆了一呆，道：「單賢侄，這是怎麼回事？」

單宏章想不到蕭翎竟然會當夜帶人施襲，而且仍穿著白天的衣服，心中已是不安，周兆龍這一問，更是問得他心中忐忑。

蕭翎看幾個主要人物，全在此地，倒也不再急於出手，反而向後退了兩步。

單宏章定定神，硬著頭皮說：「來的不是白兄嗎？」

蕭翎冷笑一聲，道：「不是，在下不姓白。」

周兆龍聽得聲音，全身一顫，道：「你是蕭翎？」

蕭翎不理會周兆龍的問話，冷冷說道：「你們不要管我是誰，亮出兵刃動手吧！」

周兆龍冷冷地望了單宏章一眼，只因大敵當前，根本無暇責備單宏章了，當下冷笑一聲，說道：「很好，朋友既然不敢通名報姓，那證明朋友對百花山莊還有幾分顧慮，此地狹窄，動手不便，咱們到前院中動手吧！」

蕭翎道：「你周二莊主也算有身分之人，大約不會說了不算，其實閣下就算要想逃，只怕也難逃得了。」

周兆龍緩緩說道：「就憑四位嗎?未免太過誇口。」

蕭翎目注周兆龍，緩步向後退去。

周兆龍等果然緩步追了上來。

路過大廳時，周兆龍轉目一顧，只見廳中十個弩箭手，一個不少地躺在那裏，心中暗暗震駭。突然間，目光轉注杜九鐵筆，不禁冷笑一聲，道：「冷面鐵筆杜九，你膽子不小啊！」

杜九被他叫出名字，也就不再隱瞞身分，冷笑一聲，道：「不錯，正是區區。」

周兆龍目光又轉到無爲道長臉上，瞧了一陣，道：「閣下應該就是無爲道長了。」

無爲道長冷笑一聲，未置可否。

蕭翎心中暗道：這周兆龍武功上雖然成就不大，但他的智計，卻也非常人能及。忖思之間，已然行到了前院之中。

周兆龍若有所恃似的，舉手一揮，道：「快燃幾支火把。」

但聞連聲應諾，片刻間，又燃起八支火把，火炬照耀下，場中一片通明。

周兆龍亦曾打量了百里冰一眼，看她嬌小身軀，不似男子，大約是女扮男裝，只瞧出不是金蘭、玉蘭，卻無法認出是誰。

雙方各成陣勢，相對而立。

大出蕭翎意料之外的，是周兆龍竟似要對陣一拚，若有所恃。

這一來，反倒使蕭翎小心起來，回頭低聲對無爲道長說道：「周兆龍一向不肯輕易和人動手，此番大異往常，也許別有陰謀，咱們要小心一些。」

無爲道長微一頷首，道：「我先挑戰。」

目光轉到周兆龍的身上，道：「久聞周二莊主之名，今宵有幸，能夠領教絕技。」

周兆龍冷然一笑，道：「在下不願輕易和人動手！」

目光一顧唐老太太，道：「有勞唐老夫人，先打頭陣。」

唐老太太策杖而出，道：「哪一位願和老身動手？」

蕭翎心中暗道：唐老夫人和金花夫人，在那姻緣峰下，追殺沈木風，如今兩人重又投身百花山莊之中，那金花夫人還和昔日一般，言笑無忌，但這唐老夫人，情形卻有些不對了，她似乎是受到了更嚴厲的控制。

心中念轉，人卻搶先而出。

無爲道長正待出戰，卻被蕭翎搶了先著，只好停步觀戰。
唐老太太揚起手杖，道：「通上名來。」
蕭翎淡淡一笑，道：「在下蕭翎。」
唐老太太怔了一怔，道：「當真是你？」
蕭翎道：「不錯，正是在下。」
那周兆龍雖然心中猜想到此人，可能就是蕭翎，但他聽到蕭翎自報姓名之後，仍然是不由得全身一顫。
只聽唐老太太說道：「小心了。」呼的一杖，迎頭劈下。
蕭翎只覺她這一杖，力道強猛，挾帶著呼嘯之聲。心中暗暗吃驚，忖道：看來她已經是全心全意投靠於百花山莊了，要給她點苦頭嘗嘗才行。
心中念轉，人卻橫向旁側閃開。
右手疾如電光一般伸了出去，橫裏一抄，竟將唐老太太手中的拐杖抓著，猛地向前一帶。
這等硬接人手中兵刃的打法，極是罕見，除非有九成把握的人，絕對不敢輕易嘗試。
唐老太太似是並未料到，那蕭翎竟然一出手，就抓住了自己的拐杖，不禁一怔。
就在她一怔神間，蕭翎已然用力向前拖動拐杖，唐老太太不自主地向前一栽。
蕭翎左手揚了起來，一掌拍了過去。
他出手太快，快得那唐老太太閃讓不及，砰的一聲，正擊在唐老太太的右肩之上。

卅四　勢如破竹

蕭翎心存故舊之情，這一擊並不很重，以唐老太太的內功而論，這一擊決傷她不了。但卻聽到唐老太太悶哼一聲，仰身向後栽去，手中的拐杖，同時鬆開。

蕭翎奪過拐杖同時，心中也了解到唐老太太是有意相讓，她不敢和自己說話、招呼，必有著很大的苦衷，當下大喝一聲，揮杖直向周兆龍衝了過去。

周兆龍萬萬沒有想到，身為一派掌門之尊的唐老太太，竟然在一招之下，就為蕭翎所傷，心中既是懷疑，又是害怕。

他不過心念初動，蕭翎已然高舉拐杖衝到。

周兆龍自知絕難是蕭翎之敵，一面向後退避，一面舉手一揮，身後四個紅衣大漢，齊齊向蕭翎包圍過來。

蕭翎對那四個舉止木然的紅衣大漢，絲毫不敢輕視，一沉丹田之氣，停住向前奔衝的身子，舉杖待敵。

無為道長怒道：「周兆龍，你們百花山莊，不論何時何地，都是倚多為勝，是嗎？」

百里冰道：「大哥，我來助你一臂之力。」仗劍向前衝去。
這幾句話，說得聲音清脆，完全是女子口音。
原來她心中一急，早已忘記了學用男子口音。
但見蕭翎仰天打個哈哈，道：「冰兒，快退回去。」
百里冰已然行近四個紅衣大漢，正待揮劍攻出，聞得蕭翎之言，只好收劍而退，道：「大哥，你不要我幫忙？」
蕭翎一面運氣戒備，一面說道：「不用了，這四人，如若說他們是人，那未免抬高他們了……」
百里冰道：「不是人是什麼？」
蕭翎道：「沈木風的血影化身。」
百里冰道：「什麼叫血影化身？」
無為道長道：「是一種用藥物控制的人，再經過一種很嚴酷的訓練，就成了所謂血影化身。」
突然間，四聲怪嘯響起，聲破靜夜，聽起來陰森恐怖。
四個紅衣大漢各發了一聲怪嘯之後，開始緩緩伸動手腳。
蕭翎目光流轉，盯注在四人身上，口中卻高聲說道：「道長請小心那周兆龍，別讓他們逃了，這四人由在下一人對付。」

無為道長心知蕭翎的武功，強過自己甚多，如若他對付不了四個紅衣人，自己也很難幫得上忙，當下退避開去，站在兩丈開外，監視著周兆龍。

蕭翎眼看四個紅衣大漢手足運轉，愈來愈快，

暗中運起修羅指力，陡然一揚右手，一縷指風，疾向西南方位上一個紅衣大漢攻去。

一縷指風，正擊在那紅衣大漢的左腿之上。

只見那紅衣大漢連退了四、五步遠，才拿樁站住。

顯然這一擊十分沉重。

奇怪的是，那紅衣大漢的臉上，毫無痛苦之容，似是那一條左腿，和他根本無關一般。

蕭翎心中一震：就算沈木風中了我一指，也有些承受不住，這大漢卻是絲毫不見痛苦，不知他們練的是什麼武功。

正待揮杖擊出，突聞衣袂飄風，紅影閃動，兩個紅衣大漢，分左右直衝過來。

蕭翎右手揮動拐杖，一招橫掃千軍，擊向西北方位衝來的紅衣大漢，左手一揚，一記劈空掌力，擊向東南方位上衝來的紅衣人。

原來，四個紅衣大漢，各自站了一個方向，把蕭翎圍了起來。

蕭翎掌力強勁，那東南衝來的大漢距蕭翎還有五尺左右時，蕭翎的掌勁，正好破空而到。

只見那紅衣大漢右手揚起，硬接下蕭翎一記掌力。

兩股暗勁交接，旋起一陣狂飆。

那大漢向前行進的身子，被蕭翎的掌力震盪之下，向後退了一步。

但蕭翎同時也感覺左臂一麻，影響所及，右手掃出的拐杖，也同時爲之一緩。

那西北方位上衝來的紅衣人，已經亮出兵刃，手中握著一根鑌鐵短棒。

就在蕭翎拐勢一緩之時，那紅衣人鑌鐵短棒同時推出。

但聞噹的一聲大震，蕭翎的拐杖被那短棒震開。

四個紅衣人，同時以迅快的身法衝近了蕭翎。

蕭翎大喝一聲，棄去手中拐杖，左手拍出兩掌，激蕩的掌風，避開了兩個紅衣人，右手探入懷中，摸出短劍。

他和四個紅衣人一陣搏鬥之後，已瞧出一點內情，這四個紅衣人，不但武功高強，而且不畏疼苦，除非能一擊傷中要害，使他們無能再打下去。

是以，對這等人物，只有施下毒手，使他們就殲當場。

四個紅衣人合擊蕭翎，兩個已經亮出了兵刃，兩個卻赤手搶攻。

蕭翎右手短劍施出華山談雲青的劍法，左手卻用南逸公閃電掌法。

他雙手施展劍、掌兩種絕技，威勢強猛絕倫。

但聞掌風呼嘯，劍光耀目，四個紅衣人的攻勢完全被蕭翎所壓制。

激鬥中突聞得蕭翎大喝一聲：「著！」

血光飛濺，手執鑌鐵短棒的紅衣大漢，一條右臂齊肩而斷，手中短棒飛出去六、七尺遠。

那大漢右肩雖被斬斷，但卻渾然不覺，左掌一揚，仍然劈了過來。

蕭翎萬料不到，一個人斷去一條右臂之後，仍然有攻擊之力，不禁一呆。

那大漢左掌攻勢甚快，砰的一聲，正擊在蕭翎左肩之上。

這些時日，蕭翎日夜苦修，內功大進，護身罡氣，也大有進境，那紅衣大漢一掌劈中蕭翎左肩，反而被震得向後退了兩步。

但蕭翎卻也被這一掌，打得氣血浮動。

心中暗道：沈木風這些血影化身，非得早些殲滅不可，因爲，這些人不但武功高強，而且他們那不爲痛苦所困擾的體質，實是武林中罕見的事，如若那人不似自己練有護身罡氣，必受重傷，落得個玉石俱焚，留下他們一人，就可能要有一個武林同道失去性命。

心中念頭轉動，手中掌勢未停，仍然再和幾個紅衣人動手搏鬥，念頭轉完，殺機陡生，連綿殺手，源源而出。

只聽砰的一聲，一個紅衣人，吃蕭翎一掌擊中前胸。

這一掌蕭翎用出了八成內勁，震斷那人心脈，只見他身軀搖了兩搖，噴出一口鮮血，倒摔在地上。

蕭翎身體連閃，避開了另外兩個紅衣大漢夾擊而來的拳、掌，回手一劍鐵樹開花，刺中那斷臂大漢的咽喉。

他已知紅衣大漢不畏痛苦，非要擊中致命所在，才能使他們失去抗拒之力。

那斷臂大漢已因失血過多，身體運轉不靈，再被蕭翎一劍刺中咽喉，哪裏還能支持，仰面一跤，跌摔在地上，氣絕而逝。

蕭翎連傷兩個紅衣大漢之後，精神大振，短劍回轉，又刺傷一個紅衣大漢，同時，左手發出彈指神功，一縷暗勁，湧了過去，擊中另一個紅衣大漢右眼。

但他心中明白，這兩個紅衣大漢雖被擊中，但卻未失去搏鬥之能，立時，借勢進襲，連攻四劍。

這四劍，都是談雲青劍法中的絕招，兩個紅衣大漢都爲利劍刺中要害而死。

周兆龍眼看倚爲仗恃的四個血影化身，全部傷在蕭翎手中，心中大驚，突然轉身，向外奔去。

只聽無爲道長冷笑一聲，道：「二莊主，就這麼走嗎？」

長劍揮動，攔住了周兆龍的去路。

單宏章唰的一聲，抽出長劍，硬著頭皮道：「讓開去路。」

百里冰突然閃身而上，道：「你不配和無爲道長動手。」

嗤的一劍，刺了過去。

單宏章舉手一劍，擋開百里冰的劍勢，回手一劍，反擊過去。

兩人劍來劍去，打在一起。

周兆龍心中暗道：今日之局決然難有善果，三十六計，走爲上策。

急急轉過身子，目光到處，只見蕭翎手握短劍，攔住了去路。

周兆龍心頭一震，探手從袖中取出一柄玉尺，陡然回身一縱，疾向無爲道長撲了過去。

玉尺揮動，直劈下去。

無爲道長架開了玉尺之後，回手反擊兩劍。

杜九手執鐵筆，監視著四周。

蕭翎心知百里冰、無爲道長的武功，決不在周兆龍和單宏章之下，因而執劍觀戰，一面運氣調息。

原來，他連斃四個紅衣大漢之後，亦覺十分疲累。

無爲道長和周兆龍動手之後，立時施出太極慧劍，閃閃劍芒，剛中蘊柔，把周兆龍圈在一片劍光之中。

百里冰和單宏章更是打得激烈絕倫，全力搶攻。

激鬥中突聞一聲慘叫。

百里冰一劍刺入單宏章的前胸，登時氣絕當場。

百里冰家學淵源，武功成就，業已列爲第一流高手之林，只因她對敵經驗不多，被單宏章一輪急攻逼住手腳，施展不開，待她緩開手腳反擊，連出奇招，逼開單宏章的長劍，刺入他的前胸。

這時，無爲道長也已把周兆龍迫得全無還手之力。

周兆龍頂門間汗水淋漓，強自振作精神，揮動玉尺招架。

忽聽蕭翎提高了聲音，道：「周兆龍，四大血影化身，都已經死去，唐老太太被點中穴道，單宏章伏屍當場，憑你一個人，還有什麼能耐逃離此地，還不棄去兵刃，束手就縛，不然那單宏章就是你的榜樣了。」

周兆龍奮力揚動玉尺，架開無爲道長的長劍，返身一躍，撲向蕭翎。

百里冰搶先而出，長劍揮動，連刺三劍。

周兆龍連揮玉尺架開三劍，人卻向後退了兩步。

蕭翎低聲說道：「冰兒，停下手來，他有話對我說。」

百里冰收了長劍，退回蕭翎的身側。

周兆龍收起玉尺，拂拭一下頭上的汗水，緩緩說道：「蕭翎，你要如何對付我？」

蕭翎淡淡一笑，道：「我如放了你，沈木風是否會對你懷疑？」

周兆龍道：「我和他相處十餘年，縱然是心存懷疑，也不會加害於我。」

蕭翎心情極爲平靜，緩緩說道：「咱們相處一段時間之中，你對我不錯……」

周兆龍接道：「你還能念及故舊，在下很感意外。」

蕭翎道：「不過，你對我雖然很好，但那是別有用心，談不上什麼真正情意，現在，生死的決定，還要靠你自己。」

周兆龍道：「你要我出賣百花山莊的隱秘，換我性命？」

蕭翎道：「不錯。」

周兆龍突然仰天大笑三聲，道：「閣下想的未免太過輕鬆。」伸手取出玉尺，準備再戰。

蕭翎冷冷說道：「我要把話說清楚，你如想死，也讓你死得瞑目。」

周兆龍道：「什麼事，在下洗耳恭聽。」

蕭翎道：「你如肯答允說出百花山莊的全部隱秘，在下願意設法保護你的性命，讓你不為沈木風所搏殺。」

周兆龍沉吟了一陣，道：「什麼方法？」

蕭翎道：「把你易容改裝，寄居在一處安全的所在，待我們搏殺了沈木風後，你再重出江湖。」

周兆龍搖搖頭，道：「你們沒有機會了。」

蕭翎道：「古往今來，行兇為惡的人，未有不遭報應，目下天下英雄，各大門戶，都已覺醒，沈木風武功再強，心機再深，也無法和天下英雄對抗。」

周兆龍冷冷說道：「在下向不空言，只說實際，就我所知，你們的確無勝我們的機會……」

蕭翎道：「為什麼？」

周兆龍沉吟了一陣，道：「在下可以略透出一點內情，百花山莊的實力，愈來愈強大了，而且，半月之內，江湖上就要發生劇烈的變動，各大門派，都將自顧不暇……」

話到此處，突然停口不言。

蕭翎冷冷說道：「說下去！」

周兆龍搖搖頭，道：「在下身爲百花山莊中的二莊主，在江湖上結仇甚多，我脫離百花山莊之後，江湖上追殺我的人定然很多，那也是難免一死，何不現在死個轟轟烈烈呢？」

蕭翎道：「好吧！你既迷信那沈木風必成霸業，在下也不願多勸，念在咱們過去相處的份上，給你個全屍，你自己動手自絕吧！」

只聽一陣咯咯嬌笑傳了過來，道：「周二莊主不能死。」

轉目望去，只見金花夫人緩步行了過來。

蕭翎道：「爲什麼呢？」

金花夫人道：「因爲他知曉的隱秘太多了，留下他，比殺了他更有價値。」

蕭翎道：「他雖然知曉很多隱秘，但他不肯說出來，也是無用！」

金花夫人笑道：「你這樣問他，他自然是不肯說了……」

舉手掠一下鬢邊長髮，接道：「我看過二莊主審問敵人，那真是得心應手，問得他們一點也不能保留。」

突然出手點了周兆龍兩處穴道，接道：「不能讓他死去。」

蕭翎道：「此刻，咱們應該如何？」

金花夫人道：「如是在這裏問他，就算你把世間最惡毒的手段，加諸他的身上，他也不會

說出一句話來……」

蕭翎若有所悟地點點頭，接道：「我明白。」

金花夫人道：「你明白就好……」

目光一掠唐老太太，指道：「這位唐老太太，也是和我一般，爲形勢所迫，解開她的穴道吧！」

蕭翎似是很聽金花夫人之言，踏前一步，拍活了唐老太太的穴道。

唐老太太一躍而起，道：「多謝蕭大俠。」

蕭翎道：「唐老前輩適才和在下動手，在下已覺出老前輩是有意相讓了。」

金花夫人提醒道：「咱們得早些動身，離開此地。」

蕭翎道：「到哪裏去？」

金花夫人道：「你們從何處來，咱們就回何處去。」

蕭翎低聲對無爲道長道：「道長，咱們可要回到作坊去嗎？」

無爲道長搖搖頭，笑道：「對付沈木風這等惡毒的強敵，貧道也學會了多布疑陣之法，除了那作坊之外，貧道還佈置了兩處隱秘的存身之處。」

蕭翎道：「那很好，咱們準備動身吧？」

無爲道長道：「現場痕跡，是否要佈置一下呢？」

金花夫人道：「如想故布疑陣，欺騙那沈木風，使他誤入歧途，那是太低估沈木風之能了，唯一之策，就是不留痕跡，使他無法找出一點線索。」
無爲道長道：「夫人之意是……」
金花夫人道：「放起一把火，燒光四面茅舍……」
右手揮動，點了那幾個手執火炬大漢的死穴。
蕭翎突然想起一件事，低聲對無爲道長道：「道長，在下想到了一件事，那白雲觀中，還有百花山莊一部分高手，咱們既然動了手，那也趁此機會，一舉盡挑他們在長沙的窯窩。」
無爲道長還來不及答話，金花夫人已經搶先說道：「不用了。」
蕭翎道：「爲什麼？」
金花夫人道：「射人先射馬，擒賊先擒王，只要你收拾了沈木風，樹倒猢猻散，整個百花山莊，都將運轉不靈。」
望了周兆龍一眼，又道：「目下沈木風似是正在有所舉動，唯一知曉其內情的人，可能就是周兆龍，當前最爲緊急之務，是從周兆龍口中，追出內情，然後，才能夠量敵用策，設法對付他們，至於申三怪那幫人，起不了多大作用，用不著對他們多用心思了。」
蕭翎略一沉吟，道：「好，咱們走吧！」
無爲道長道：「貧道帶路。」當先舉步行去。
蕭翎回顧了杜九一眼，道：「兄弟，放火吧！」
杜九應了一聲，晃燃火摺子，燃起房舍。

那房舍都是茅草搭成，燃上火立刻成燎原之勢，片刻間火勢熊熊。

蕭翎眼看茅舍大火已起，才回頭向百里冰道：「冰兒，咱們走吧！」

百里冰微微一笑，緊隨在蕭翎身後而行。

杜九抱起周兆龍，走在百里冰的後面。

金花夫人緊跟在杜九身後而行。

無為道長已帶著五個武當弟子，在外面等候，群豪會齊，由無為道長帶路，直向正北行去。

一口氣奔行了十幾里路，到了一處溪流之旁。

無為道長停了下來，舉手連擊五掌。

掌聲過後，突聞搖櫓聲傳了過來，一艘小舟，緩緩從一片水草叢中行了出來。

只聽那大漢說道：「天昏昏，地黃黃。」

無為道長應道：「白頭老翁捕魚忙。」

那身披簑衣大漢手中竹篙一點，小舟靠岸。

無為道長當先而上，登上木舟。

群豪魚貫而行，擠上木船。

那小舟長不過丈二，寬不過五尺，群豪一起擠上，幾乎把小舟壓沉。

那身披簑衣大漢微微一笑，道：「不要緊。」

縱身躍入水中，推舟而行。

小舟在他推行之下，十分平穩快速，片刻間，行近草叢。

只聽那推舟大漢哼了一聲，雙手用力一推，小舟衝入了草叢之中。

抬頭看去，原來那草叢之內，竟然是一塊突起的高地。

四面濃密的水草環繞，當真是隱秘無比。

沙洲上，搭蓋了數幢茅舍。

無爲道長當先舉步下舟，群豪魚貫隨下。

夜色中只見一排人影，攔住去路，星光下兵刃閃爍。

無爲道長一止步，抱拳說道：「貧道無爲，驚擾諸位。」

只見一個缺了左臂的人，右手中執著摺扇，道：「閣下當真是無爲道長嗎？」

蕭翎目光銳利，雖在夜色中，已瞧出那人正是馬文飛，不禁熱情激蕩，急急奔了過去，道：「馬兄，還識得小弟否……」

馬文飛警覺之心甚高，倒躍而退，問道：「你是誰？」

蕭翎才想起自己易容未除，當下抹去臉上易容藥物，道：「小弟蕭翎。」

馬文飛仔細瞧了一陣，發覺果是蕭翎，才哈哈一笑，道：「兄弟實是未想到仍能和蕭兄相見。」

蕭翎黯然說道：「馬兄的左臂……」

馬文飛丟棄去了手中摺扇，握住蕭翎的一隻手，接道：「男子漢大丈夫，斷了一條手臂，又算得什麼……」

回目一顧身後群豪，道：「江湖上這麼多朋友，不但不嫌棄我馬某只有一條手臂，反而對我更是愛護……」

目光轉到杜九等人的臉上，說道：「這些是何許人物？」

蕭翎道：「我來替馬兄引見。」

無為道長抹去臉上的藥物，道：「貧道無為。」

杜九接道：「區區杜九。」

金花夫人、唐老太太、百里冰，卻站在一側，默默不作聲。

蕭翎先指著百里冰道：「這位是百里姑娘，北天尊者的女公子。」

人群中有人失聲叫道：「冰宮公主。」

百里冰微微一笑，頷首作禮。

蕭翎道：「這位是四川唐家門的當代掌門唐老太太，這位金花夫人……」

馬文飛一皺眉頭，接道：「這兩位都是百花山莊沈木風的好助手啊！」

但聞一片鼓噪之聲，起自馬文飛的身後。

顯然，群豪聽得兩人之名，心情都很激動。

蕭翎輕輕咳了一聲，高聲說道：「諸位請稍安勿躁，聽我蕭某一言……」

輕輕咳了一聲，說道：「唐老太太乃望重一方的掌門之尊，豈肯甘心服賊，但她卻又有不得不投靠百花山莊的苦衷……」

語聲微微一頓，接道：「那沈木風不但在唐老太太身上下了奇毒，而且把她的兒媳、孫女，全部扣作人質，迫使唐老前輩受他之命，但唐老前輩瘦骨嶙峋，仍不甘為其所用，其間曾數度救蕭某之命，不惜和那沈木風當面引起衝突。」

馬文飛欠身對唐老太太一禮，道：「還望老前輩不要見怪才好。」

唐老太太歎息一聲，道：「老身雖然心存武林正義，但落身百花山莊，使四川唐門蒙羞，想來實是慚愧得很。」

蕭翎長長吸一口氣，道：「關於金花夫人，只怕諸位對她的了解更少了。」

馬文飛道：「小兄常聞金花夫人的惡名，襄助沈木風為惡頗多，難道也是好人不成？」

蕭翎道：「唉！不是兄弟為她洗刷，在沈木風的手下中，暗中相助武林同道最多的人，應首推金花夫人了。」

當下把金花夫人在姻緣峰下，惡鬥沈木風的經過，仔細說了一遍。

馬文飛拱手歎道：「如非蕭大俠說明內情，夫人含冤難白，我等適才失禮之處，還望夫人不要見怪才好。」

金花夫人咯咯一笑，道：「不要緊，反正我也不是什麼好人，一個人做了一件壞事，也算

壞人，做上千百件，也是壞人，我既然是壞人，就算把天下所有人做的壞事，記在我頭上，又何不可？」

馬文飛道：「夫人可以這樣想，但我們不能這樣做，大丈夫恩怨分明，豈可混淆不清。」

金花夫人只覺馬文飛正氣凜然，使人不便和他說笑，當下垂首不言。

馬文飛目光轉到杜九身上，道：「杜兄懷中抱的何人？」

蕭翎道：「百花山莊的二莊主，周兆龍！」

馬文飛道：「此人襄助沈木風為虐江湖，害人無數，此地就有幾個受他所害之人，蕭兄弟能把他生擒來此，那是最好不過了，咱們不能殺沈木風，先把此人亂刀分屍，也可稍解心中之恨。」

蕭翎微微一笑，道：「百花山莊的隱秘，除了沈木風之外，此人知曉的最多，咱們必得留下他的性命，追問隱秘！」

馬文飛道：「此乃有關江湖大局，不但在下同意，就是幾個身受其害的人，也會讚譽蕭兄弟你的高見……」

語聲一頓，接道：「沙洲茅舍，聊避風雨，蕭兄弟和道長請入舍坐吧。」

蕭翎微微一笑，道：「這地方很隱秘，也使在下想到了那年在歸州的往事，群豪聚會，在水面上搭蓋了一座浮洲。」

馬文飛道：「此次，他們找到這一片水中沙洲，大約也是因那次往事啓發。」

談話之間，已行入茅舍之中。

馬文飛低聲說道：「點起燈火。」

但見火光一閃，茅舍中燃起了兩盞油燈。

蕭翎的目光轉動，只見追隨馬文飛的群豪，十九都見過面，只是一時間叫不出名字而已。

馬文飛指著四張竹椅道：「蕭兄弟你也不用客氣了，你此刻已是目下武林中黑夜明燈，先請坐下來吧！」

蕭翎道：「這個兄弟如何敢當？」

群豪齊聲說道：「蕭大俠不用推辭了。」

蕭翎一抱拳，道：「兄弟恭敬不如從命了。」緩緩坐了下去。

馬文飛目光轉到無爲道長身上，道：「道長德高望重，江湖敬仰，乃九大門派中，最先起而抗拒沈木風的領導人物，第二個座位，該是道長了。」

無爲道長道：「貧道是卻之不恭，坐之有愧。」緊傍蕭翎而坐。

馬文飛道：「百里姑娘請坐。」

百里冰嫣然一笑，道：「我站在大哥身後也是一樣。」

馬文飛道：「唐掌門、金花夫人。」

唐老太太道：「馬總瓢把子請坐，老身待罪之身，怎敢落座？」

金花夫人接道：「賤妾要拷問周兆龍，用不著坐了。」

蕭翎道：「馬兄請坐吧！不用客氣了。」

馬文飛微微一笑，道：「小兄從命。」

行過來坐了下去。

這時，四張竹椅，只坐了三人，還有一張空著。

群豪眼看三人坐定之後，全都席地而坐。

馬文飛環顧了群豪一眼，道：「蕭大俠可識得這些人嗎？」

蕭翎道：「大都見過，只是叫不出名字而已。」

馬文飛道：「小弟再為蕭兄引見一下……」

指著茅舍邊的一個跛足老者，道：「這位跛俠常大海。」

蕭翎一抱拳，道：「常兄，咱們見過兩次。」

跛俠常大海道：「不錯，蕭大俠好眼力。」

馬文飛依序介紹下去，道：「這位是神箭鎮乾坤唐元奇，三陽神彈陸魁章，形意門的掌門人董公誠，南派太極門的石奉先。」

蕭翎一抱拳，道：「諸位朋友，蕭某這裏有禮了。」

群豪齊齊應道：「蕭大俠言重了。」

其他的人，都是這些人的隨從，馬文飛亦為蕭翎一一引見。

金花夫人微微一笑，道：「諸位寒暄完了嗎？」

馬文飛道：「夫人有何見教？」

金花夫人道：「此刻，咱們應該辦點正經事了！」

馬文飛道：「什麼事？」

金花夫人說道：「據賤妾所知，那沈木風此刻去會一位多年故交，而且那人的武功，不在沈木風之下，同時，沈木風也發覺到，目下江湖情勢，對他愈來愈不利，準備在近日內全面發動攻勢……」

語聲微微一頓，道：「賤妾只知曉大概情形，詳細的內情，除了沈木風外，只有這位周二莊主知曉了。」

馬文飛道：「要如何問這位周二莊主呢？」

金花夫人道：「諸位都是俠義人物，自然不願使用非常手段，這番審問周兆龍的事，由賤妾擔任如何？」

她毛遂自薦，群豪全都聽得一怔。

蕭翎接道：「審問周兆龍的事，金花夫人那是最爲適當的人了。」

馬文飛道：「那就有勞夫人了。」

金花夫人淡淡一笑，目光轉到杜九的臉上，道：「解開他的穴道。」

杜九依言放下周兆龍，解開他身上的穴道。

金花夫人仍然是一副玩世不恭的態度，咯咯一笑，道：「周兆龍，你先仔細看清楚四周這

些人，然後再決定自己是否該逃。」

周兆龍目光轉動，四顧了一眼，發覺四周都是自己的仇人，不禁為之一呆。

金花夫人冷笑一聲，接道：「大約你心中明白，你連萬一逃走的機會也是沒有！」

周兆龍道：「人總難免一死，在下已活了數十年，死了，也不算很遺憾的事！」

金花夫人道：「二莊主的算盤，未免是打得太如意了……」

頓了一頓，接道：「周二莊主逼問口供的手段，賤妾看過兩次，果然是高明得很，賤妾相信，以二莊主審問別人的手段，加諸在二莊主的身上，只怕二莊主也很難承受得住。」

周兆龍眼珠轉動，四顧了一眼，道：「諸位準備對付在下，儘管出手就是。」

只見四周炯炯的目光，投注在周兆龍的臉上，卻無一人接口答話。

金花夫人微微一笑，道：「他們都不願和你說話，看來，你只有和我談了。」

周兆龍輕輕歎息一聲，道：「你說吧！你們準備如何對付我？」

金花夫人道：「二莊主這樣問，賤妾也不繞圈子了。」

語聲微微一頓，接道：「只要周二莊主肯把沈木風此次陰謀內情，詳細說出來，賤妾可保證饒你之命，毫髮不傷的放你回去。」

周兆龍望了金花夫人一眼，默不作答。

金花夫人已然知他心意，淡淡一笑，道：「你可是覺得我人微言輕，作不得主嗎？」

周兆龍仍然是默不作聲。

金花夫人目光轉到蕭翎的臉上，道：「蕭兄弟，你信任大姊姊嗎？」

蕭翎道：「自然信任。」

金花夫人道：「好！那你就要授權姊姊我了。」

蕭翎道：「如何一個授權之法呢？」

金花夫人道：「很簡單，只要你告訴周兆龍，說我對他的任何承諾，都可代表著在場英雄，那就行了。」

蕭翎點點頭，道：「周兆龍，不論金花夫人對你有些什麼承諾，都代表我等。」

金花夫人理一理鬢邊長髮，笑道：「周二莊主，你現在信了嗎？」

周兆龍道：「好，你說吧！」

金花夫人緩緩從懷中摸出一條長不過七寸、頭生紅冠的怪蛇，笑道：「二莊主，白線兒太毒了，咬一口，立刻喪命，二莊主試試這條紅冠兒的毒口如何？」

周兆龍冷冷說道：「你要問什麼，儘管問吧！」

金花夫人道：「沈大莊主去會一個故人，那人是誰？」

周兆龍道：「我不知道他是何許人物，只知道他是一位和尚。」

金花夫人道：「有何特徵？」

周兆龍道：「在下沒有見過，但聽沈莊主說過，似是缺了兩個手指。」

蕭翎心中一動，三聖谷往事，陡然泛現腦際，記得師父莊山貝，施展馭劍術，斬了一個和尙手指，難道就是那個和尙嗎……

心中念轉，口卻未言。

周兆龍又道：「據在下所知，那位大師，已然有數十年未在江湖上走動過，所以諸位只怕很難想得出來。」

金花夫人道：「少了兩指，標識十分明顯，不難查問出來。」

目光轉到周兆龍的臉上，接道：「沈木風已覺出武林大局，對他不利，準備全面發動，使各大門派的門戶之內，自起紛爭，是否有此意圖？」

周兆龍道：「有此意圖，但還未做最後的決定。」

金花夫人道：「爲什麼？」

周兆龍道：「因爲要和那位大師會晤之後，才能解決。」

金花夫人神色嚴肅地說道：「現在我問你最後一件事，也是最重要的一件事情，說完了，立刻放你離此。」

周兆龍道：「那一定是很爲難的事了……」

語聲微微一頓，接道：「但在下必先聲明一件事，百花山莊中事，在下並不是完全知道，有很多最機要的大事，在下也不知曉。」

金花夫人道：「你縱然不能全部知曉，總可知曉一部分。」

周兆龍道：「那要看你問的什麼了？」

金花夫人道：「沈木風在各大門派中，均派有內應奸細，而且，大都是職位很高的人，那些人的姓名，你知道吧？」

周兆龍搖搖頭，道：「在各大門派中派有臥底人物，在下知道，但是何身分，什麼名字，除了沈木風大莊主之外，只怕是再無第二個人知曉了。」

金花夫人冷冷說道：「我不信你一個都不知道？」

周兆龍道：「在下心中雖然有一、兩個底子，但卻不敢肯定。」

金花夫人道：「你先說出來吧！」

周兆龍道：「我既然說了，自然是盡我所知，不過，我說過之後，夫人是否可作主立刻放我呢？」

金花夫人道：「自然放你。」

周兆龍道：「少林派中內應，有一個法字，崑崙門下，似是姓金，其他的在下全不知道了！」

馬文飛冷笑一聲，道：「似你這等說法，說了也是等於沒說，少林寺法字輩高僧很多，如何著手清查？」

周兆龍緩緩說道：「這似是應該由少林掌門人答覆，只要他稍微留心一些，就不難從平日行蹤中，找出一點蛛絲馬跡，在下告訴他法字輩，無疑替他指明了範圍，只要他對法字輩的群僧，稍微留心一些，就不難查知內情。」

無爲道長點點頭，道：「說得很有道理。」

周兆龍望了無爲道長一眼，臉上滿是感激之情。

蕭翎道：「道長，他說的都是實話嗎？」

無爲道長道：「就貧道推斷，他說的都是實言。」

蕭翎目光轉到馬文飛的臉上，道：「馬兄以爲如何？」

馬文飛道：「蕭兄弟的看法如何？」

蕭翎連經風險之後，江湖經驗大增，已瞧出馬文飛斷臂之後，更受群豪愛戴，當下說道：

「兄弟對無爲道長之言，一向是信服不疑。」

馬文飛道：「既是如此，蕭兄弟看著處理了。」

金花夫人咯咯一笑，道：「周兆龍，你都聽到了嗎？」

周兆龍道：「聽到了。」

卅五　彈指神功

金花夫人道：「聽到了就好，蕭翎、無爲道長，都在爲你開脫，你感恩圖報，至少應該說出那武當派中的奸細是誰。」

周兆龍轉目望著無爲道長，道：「道長，在下能夠奉告的，是貴派中確有一個奸細，但他是什麼人，在下就不知道了。」

金花夫人接道：「那你再答覆我一件事，沈木風準備何時發動？如何發動？」

周兆龍道：「未會晤和尚之前，準備在三個月之內發動，先指示各大門大派中內應，施放奇毒……」

輕輕咳了一聲，接道：「不過，沈木風和那和尚見過面之後，是否會改變計畫，在下就不知道了！」

金花夫人微微一笑，道：「還有最後一個條件，你如果答應了，就可以放你走了。」

周兆龍道：「什麼條件。」

金花夫人道：「帶我一起走。」

周兆龍道：「帶你一起走？」

金花夫人道：「你已經洩露了沈木風的隱秘，那沈木風知曉之後，決然不會放過你，到時，萬一被沈木風查明內情，有我和你在一起，也可多個生死與共的人。」

周兆龍冷笑一聲，道：「你不覺得這做法太過膽大了嗎？」

金花夫人道：「就算你周二莊主出賣我，但那沈木風也不會立刻殺我，只要他問我幾句話，那就可以攀你同死了。」

周兆龍道：「夫人留這裏不是很安全嗎？為什麼又要跟在下同行？」

金花夫人道：「第一是，我和唐老太太，身上仍有劇毒，屈指算來，十日後就要發作，賤妾不想毒發而死，只好回去設法找解藥了。」

周兆龍道：「希望夫人能和在下合作。」

金花夫人道：「只要你肯聽我的話，賤妾保證可以騙過那沈木風。」

周兆龍道：「現在可以走嗎？」

金花夫人道：「自然可以……」

左手牽著周兆龍，右手連連揮搖，道：「諸位保重，咱們後會有期。」

蕭翎道：「馬兄，傳下令諭，不要留難他們。」

馬文飛點點頭，沉聲道：「傳下話去，放船送他們過河。」

只聽一個黑衣漢子應了一聲，匆匆奔了出去。

馬文飛回顧了蕭翎一眼，道：「咱們可要遷移他處嗎？」

蕭翎道：「為什麼？」

馬文飛道：「因為此地已經被那周兆龍知曉，難保他不會告訴沈木風。」

蕭翎道：「不要緊，他縱然告訴他，他也不會立刻來此。」

馬文飛道：「為什麼？」

蕭翎道：「因為那沈木風絕不會茫然從事，咱們此地有許多人，他如無法調動足夠對付咱們的高手，絕不會輕舉妄動，何況，那周兆龍為了苟全性命，絕不會說。」

馬文飛道：「兄弟既如此說，小兄自可放心了……」

語聲一頓，又道：「兄弟，咱們好久不見，你我都兩世為人，今宵相逢，可謂是劫後餘生，咱們喝兩盅如何？」

蕭翎微微一笑，道：「小弟不善飲酒，馬兄想已知曉的。」

馬文飛道：「各盡其量，絕不勉強！」

高聲接道：「擺酒！」

這地方雖然荒涼，但食用之物，卻是很齊全，片刻間酒、肴齊上。

馬文飛、蕭翎、無為道長、百里冰，杜九、神箭鎮乾坤唐元奇、三陽神彈陸魁章、形意門董公誠、南太極門石奉先，加上跛俠常大海、唐老太太，一共十一人席地而坐，圍了一個圓圈，酒菜就放在地上。

馬文飛舉起酒杯，敬了群豪一杯後，說道：「適才那周兆龍的話，諸位都已經聽到了。」

董公誠道：「江湖已有不少門戶，被沈木風所消滅，在下和石老弟，都是身受其痛的人，因此，在下之意，咱們要及早設法，把這消息盡快傳遞到各大門派之中，不知諸位意下如何？」

馬文飛道：「三月時光，太過短促，只怕咱們資訊未到，慘變已生。」

石奉先接道：「事已如此，咱們只有盡力爲之，分頭行事。」

無爲道長輕輕歎息一聲，道：「貧道所慮的是，此刻江湖之上，仍有很多門派，對那沈木風心存畏懼，不到火燒眉毛，不肯捲入是非之中，縱然聽得這消息，也是不肯深信……」

仰起臉來，長長吁一口氣，道：「貧道之意，由蕭大俠出名，修書一封，說明內情，並陳以利害，這封信，雖未必能使各大門派立刻起而抗拒沈木風，但可使他們生出警覺，而且，有了蕭大俠的書信，那投書之人，也可以直接求見各大門派的掌門人，親交書信，以免爲潛伏在各大門派的奸細從中搗亂。」

馬文飛道：「蕭兄弟有何高見？」

蕭翎道：「只要道長覺著可行，在下是恭敬不如從命了。」

無爲道長道：「如若諸位不覺貧道的筆拙，這書信就由貧道執筆，蕭大俠具名如何？」

馬文飛道：「那就有勞道長了。」

蕭翎道：「此事就照道長之意辦理……」

語聲一頓，接道：「但兄弟有一個念頭，想和諸位研商一下，是否可行。」

馬文飛道：「我等洗耳恭聽。」

蕭翎道：「沈木風固然是一代梟雄，才氣過人，但兄弟覺得他最狠的一點，還是十萬河山中，無處沒有他布下的眼線，再加上各大門派之內，都有他的內應，整個江湖上的一舉一動，他都能很快的得到消息，掌握運用……」

馬文飛接道：「不錯，咱們常被他們在咱們行動之前得到消息，吃虧不少。」

蕭翎道：「如是能夠取得他們天下耳目配置的名單，那自是最好不過，全面發動，一舉間，盡毀百花山莊耳目，但此事只怕不易，那名單，除沈木風外，只怕再也無人知曉，因此在下倒想出一個笨辦法來。」

馬文飛道：「什麼辦法？」

蕭翎道：「盡量削去百花山莊的人手，只要咱們知曉的，一個都不放過，不能逼勸他改邪歸正，爲我所用，就殺了他以絕後患，最低限度，也要毀去他的武功。」

馬文飛這：「不錯啊！在下過去就未想到。」

蕭翎道：「如若咱們全面搜查，雖然未必能夠全面破去那沈木風所組織的耳目，但至少可使他運用不靈。」

馬文飛道：「日後我們注意及此就是。」

但聞常大海說道：「如是那沈木風和那和尚會面之後，決定提前發動，咱們應該如何對

付?」

馬文飛道:「好!那就請道長立時修書,天亮之前,各路送信之人出發。」

無爲道長點點頭,就在油燈之下,修寫書信。

蕭翎環顧了四周一眼,說道:「武當掌門人,文才淵博,這封書信,必將是文情並茂,定可說勸各大門派,使他們警惕自勵,不過路途遙遠,時效難能如期,萬一各大門派爲他控制,縱然十大高手復生還魂,也是回天乏力,試問,有誰能夠和八大門派所有的高手對抗。」

馬文飛道:「不錯,兄弟有何高見?」

蕭翎道:「小弟之意,咱們先就此刻人手中,選出一部分,追覓沈木風和百花山莊中人,如若能夠使百花山莊再受到一次挫折,那是更好不過,但至少可使沈木風身受困擾,也使咱們派往各門派的人,多些機會。」

馬文飛道:「兄弟的豪氣,實叫在下等敬佩,不過,此刻時機還未成熟,如若正面衝突,只怕咱們還難是百花山莊之敵。」

蕭翎笑道:「百花山莊中人,分在長沙的,十不及一,咱們全力對付,必可使他們全軍盡覆。」

石奉先突然接道:「但那沈木風也在長沙時呢?」

言下之意,心中顯是對那沈木風,仍有著無比的畏懼。

蕭翎略一沉吟,道:「就在下觀察所得,沈木風能造成今日的局面,最重要的還是他那些遍佈天下的耳目，和神速隱秘的行動，致使我武林同道，都對他存著一份恐懼之心……」

目光轉動，掃掠了群豪一眼，接道：「但另一個原因是，現我武林同道，都固守不動，等待著讓沈木風佈置妥當之後，動手宰割，其實，咱們已經和他正面爲敵，束手就戮和轟轟烈烈的戰死疆場，大不相同啊！」

這幾句話果然激起了群豪的豪壯之氣，齊聲說道：「蕭大俠準備如何？我等都願追隨。」

蕭翎微微一笑，道：「那很好，諸位既然有豪氣，那就事不宜遲，咱們立時行動。」

馬文飛道：「蕭兄弟準備如何？」

蕭翎道：「就在下所知，百花山莊在長沙，有兩處主要的根據地，一處是那白雲觀，另一處是七澤茶園，咱們要先把沈木風安在長沙的這兩處窩子挑了，再集中全力追鬥沈木風，如能把他困住搏殺，那是最好了，至低限度，也可使他自顧不暇，不能再施展陰謀，加害別人。」

馬文飛道：「好！就依兄弟之意，咱們幾時動身？」

蕭翎道：「自然是越快越好。」

馬文飛道：「全體出動嗎？」

蕭翎道：「不用了，兄弟想選幾個人同行就是……」

語聲一頓，道：「馬兄坐鎮大營，連兄弟五個人足可對付。」

馬文飛微微一笑，道：「你自己選呢，還是讓小兄推薦？」

蕭翎道：「百里姑娘、杜兄弟，馬兄再替我推薦兩個人就行了。」

馬文飛道：「蕭兄弟，連你五個人，真的夠了嗎？」

蕭翎道：「夠了，我們以毒攻毒，以暗襲為首。」

馬文飛道：「神箭鎮乾坤唐元奇和三陽神彈陸魁章各有所專，兄弟帶他們同行可得助甚多。」

蕭翎微微一笑，道：「但不知陸兄和唐兄，是否願和蕭某一行呢？」

唐元奇、陸魁章齊齊站起身子，道：「蕭大俠肯帶我等，在下極感榮寵。」

蕭翎道：「兩位既願和蕭翎行動，咱們即刻出動如何？」

唐元奇道：「我去要他們準備船隻。」

當先向室外行去。

蕭翎道：「在下就此告別諸位。」

於是帶著百里冰、杜九、陸魁章大步向外行去。

馬文飛急步追出室外，道：「蕭兄弟多多珍重。」

蕭翎回身應道：「有勞關心，馬兄留步吧！」

行到水邊，唐元奇已然備好船隻。

群豪踏上渡船，駛向對岸。

片刻工夫，小舟已經靠岸。

蕭翎帶著群豪，直奔向白雲觀而去。

一路疾如流矢，天未亮，已趕到了白雲觀。

蕭翎打量了一下四周形勢，低聲說道：「東北角處的一座跨院，就是百花山莊中人的住宿之處。」

目光一掠唐元奇和陸魁章，道：「兩位請守在屋面上，施展暗器相助。」

唐元奇、陸魁章應了一聲，雙雙飛身而起，各自選擇好存身之處，停了下來。

蕭翎低聲說道：「杜兄弟、冰兒，咱們蒙起臉殺進去，不用和他們多說。」

百里冰微微一笑，掏起一塊絹帕，包住面孔，道：「大哥，我要跟在你的身邊呢？還是各自尋敵搏殺？」

蕭翎道：「咱們連袂拒敵吧！」

百里冰唰的一聲抽出了長劍，低聲對杜九道：「咱們衝進去吧！」

杜九拔出鐵筆和護手銀圈，兩人縱身而起，連袂衝入觀中。

蕭翎緊隨在杜九和百里冰身後而行，直入跨院之中。

這時，天色已亮，景物清晰可見。

蕭翎等三條人影，剛剛落入跨院，立時有兩條人影一閃，擋住了三人去路。

但聞弓弦聲響，一支長箭破空而至。

長箭到處，一個黑衣勁裝人應聲而倒。

就這一剎那工夫，只見跨院正房中，木門大開，一個矮胖老者，大步行了出來。

蕭翎低聲說道：「冰兒，這人就是申三怪，武功高強，不可輕敵。」

只見寒芒一閃，又是一支長箭射到，直取申三怪的咽喉。

申三怪右手一抬，接下長箭。

杜九心知那長箭乃神箭鎮乾坤唐元奇所發，此人長箭以力道勁猛見稱，申三怪一伸手就接住長箭，功力深厚，自非小可。

申三怪沉著無比，右手接住長箭，人卻在原地未移一步，目光轉動，打量了百里冰和蕭翎等一眼，道：「諸位既然來此，何以不敢以真正面目示人。」

就這句話的工夫，左、右兩廂人影閃動，擁出八、九個執兵刃的大漢。

蕭翎目光一閃，只見孔湘也在其中，心中暗道：申三怪和孔湘都在此地，大約他們還不知周兆龍被殲一事。

只聽杜九冷笑一聲，道：「諸位只有一條生路，那就是棄下兵刃，不再爲百花山莊之奴，不聽在下良言相勸，立時間就要血濺當場……」

申三怪冷笑一聲，打斷了杜九之言，接道：「如若在下猜得不錯，閣下是中州二賈中杜老二。」

百里冰道：「你猜錯了，他現在是杜老三。」

她聲音清脆，一聽之下，立可辨出是女子口音。

申三怪一皺眉頭，道：「閣下是何許人？」

百里冰道：「要命的。」

突然一揚手，兩支寒冰針電射而出。

申三怪寬大的袍袖一拂，貫注內勁，擊落了毒針。

蕭翎目光轉動，看群敵已然布成了合圍之陣，心中暗道：先傷他們兩人，使他們亂了章法再說。

心中念轉，暗運功力，右手連續彈出。

兩縷尖風，應手而出。

少林派彈指神功，威力非同小可，蕭翎又是悄然彈出。

突然兩聲尖叫，左、右各有一個大漢，棄去手中兵刃，摔倒在地上。

原來蕭翎存心先亂敵陣，是故全力施爲，出手就襲向兩人致命大穴。

申三怪雖然瞧到了蕭翎右手彈動，卻料不到他彈指竟能傷人，不禁心頭駭然，暗道：看來這現身三人之中，還是以此人最爲厲害。

當下沉聲說道：「孔兄，咱們合力對付那後面的人。」

口中說話，右手卻連連揮動。

只見人影閃動，刀光如雪，分站兩側的六、七個大漢，一擁而上，分別攻向杜九和百里冰。

百里冰和杜九齊揮兵刃，和幾人惡鬥在一起。

孔湘一抖手中鏈子槍，直向蕭翎點去。

鏈子槍乃是一種外門兵刃，槍後軟索，可長可短，收放隨心。

蕭翎赤手空拳，站在原地，似是根本未把急襲而來的鏈子槍放在心上。

孔湘冷哼一聲，道：「小子好狂。」

暗加內勁，槍上力道倍增。

蕭翎直待槍尖近身，才微一側身，左手閃電而出，疾向槍尖抓去。

他手上戴有千年蛟皮手套，既不怕利器，又不畏奇毒。

孔湘走了數十年的江湖，身經無數惡鬥，可也沒有見過這樣膽大的人，不禁一怔。

蕭翎手法，何等迅快，左手一閃，已然抓住了槍頭。

孔湘又驚又怒，猛力向後一帶，心中暗道：你縱有鐵砂掌，橫練氣功，也無法抗拒我槍頭上那倒鬚龍刺，非叫你吃些苦頭。

哪知蕭翎若無其事地也在暗中運氣，猛力向前一帶。

兩人相較功力，孔湘自是難及，身不由己地向前一栽。

這不過是一眨眼的工夫，就在蕭翎抓住了那鏈子槍的同時，申三怪已然縱身而起，有如蒼鷹下擊一般，撲向蕭翎，右掌一記泰山壓頂，拍向蕭翎頂門。

蕭翎早已運功戒備，左手抓住了鏈子槍，就騰出右手對付那申三怪，眼看申三怪撲擊而來，他右掌一翻，迎了上去。

但聞砰的一聲大震，雙掌接實。

申三怪懸空的身子，打了一個轉身，飄落在五尺開外。

蕭翎也被申三怪這一掌震得向後退了一步。

孔湘借勢用力，一收鏈子槍。

蕭翎陡然放手，孔湘驟不及防，連退了三、四步才拿樁站好。

申三怪雙目神光閃動，冷冷說道：「當今武林道上人物，能夠接我申某這一掌的，屈指可數。」

蕭翎道：「誇獎了。」

陡然欺身而上，雙掌連環攻出。

申三怪不甘示弱，揮掌還擊。

蕭翎掌法快速，申三怪接下第一掌，竟是無法不接第二掌，只好咬牙硬拚下去。

但聞一陣砰砰不絕於耳的掌聲，雙方掌掌接實、硬拚。

蕭翎一口氣連攻八掌，申三怪也硬著頭皮硬接了八招。

雙方硬拚了八招連環掌，申三怪已然是氣血浮動，滿頭大汗。

蕭翎冷然一笑，道：「閣下不錯，能和在下連拚八掌。」

語聲未落，又是一掌迎胸劈到。

申三怪心想只要再接下他這一掌，他第二掌勢必連環攻出，那時，不想接也是不行，只好縱身避了開去。

蕭翎眼看申三怪不肯再硬接自己的掌勢，不禁冷笑一聲，道：「申三怪，你膽怯了嗎？」

申三怪冷冷說道：「閣下究竟是何許人物，可否報上姓名？」

蕭翎道：「你不用問我是誰，但我可以給你一個自新的機會，此刻，你們的住地，已爲天下雲集於長沙的高手包圍，念你一身武功，得來不易，在下網開一面，只要從此擺脫百花山莊，不再捲入江湖是非之中，在下當可放你一條生路。」

申三怪冷笑一聲，道：「沈大莊主原本體念上天有好生之德，不忍大開殺戒，想不到爾等竟是不知死活，妄圖作困獸之鬥……」

說話之間，但聞一聲慘叫傳來，一個黑衣大漢，死在百里冰的劍下。

孔湘眼看對方武功高強，尤其是那百里冰，劍招更是奇幻難測，叫人防不勝防。

當下一側身子，攻了上去。

他武功高強，鏈子槍招數神妙無比，一出手，立時把百里冰和杜九聯手的兇猛攻勢擋住。

蕭翎打量了一下搏鬥形勢，心中暗道：看來只有先殺申三怪，以寒敵膽了。

心念一轉，冷冷說道：「申三怪，我已好言相勸，你既不肯罷手，那是自尋死路了，亮兵刃吧！」

申三怪道：「你說出姓名，老夫一定奉陪。」

蕭翎道：「好！讓你死也死得明白，在下蕭翎。」

申三怪呆了一呆，道：「你是蕭翎？」

蕭翎道：「不錯，你亮兵刃吧！」

申三怪道：「咱們掌上未分勝負，再鬥掌力如何？」

蕭翎道：「好吧！」欺身而進，一掌劈出。

申三怪揮掌接架，雙方展開了一番惡鬥。

蕭翎攻勢快速，一口氣連攻二十餘招。

申三怪聽得蕭翎之名，心知這番搏鬥，實關係著自己的生死存亡，是以，全神貫注，小心翼翼，不求有功，但求無過，非不得已，不硬接蕭翎的掌勢。

轉眼之間，雙方已鬥了五十餘招。

蕭翎打得火起，俊目中神光閃動，喝道：「申三怪，你要小心了。」

喝聲中，左手一招「天外來雲」，斜裏劈下，右手同時屈指一彈。

一縷指風，電射而出，擊中申三怪的右肘。

這彈指神功，功力練到一定的火候，可以隔空擊穴，置人死地，申三怪功力雖深，也無法受此一擊，右肘關節筋骨如折。

申三怪右臂驟傷，再想閃避蕭翎快速擊落的掌風，已自無法。

但聞砰的一聲大震，蕭翎快速落下的掌勢，正擊中申三怪的左肩之上。

這一掌力道雄厚，申三怪左肩肩骨，被生生劈斷，悶哼一聲，向後疾退三步。

蕭翎本可藉機出手，取那申三怪之命，但他卻沒有出手，停下腳步冷冷說道：「申三怪，我要你死得瞑目，給你個喘息機會，待你恢復再戰之能。」

申三怪左肩骨折，右肘重傷，就算外接斷骨、內服靈丹，也無法在三、五日內和人動手。但他究竟是功力深厚之人，當下一提真氣，突然轉身一躍，飛起了兩丈多高，登上屋面。

只聽弓弦聲動，一支長箭，破空而至。

申三怪足尖一點屋面，身子第二次騰起，疾如閃電而逝。

緊接著人影翻飛，唐元奇、陸魁章雙雙落入院中。

孔湘領導群寇，力鬥百里冰和杜九，維持個不勝不敗之局，但眼見申三怪負傷逃走，對方又來了援手，不禁心中慌了起來，暗道：看來再打下去，那是絕無生機了。

唐元奇、陸魁章一齊亮出兵刃，準備出手助那百里冰和杜九一臂之力。

蕭翎微微一笑，道：「不勞兩位出手。」

屈指一彈，一縷暗勁飛出。

但聞波的一聲，正擊在一個大漢右臂之上。

那大漢手臂一麻，兵刃脫手落地。

杜九一筆刺來，正中前胸，寒芒透胸而入，當場栽倒。

蕭翎屈指連彈，暗勁縷縷湧出，百里冰和杜九劍筆輪轉，連傷數人。

片刻間，只餘下孔湘一人，揮勸著鏈子槍，還在苦鬥。

蕭翎欺身而上，一把抓住孔湘手中的鏈子槍，飛起一腳，把孔湘踢了一個跟頭，冷冷說道：「申三怪比你如何，閣下還要做困獸之鬥！」

孔湘緩緩站起身子，四顧了一眼，只見己方之人，除了逃走一個申三怪外，都已橫屍當場。

當下長歎一聲，探手從懷裏拔出一把匕首，道：「蕭大俠手下留情，在下也無顏再在江湖之上闖蕩了。」

匕首一揮，直向前胸之上刺去。

蕭翎右手輕輕一彈，擊在匕首之上，脫手飛出，說道：「孔兄既已知曉，何苦又要自絕，天下有的是名山勝水，世外桃源，孔兄如能息隱世外，何處不可安身立命……」

語聲一頓，接道：「再說，孔兄如肯棄暗投明，兄弟保證天下英雄一體歡迎。」

孔湘苦笑一下，道：「區區縱然有心答允蕭大俠，但也難再活過七日，七日後奇毒發作，全身經脈收縮而死，那痛苦實非常人所能忍受……」

長長歎息一聲，接道：「而且兄弟職位低下，無法知曉機密，蕭大俠一番盛情，只好期以來生補報了。」

突然舉手一掌，自碎天靈要穴死去。

杜九望著孔湘的屍體，道：「大哥，這些人大都是被脅迫而從百花山莊，咱們還是把他們

屍體埋起來吧！」

蕭翎道：「你交給廟中道士一錠黃金，要他代咱們處理屍體，叫他不必報官了，我們在廟外等你。」

杜九應了一聲，轉身而去。

蕭翎帶著百里冰繞到廟門，杜九已在等候。

唐元奇道：「蕭大俠，此刻咱們要到何處？」

蕭翎道：「那七澤茶園，地處大街，咱們不能白天下手，先找間客棧休息一下，等天色入夜之後，再挑七澤茶園不遲。」

幾人找了一個客棧，休息一日，天黑之後，才行向七澤茶園。

只見大門緊閉，門上掛著一塊木牌，寫著「暫停營業」四個大字。

蕭翎縱身而起，越牆而入，找遍了三進院子，不見一個人影。

蕭翎點點頭，道：「不要碰室中的東西。」

群豪已知那沈木風的惡毒，果是無人敢碰。

蕭翎領著群豪，退出七澤茶園，道：「沈木風在長沙的耳目，就在下所知，只有這幾處，不知還有哪位知曉？」

他連問數聲，不聞群豪相應之言。

唐元奇低聲道：「蕭大俠，既是別無去處，咱們應該回去見馬總瓢把子，免得他心中掛念。」

蕭翎突然想起了金算盤，低聲對杜九說道：「杜兄弟，啇兄弟他還在原地住嗎？」

杜九搖搖頭，道：「不在，他另行找了一處很隱秘的地方，只有小弟知曉。」

蕭翎回目一掠唐元奇、陸魁章，道：「唐兄、陸兄，先請回那水中沙洲，在下去探望一位兄弟，早則今夜，遲則明晚，定然趕回。」

唐元奇、陸魁章齊齊抱拳一禮，道：「我等就此別過。」轉身行去。

蕭翎目注兩人身影消失後，回目望著杜九，道：「啇兄弟住在哪裏？」

杜九道：「小弟帶路。」轉身向前行去。

蕭翎和百里冰魚貫隨在身後。

卅六　一言九鼎

杜九帶著蕭翎和百里冰轉過兩條街道，到了一座高大宅院的圍牆前面。

蕭翎低聲問道：「這是什麼地方？」

杜九道：「長沙知府的內眷住宅。」

蕭翎道：「商兄弟認識那知府？」

杜九道：「不認識。」

蕭翎道：「既然不相識，如何能夠借住？」

杜九道：「商老二告訴我說，百花山莊的人，雖然是無孔不入，手段殘酷，但他們向來不惹官府中人，也不和官府作對，因此，他說把東西存在知府宅內最安全。」

蕭翎道：「咱們要如何方可見他？」

杜九道：「這知府後園之中，有一間廢棄的書房，除了每天有人打掃一次外，平常絕無人去，商老二就住那裏，小弟去叫他出來。」

蕭翎略一沉吟，道：「好，官府內眷，我們也不便驚擾，你去叫他出來，小兄就在此地等候。」

杜九一提氣飛身而入。

大約有一頓飯工夫之久，才帶著商八，提著木箱而出。

蕭翎目光到處，只見商八左臂之上裹著白紗，似是新傷不久，不禁一皺眉頭，道：「兄弟，你剛受了傷？」

商八微微一笑，道：「不要緊，一點輕傷。小弟今天日落時分，才和人動上了手，小弟雖然傷了左臂，但那人也未討了好去。」

蕭翎道：「又是百花山莊的人？」

商八搖搖頭，道：「是不是百花山莊的人，小弟不敢斷言，但看神態，卻是有些不像。」

蕭翎道：「那人是何身分？」

商八道：「使小弟不解的，也就是他那使人莫可預測的身分。」

蕭翎奇道：「究竟是什麼人？」

商八道：「一個和尚。」

蕭翎道：「和尚？」

商八道：「不錯，這就是小弟百思不解之處了，百花山莊的人，龍蛇雜處，虎狐同穴，有幾個和尚原也不足為奇，但他們絕不會以和尚的身分，出現於江湖之上。」

蕭翎道：「他為什麼和你動手？」

商八望了手中木箱一眼，道：「搶我手中的箱子。」

蕭翎心中大爲奇怪，暗道：這木箱早已十分陳舊，除了識得這木箱之人，絕不會去搶此物了。

心中念轉，口中卻問道：「那和尚有多大年紀了？」

商八道：「五旬上下。」

蕭翎道：「那禁宮十大奇人，無一不是年登古稀的人物，這和尚這點年紀，自然不是他們同輩人物了，何以識得此箱呢？」

幾人一面談話，一面行走，到了一座客棧前面。

這時，夜闌已深，一個客棧夥計，正要取燈拴門。

杜九一上步，攔住那夥計說道：「還有空房子嗎？」

店夥計打量了四人一眼，道：「有一座空出的跨院，不知諸位是否嫌貴……」

杜九接道：「你帶路吧！」

那店夥計帶幾人進入了一座跨院之中。

這是座獨立的院落，除了正房之外，兩廂還有客室。

店夥計泡上茶，燃上燈火離去。

杜九飛身出房，四下巡視一周，才退回房中。

蕭翎仔細望了那木箱一眼，只見那木箱蓋上雕刻著一座佛像。

商八看蕭翎已經注意了木箱，才微微一笑，道：「小弟拭去箱上積塵後，發覺了雕有佛像的精緻花紋，曾和杜兄弟談過，這木箱之中，可能存有很寶貴的東西。」

蕭翎道：「小兄記得咱們已經開過木箱，那裏面只有一本羊皮封面的書冊，上面寫的似是經文，現在再打開瞧瞧吧！」

商八依言打開箱蓋，只見一本羊皮封面的冊子，放在箱中，除此之外，再無所見。

商八舉起火燭，仔細在箱中瞧了一陣，仍是瞧不出一點可疑之處，當下搖頭說道：「難道這本經文很珍貴嗎？」

伸手在箱中四面敲打。

蕭翎心中突然一動，低聲說道：「商兄弟，木箱蓋上，可以雕刻佛像，這木箱之內，自然也可雕刻字跡了。」

商八道：「不錯啊！」

伸手在箱底用力一拭。

只見那箱底之上，似是有著一種細緻的紋路，當下喜道：「果然在這裏了。」

杜九取來一塊抹布，仔細地在箱內擦拭起來。

經過一番擦拭，箱蓋底層和箱底內層，都出現了清楚花紋。

蕭翎把那箱子搬到木桌上，舉起火燭瞧去，只見那花紋似花非花，似字非字，曲曲彎彎，無法認出是何用意。

商八皺皺眉頭，道：「這上面寫的似是天竺文字，咱們認不出來。」

蕭翎道：「可惜識得此文之人絕無僅有，這人才太難找了。」

商八接道：「除了少林寺中和尙，可能有人識得之外，只怕是很少有人識得了……」

心中突然一動，道：「那個和尙……」

杜九道：「哪個和尙？」

商八道：「和我搏鬥，互有受傷的和尙，看到此箱之後，不問青紅皂白的，就出手搶奪，如若不識得天竺文字，就是識得這只箱子了。」

蕭翎道：「不錯，那和尙現在何處呢？」

商八沉吟了一陣，道：「我想他不會離開很遠，因爲他臨去之際，還戀戀不捨地望了這木箱一眼，那是說他對這木箱，仍是念念難忘了。」

蕭翎沉吟一陣，道：「那和尙可是天竺國人？」

商八道：「就小弟所見，他似是咱們中原人氏，而且還可能出身少林一門。」

蕭翎道：「他施展少林門中武功？」

商八道：「和我動手之初，他極力施展其他博雜的武功，似乎是極不願露出少林武學，後來，爲小弟所傷，迫不得已才用少林的武功，擊傷小弟……」

略一沉吟，道：「如若他還住在長沙，可能就在附近兩條街上，小弟設法去探聽，看看他落足何處？」

蕭翎道：「天色已入深夜，你到何處打聽？」

商八道：「咱們自然打聽不出……」

放低聲音說道：「車、船、店、腳、牙，最是難以對付，也很少有好人，但這般人也最好使喚，他們見多識廣，唯利是圖，重賞之下，什麼事都能做得出來！」

說到此處，突然轉身而去。

不大工夫，商八笑嘻嘻地行回房中，道：「大哥，咱們休息一會兒，如是那和尚落腳在此，不出一個時辰，就有消息回報。」

蕭翎知他智計多端，江湖經驗廣博，微微一笑，也不多問。

果然過了半個時辰左右，一個店夥計滿頭大汗地跑了進來，喘了兩口氣，低聲說道：「您老交辦的事情，小的已經打聽出來了，那位大師父投宿在大盛客棧。」

商八探手從懷中摸出兩片金葉子，道：「好！你帶我去吧！」

轉身對蕭翎低聲說道：「大哥稍坐片刻，小弟去去就來。」

杜九起身道：「我跟你去。」

兩人帶著那店小二匆匆而去。

百里冰低聲問道：「他們要去綁架那和尚來此處？」

蕭翎道：「大概是吧！」

口中答話，雙目卻盯注在那箱底花紋之上瞧著。

百里冰看他神注圖案，也不再出言驚擾，靜靜地站在蕭翎身側，暗中卻留神戒備。

大約過了一頓飯工夫左右，只見杜九扛著一個身著灰袍的和尚，行了進來。

杜九緩緩放下那和尚，拍活了他兩處大穴。

蕭翎凝目望去，只見那和尚年約五旬左右，頭上烙了五個戒疤，顯然，那是受戒甚嚴，出身正大的僧侶。

那和尚一挺身站了起來，但他又匆匆地坐了下去。

原來，他站起身子之後，才發覺雙腿穴道，仍然被點著未解。

商八輕輕咳了一聲，道：「大師，你瞧瞧那桌上放的什麼東西？」

那和尚抬頭望了一眼，道：「木箱子。」

商八道：「你想搶這只木箱子，自然是知它的來歷了。」

那和尚目光轉動，掃掠了蕭翎、百里冰和商八、杜九一眼，緩緩說道：「四位是何身分？」

原來，蕭翎等都還易容未復。

商八冷笑一聲，道：「看來大師父當真是輕淡生死，四大皆空了。」

灰袍僧人緩緩說道：「這話是何用意？」

商八道：「我等未問大師，大師倒問起我等的身分來了……」

語聲一頓，道：「你可能認出這木箱來歷，和那箱內的天竺文字？」

灰衣僧人緩緩說道：「拿近一些讓貧僧仔細瞧瞧吧！」

商八無可奈何，只好移近木桌，高舉燈火。

那和尚仔細地瞧了一陣，神情突現激動，口中喃喃自語，道：「果然是這木箱，果然是這木箱……」

雙目神凝，盯注在那箱底花紋上瞧看。

商八放下火燭，拿開木箱，道：「咱們請大師到此的用心，大師是否明白？」

灰衣僧人道：「要貧僧講說那箱底天竺文字內容。」

商八道：「大師明白就好。」

灰衣僧人搖搖頭，道：「諸位想如何對付貧僧，只管施展吧！阿彌陀佛！」

閉上雙目，口中誦起金剛經來。

這一下倒是大出商八等意料之外，都不禁為之一呆。

杜九冷哼一聲，道：「大師你真是不怕死嗎？」

灰衣和尚突然睜開眼睛，冷冷說道：「貧僧若是為大師兄而死，也是死的值得了。」

商八惑然說道：「和尚，難道這上面記述的文字，重於你的生死嗎？」

灰衣和尚道：「貧僧十條八條命，也是沒它重要。」重又閉上雙目。

商八低聲對蕭翎說道：「大哥，我有些明白了，這文字可能是記述一種很奇奧的武功。」

杜九怒道：「他不怕死，難道也不怕痛嗎？咱們先點他五陰絕脈。」

右手一揮，點向那和尚前胸。

蕭翎右手疾出，擋開了杜九一招，道：「咱們不能誤傷好人。」

一抱拳，道：「大師這等視死如歸的豪氣，非有深厚的修養功夫，實難辦到，在下十分敬佩。」

灰衣和尚搖動著光頭，說道：「別套交情，貧僧是軟硬不吃。」

蕭翎微微一笑，道：「咱們不談這木箱上的文字，談談別的事情如何？」

灰衣和尚道：「那倒可以。」

蕭翎緩緩說道：「你可是出身少林寺？」

灰衣和尚道：「不錯。」

蕭翎緩緩說道：「大師識得天竺文字，在寺中的地位定然很高了。」

灰衣和尚道：「貧僧在藏經閣中，負責整管經文。」

蕭翎啊了一聲，道：「大師此番到長沙來，不知有何用心？」

灰衣和尚道：「貧僧和四位師兄同來，但他們三人都死在你們手中了。」

蕭翎愕然說道：「我們手中？」

灰衣和尚道：「不會錯啊，除了你們百花山莊的人，誰還會施用那等卑劣手段，先行下毒，然後施襲。」

蕭翎道：「可惜大師並未猜對，在下等都非百花山莊的人。」

灰衣和尚道：「不是百花山莊的人，怎會趁夜冒充店夥計，混入貧僧房中，出其不意的點了貧僧穴道？」

蕭翎回顧了商八、杜九一眼，道：「你們可是扮作店夥計混進房去，生擒了這位大師父嗎？」

杜九尷尬一笑，道：「我們怕大哥等候過久，才施展詐術，生擒於他。」

蕭翎輕輕歎息一聲，道：「這就難怪他認爲我們是百花山莊中的人了……」語聲一頓，道：「解了他的穴道。」

杜九應了一聲，拍活了灰衣和尚被點穴道。

蕭翎輕輕咳了一聲，道：「大師，現在可以走了。」

灰衣和尚活動了一下雙臂，道：「你是什麼人？」

蕭翎道：「區區蕭翎。」

灰衣和尚道：「什麼？你是蕭翎？在下雖然未見過蕭翎之面，但卻聽人說過他的面貌，完全不是你這個樣子。」

蕭翎伸手除下臉上面具，道：「大師請看，在下真面目，是否和你聽聞而來的一樣？」

那和尚打量了蕭翎兩眼，道：「有些相似。」

蕭翎微微一笑，道：「看來，大師還是有些不信……」

目光一掠中州二賈，道：「兩位兄弟請把面具脫下。」

商八一拍大肚子，道：「大師識得在下嗎？」
灰衣和尙仔細地瞧瞧商八、杜九，道：「兩位可是傳說中的中州二俠？」
商八哈哈一笑，道：「看來，閣下似是有些不信嗎？」
灰衣和尙道：「貧僧多年護守藏經閣，此番外出，乃貧僧第一次在江湖上走動！」
商八道：「這麼說來，大師能夠認識蕭大俠，還算不錯了。」
灰衣和尙道：「對於幾位容貌，都還是在這次出現江湖之前，聽人述說……」
杜九冷冷說道：「聽到很多，也是無用，此刻最爲重要的一件事，是大師是否相信我等身分呢？」
灰衣和尙道：「貧僧雖是有些相信了，但我還不敢肯定，是以，還不能把箱底中文字，譯講給你們聽。」
商八一皺眉頭，道：「看來，這箱底上刻的文字，是十分重要了！」
灰衣和尙道：「很重要，關係整個武林的正邪與興亡。」
商八道：「這些字是一種秘笈嗎？」
灰衣和尙沉吟了半晌，道：「不是。」
杜九道：「不是秘笈，怎的如此重要？」
灰衣和尙道：「透露一點給你們知道，也不要緊，那些字是說明秘笈藏匿之處。」
商八苦笑一下，道：「大哥，這位大師如此細心，只怕是不會說了。」

蕭翎緩緩說道：「如若這箱底上的字跡，果真如他所說的一般重要，自然是難怪他如此慎重了。」

語聲微一停頓，接道：「大師一行五人，其中有四人死在百花山莊之人手中，大師又從未在江湖之上走動過，除了你的師父、師兄，可證明我們身分，別人證明了你也不信，是嗎？」

灰衣和尚道：「如是貧僧不識之人，如何能信他呢？」

蕭翎道：「這是一個很難解開的結，大師識人不多，我們又無法在極短時間內，找出你相信之人，看來，我們只有等待日後親往少林寺中一行，當面求教了……」

長長歎息一聲，接道：「大師請仔細記下那箱底所書。」

灰衣和尚道：「貧僧已經記下了。」

蕭翎道：「那很好，大師可以去了。」

商八道：「就這樣放他走了嗎？」

蕭翎淡淡一笑，道：「他執意不說內容，咱們又不能嚴刑逼迫，那是只好讓他去了。」

商八不敢再言，退到一側。

蕭翎正容說道：「大師，你要牢記著文字內容，你去之後，在下可能要把這木箱毀去……」

灰衣和尚駭然說道：「爲什麼？」

蕭翎道：「大師未說明內情之前，在下不知道這木箱的重要性，也就罷了，此刻知其重

臥龍生 精品集

要，卻有著大不放心之感，萬一這木箱落入百花山莊之手，那就大為麻煩了，為了安全，在下自然要毀去這只木箱。」

灰衣和尙似是不知如何回答，半晌之後，才緩緩說道：「毀去太可惜了。」

蕭翎道：「留著不是一個很大的禍根嗎……」

歎息一聲，接道：「大師離此之後，還望多多保重，因為舉世之間，只有大師一人，知曉此秘了。」

灰衣和尙道：「這麼說來，貧僧非得再仔細瞧瞧不可了。」

商八一橫身，攔住去路，道：「夠啦，蕭大俠素行君子，忠厚待人，你既明知是蕭大俠，還是不肯說出內情，顯是心存奸詐，你這心機，瞞不過我商某人的眼睛。」

蕭翎一揮手，道：「商兄弟，不要責難他。」

商八無可奈何，只好閃身讓開，緩步行到百里冰身側，低聲說道：「百里姑娘，我瞧這和尙是在故意使詐，咱們不能上他的當。」

百里冰微微一笑，道：「我有辦法。」

只見那和尙大步行了過來，手執木箱，上下翻動，仔細瞧了一陣，道：「貧僧都記下了。」

蕭翎點點頭，道：「你要牢記心中，不要忘了，也不用在長沙停留了，早些回少林寺中去吧！日後我等有便，自會到寺中拜訪。」

灰衣和尙道：「貧僧去了。」轉身向外行去。

忽見百里冰嫣然一笑，道：「我要送這位大師一程。」

口中說話，人已舉步向前行去。

蕭翎皺皺眉頭，卻未出言阻止。

百里冰大步追了上去，直行廳外。

蕭翎目光轉動，只見商八挺胸抬頭而立，似是百里冰的舉動，和他全然無關一般。

片刻之後，百里冰獨自行回廳中。

蕭翎神情嚴肅地問道：「冰兒，那位大師父呢？」

百里冰道：「走啦。」

蕭翎道：「你沒有留難他嗎？」

百里冰道：「如是我們有了打鬥，如何能瞞得過大哥的耳目呢？」

蕭翎想了一想，目光一掠杜九、商八，說道：「兩位賢弟，如若他那和尙說的不錯，留著這木箱，萬一被沈木風拿去，豈不是一樁大害大憾的事。」

商八道：「大哥的意思呢？」

蕭翎道：「我想把這只木箱毀去。」

百里冰道：「不要慌。」

蕭翎道：「爲什麼？」

百里冰道：「因爲……因爲……」
一時間想不到適當措詞，因爲了半天，仍是因爲不出個所以然來。
蕭翎肅容說道：「冰兒，說實話，你如何對付了那和尙？」
百里冰道：「我和他握手的時候，輕輕刺了他一針。」
蕭翎道：「針上有毒？」
百里冰道：「沒有毒，但我騙他說針上有毒，四個時辰之內，如若不服用解藥，那將毒發而死。」
蕭翎道：「你爲什麼要騙他？」
百里冰道：「如若他是百花山莊的人，自然是不會回來了，但如他不是百花山莊的人，定然會去而復返。」
蕭翎臉上一片不悅之色，冷冷說道：「爲什麼？」
百里冰道：「如若他真是有道高僧，受你重托，必會急急而來，必然會對你說明內情……」
蕭翎冷然接道：「如若他懷疑是我們故意設計下的圈套，激憤之下，難道也肯回來嗎？」
百里冰道：「就算他懷疑到大哥是同謀人物，但他隱秘未洩，有所憑仗，也不難迫取解藥，至低限度，可以和咱們談談條件。」
蕭翎凝目注視那燃燒的火燭，緩緩說道：「不論你說出多少理由，此事亦是做得不當，對

待武林同道，咱們不能用這種手段。」

百里冰道：「大哥怎能肯定他真正是少林僧侶？」

蕭翎怔了一怔，道：「如若他不是少林僧侶，你也是白白放走了他，於他何損？」

百里冰笑道：「我已用獨門手法，暗中點傷了他身上兩處穴道，他奔行一陣之後，身體上必有不適之感，那時，他必將以為是劇毒！」語聲微微一頓，接道：「他隨行師兄，早已死去，只有咱們這一條生路，除非他說的都是謊言。」

蕭翎沉吟了一陣，歎道：「唉！冰兒，以後做事，要先和我商量一下，再作主意。」

百里冰不再多言，緩緩在蕭翎身邊坐下。

室中突然間靜了下來，靜得聽不到一點聲息。

大約過了一頓飯工夫之久，突然一陣步履聲傳了過來。

百里冰精神一振，凝目望去，果然是那灰衣和尚，步履踉蹌地行了過來。

只見他舉起寬大的灰色衣袖，拂拭一下頭上的汗水，望著蕭翎，冷冷說道：「人人都說你蕭大俠是君子人物，原來他們被你矇騙過去，你和那沈木風一樣的卑下。」

蕭翎望了百里冰一眼，目光轉到那灰衣和尚的身上，道：「大師這樣責難在下，不知因為何故？」

灰衣和尚道：「你放走貧僧之後，為何又遣人刺我一針，那針上含有奇毒，四個時辰內致

人死命，口不應心，豈算得君子人物。」

蕭翎淡淡一笑，道：「大師並沒有中毒。」

灰衣和尚怒道：「我至此毒性漸發，難道是裝作的不成？」

百里冰緩緩接道：「大師，你現在是否相信他是蕭翎呢？」

灰衣和尚怒道：「自然相信了。」

百里冰道：「那你爲何不肯解說那箱中文字呢？」

灰衣和尚道：「貧僧幸未解說，原來，蕭翎也是一位卑劣的人！」

蕭翎被那和尚罵得狗血噴頭，始終未動怒火。百里冰偷眼瞧了蕭翎一眼，心中大感不安，暗忖道：都是我暗施手腳，連累的大哥挨罵。

緩步行了過去，道：「大師並未中毒，我只是點了你的穴道。」

伸手一掌，拍在灰衣和尚的右肩之上，解了他被點穴道，接道：「其實，你只要留心一下，我用針刺中之處，瞧瞧傷口，就會明白是否中毒了。」

灰衣和尚瞧瞧左手傷處毫無異樣，果非中毒之徵，不禁一怔。

百里冰微微一笑，道：「雖然是唬你一唬，但全和蕭大俠無關，他是頂天立地的大豪傑、大英雄，豈肯對你開這樣的玩笑，爲了此事，我剛才還受了一頓責罵。」

灰衣和尚怔了一怔，道：「原來如此。」

蕭翎突然抱拳一禮，道：「不論用心何在，此舉都屬不當，在下這裏謝罪了。」

灰衣和尚歎息一聲，道：「這麼看來，你當真是蕭翎了，貧僧此刻完全相信了……」目光轉到蕭翎的臉上，接道：「在這木箱之中，是否有一本書？」

蕭翎道：「有一本經文。」

灰衣和尚道：「不知可否拿給貧僧瞧瞧？」

蕭翎道：「自然可以！」

取過經文奉上。

灰衣和尚接了經文，仔細地翻了一陣，突然把中間一頁裁開，道：「記述的秘笈在這裏了。」

蕭翎道：「那上面也是寫的天竺文嗎？」

灰衣和尚道：「是用漢文寫成。」

蕭翎道：「他應該用天竺文寫成才對，除了少林寺，天下再也沒有幾人識得了。」

灰衣和尚道：「認識天竺文字，不一定有超人的才慧，他在那箱底留下天竺文，說明藏匿秘笈之處所，在箱中一本經文之內。」

緩緩把四周裁開的經文，雙手奉上。

蕭翎接過瞧去，只見上面寫著密密麻麻的漢文，開宗明義第一行便道：非有極深的武功基礎，和過人的智慧，不宜習練此中記述的武功。

蕭翎緩緩把手中經文放下，道：「大師的法號如何稱呼，在下還未請教。」

灰衣和尙道：「貧僧法名大忍。」

百里冰心中暗自笑道：你法號大忍，我看你連小忍也忍不下。

蕭翎道：「大師瞧過這上面的漢文記載嗎？」

大忍大師道：「貧僧只瞧了兩行，就不敢再瞧下去。」

蕭翎暗道：好啊！原來他已經瞧了兩行。

凝目向下看去，只見寫道：本文所記，乃武功總綱，如若閱讀人功力不足，強行習練，難免要走火入魔，如是才慧不及，難解詞意，苦苦思索，愈陷愈深，終而難以自拔，精盡智竭而死，是爲戒言。

看完序言之後，蕭翎隨手合上了經文，笑道：「大師一眼能認出木箱，想必對這經文來歷，十分熟稔了。」

大忍大師道：「禁宮被開之訊，傳入少林，敝方丈大爲震駭，想到禁宮十大奇人武功，如果爲那沈木風取去，百花山莊的霸業，必成無疑了，因此，召集我少林寺中長老、各院住持，共議大事，貧僧也參與了這場集會。」

蕭翎輕輕歎息一聲，道：「貴派數十年來，一直被視作武林中泰山北斗，武林中不少紛爭，大都由貴派出面一言而決，但這次百花山莊之事，貴派卻似有著縱容之嫌，似是對百花山莊的活動，全然不聞不問。」

大忍大師道：「如說敝派對此事，全然不理，未免是稍嫌武斷一些，據貧僧所知，少林派

爲此事，已然舉行了數次長老秘密會議，而且早已有所行動，只是，行動極端隱秘，外人難得知曉罷了……」

語聲微微一頓，接道：「而且少林寺現下已作了應變的準備，選派四十名年輕、精明、才慧過人的弟子，寄住他處，由兩名經驗博廣、武功精深的長老領隊，除了練習絕技之外，不過問武林中事。」

大忍大師道：「不錯。」

啇八哈哈一笑，道：「準備少林寺一旦被毀之後，還有復興之力。」

杜九冷冷地接道：「貴寺中這等準備，似是和這本經文無關。」

大忍大師道：「自然有關了。」

杜九道：「哪裏有關？」

大忍大師道：「大會之上貧僧提出一線希望，那就是這本經文。」

蕭翎一皺眉頭，道：「這樣重要嗎？」

大忍大師道：「不錯，貧僧就藏經閣中收藏的大事誌中，查出了一件事，那就是，數十年前，天竺國一位高僧到了中原，在我們少林寺中研讀經文，他在敝寺中，一住三十年，終日裏埋首在藏經閣中，閱讀經書……」

略一沉吟，道：「那和尚在少林寺中，獲得了無與倫比的讚美，但無人知曉，他用心卻在找一本天竺國流傳入中原的武林秘錄，他計算追蹤，各方求證，證明那本武功秘錄，落在我

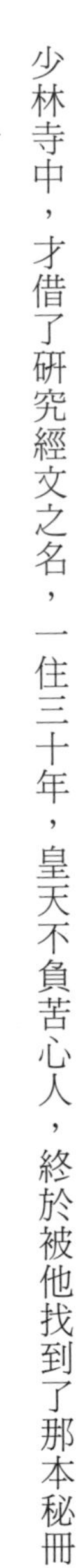

少林寺中，才借了研究經文之名，一住三十年，皇天不負苦心人，終於被他找到了那本秘冊……」

蕭翎道：「貴寺就沒發覺那一秘笈嗎？」

大忍大師道：「藏經閣藏經十萬卷，那本秘錄，因爲用天竺文字寫成，無人認得，就堆在經閣一角，被他發覺帶走。」

蕭翎道：「那又如何流入禁宮，譯成漢文呢？」

大忍大師道：「自從那僧侶入寺之後，引起本寺中幾位才智過人的高僧，學習天竺文的興趣，就學起天竺文，貧僧因具有此文才能，受方丈指定，專研天竺文字，五年前，貧僧整理舊籍，發覺那天竺和尚留下的日誌，才發覺這一樁驚人的事情……」

蕭翎一皺眉頭，道：「那你又如何知曉那武功秘錄，已經翻成漢文，又如何知曉它流入禁宮呢？」

大忍大師道：「貧僧發覺此秘之後，就開始閱讀天竺文的經集，但卻是一無所獲，我當時原想找出全部情形之後，再稟告掌門方丈，但費時半年，卻無所獲，心想此事重大，不能再耽延下去，只好稟報了掌門方丈……」

蕭翎道：「貴掌門也無法代你解決這樁難題啊！」

大忍大師道：「但貧僧卻從敝掌門的口中，知曉另一件隱秘，那就是，天竺國在這幾十年中，兩度派人來訪少林寺，查問那位木木大師的下落。」

語聲頓了一頓，接道：「這證明一件事，那位天竺僧侶，雖然帶走了秘錄，並未回到天竺國去，不是他自願留在中土，就是被人所害。」

長長歎息一聲，道：「貧僧在方丈面前，力陳利害，請求派人追查那和尚的下落，敝方丈為此，派出了十名僧侶。」

蕭翎道：「查出了沒有？」

大忍大師道：「整整查了兩年多，才查出，那木木和尚離開少林寺後，被等候在山下的長眉大師帶走……」

蕭翎道：「帶往何處？」

大忍大師道：「迄今為止，還無人知道那木木和尚的生死，但照時間推算，十、九不在人世了。」

百里冰道：「那位長眉大師呢？」

大忍大師道：「同時也行蹤不明，但以後聽傳說他又在江湖出現，而且還曾參與過十大高手定名之爭……」

說到此處，似是突然想起了一件十分重要的事，望著蕭翎說道：「這只木箱，就是那木木和尚由天竺帶來之物。」

杜九冷冷接道：「幾十年了，你怎能一眼看出？何況，你根本沒有見過這只木箱。」

大忍大師道：「不錯，貧僧沒有見過，但這木箱上刻有那木木大師的名字，是以，貧僧一

看即知。」

話聲一頓，道：「貧僧想問諸位一句話，希望諸位能夠據實回答。」

蕭翎道：「大師只管請問，我等知無不言。」

大忍大師道：「諸位這木箱得自何處？」

蕭翎道：「得自禁宮之中。」

大忍大師道：「不知諸位是否可以把取得這木箱經過，說給在下聽聽？」

蕭翎道：「自然可以。」

當下把經過之情，很詳盡地說了一遍。

大忍大師沉吟了一陣，道：「是了，是了……」

杜九道：「究竟是怎麼回事啊？」

大忍大師道：「貧僧只能就那木木大師留下的日誌中，以及敝寺追查長眉大師所得的資料，和諸位取得這木箱經過，諸般情形，推斷它經過，其間，自然會有很多無法令人滿意之處，不過，那真實的經過，只怕已無法查考，永爲武林中的隱秘了。」

蕭翎道：「大師既有所本，推論自是可信，不知我等是否有幸一飽耳福。」

大忍大師道：「貧僧簡明地說出推想，如有重大破綻，無法補說之處，還望諸位多多原諒……」

語聲一頓，接道：「長眉和尚也許早已知曉那木木大師東來的用心，說不定還是他推介進

入我們少林寺中，在外面等候了很多年，只待那木木大師發現了那本天竺文的武功秘錄，離開了少林寺時，為長眉擄走，然後，那長眉大師又設法取去了那本秘錄。」

蕭翎道：「那上面寫的天竺文，長眉大師怎會認識呢？」

大忍大師道：「長眉大師乃峨嵋門中弟子，貧僧曾詢及峨嵋門中同道，查考所得，那長眉大師亦是個精通天竺文的才人。」

蕭翎道：「以後呢？那長眉大師可是代表了峨嵋派，參與十大高手定名之爭？」

大忍大師道：「貧僧原本不知江湖中事，但為了追查那木木大師去處，敝掌門即命我常在江湖上行道的師兄弟等，為貧僧解說江湖中事，據說長眉大師確實曾參與十大高手定名之爭，但是他並非每會必與，諸位能在禁宮之中，找出這只木箱，那就證明了長眉大師確曾到過『禁宮』，至少，那木木大師是到過禁宮。」

商八道：「關於那長眉大師的傳說，在下也聽到過，傳說紛紜，莫衷一是，大體而言，和大師所言相似。」

百里冰突然接道：「大師識得天竺文字，而且造詣極深，如是把這經本上漢文，譯成天竺文，兩相對照，確是那木木大師所留，就不難證明它是否木木大師之物了。」

大忍大師道：「貧僧之言，只怕女施主還未聽明白，那天竺文的秘錄，已為木木和尚帶走了。」

蕭翎道：「這麼說來，這經內暗藏的武功，定是那長眉大師所書了。」

大忍大師道：「有此可能。」

蕭翎一抱拳，道：「多謝大師指教。」

大忍大師道：「貧僧奉命遊走江湖，用心就在找這只木箱，如今木箱既已落於蕭大俠的手中，貧僧也不用再在江湖上流浪了。」

言罷，轉身向外行去。

蕭翎一抱拳，道：「恭祝大師一路順風，早回少林。」

大忍突然停下腳步，轉過身子，道：「蕭大俠，貧僧有一點非份之求，不知蕭大俠肯否答應？」

蕭翎道：「什麼事？」

大忍道：「這木箱既是蕭大俠所得，經文中錄記武功也自然歸蕭大俠所有，但這木箱和經文，都是天竺文字，蕭大俠留它無用，不知可否交由貧僧帶回少林寺去。」

蕭翎沉吟了一陣，道：「好吧！」

大忍喜道：「蕭大俠果是俠肝義膽，豪氣干雲的人物。」

蕭翎翻閱手中經文一陣，道：「經文上記錄武功之頁，共有四張之多，如若把它扯下，這本經文，豈不是大為受損嗎？」

大忍道：「若無兩全之策，那也只好如此了，蕭大俠日後如若有暇，請到少林寺中一行，好讓貧僧補上經文殘頁。」

蕭翎道：「好吧！」

扯下四頁錄在經文夾頁的秘笈，把經文、木箱盡交大忍大師。

大忍大師接過經文、木箱，合掌拜謝而去。

商八望著大忍背影去遠，輕輕咳了一聲，道：「大哥，如若那箱底之上，也記的是武功，這一次咱們豈不是上了那和尚的當。」

蕭翎微微一笑，道：「那上面就算記錄的是武功，但它寫的是天竺文字，他不告訴咱們，咱們永遠也瞧不明白，寄存於少林寺，總是比帶著安全……」

目光轉動，望了百里冰和杜九一眼，道：「冰兒，你和杜兄弟暗中保護那和尚，送他出長沙城。」

百里冰、杜九應了一聲，飛身而出。

蕭翎緩緩把身子靠在木椅之上，說道：「商兄弟，對目前長沙的情形，你有什麼感覺？」

商八道：「原本是我等稍占下風，奇怪的是，沈木風並未大舉搜殺，但自大哥到此之後，連挑了他們幾處窯子，咱們由劣勢，似乎變成優勢了。」

蕭翎道：「那沈木風對武當和我們兄弟，恨入刺骨，豈有心存仁意，放過我等之理，他遲遲不肯出手，必有別的緣故，可能是他在禁宮之外，所受之傷，尚未痊癒。」

商八點點頭，道：「不錯。」

蕭翎道：「在我們而言，這該是一個很好的機會，小兄想就目下高手之中，選出幾位武

功、膽略較強的高人，趁那沈木風新挫之後，全力追殺，他遠離百花山莊，人手調度不易，這舉動有一半成功的機會，但想不到皇天竟不肯給我們一個機會。」

商八道：「哪裏不對了？」

蕭翎道：「第一件意外之變是那四海君主、逍遙子等，竟然和沈木風同流合污；第二椿意外的變化是，沈木風竟肯移樽就教，去會一位多年的故人，據說那人，是一個和尚，小兄雖然不敢斷言那和尚是我授業恩師和義父的仇人，但想來，八成是他……」

語聲頓了一頓，又道：「小兄武功，自覺進展甚快，對華山談雲青的劍法，我已體會其精要甚多，對於彈指神功亦覺功力漸深，再遇上沈木風時，雖然無必然勝他的信心，但自信可以和他多纏鬥一、兩百招，可惜的是，丐幫孫老前輩不在此地，沈木風既和逍遙子等聯手，又有一位故人趕到，這說明沈木風氣數未絕，武林中還有一場悲慘的劫難。」

商八輕輕咳了一聲，道：「目下，四海英雄、各大門派都已覺醒，大哥搏殺沈木風的用意，似也不用太急，但得武林中抗拒沈木風的實力結合，自不難一舉撲滅百花山莊。」

蕭翎微微一笑，道：「商兄弟說得雖是，但這其間，卻是問題重重！」

商八道：「什麼問題？」

蕭翎道：「一是那天下英雄雖已覺醒，但一時間，還難有全面的積極行動，何況那沈木風已命令潛伏各派中的人手，有所行動，也許各大門派，要自行引起一段紛爭；二是那沈木風已然不再妄自尊大，盡力在結交江湖上各種勢力，咱們卻是毫無組織，時間拖長，對咱們表面有

利，實則有害。」

商八道：「大哥是否想過組織天下英雄抗拒那沈木風一事，何人才有擔此大任之能呢？」

蕭翎道：「人倒有一位，只是不知他是否肯全力以赴。」

商八道：「什麼人？」

蕭翎道：「宇文寒濤。」

商八道：「璇璣書廬主人。」

蕭翎道：「不錯，他已和小兄約好在杭州靈隱寺中會晤，如是過了期限，他就要剃度出家，遁身空門，不再問江湖中事……」

長長吁一口氣，接道：「當時，小兄原想憑藉武功和沈木風一決生死，那就不用請那宇文寒濤幫忙了，但此刻看來，非得請他不可了。」

商八道：「那宇文寒濤，當真有這等能耐嗎？」

蕭翎道：「小兄看法，他的謀略，和料事之能，不在那沈木風之下。」

商八道：「那咱們請他就是。」

蕭翎點點頭，道：「等冰兒和杜兄弟回來之後，咱們就回那沙洲上去，先把馬文飛和無為道長說服才成。」

談話之間，突聞一陣沉重步履之聲，傳了進來。

商八雙肩一晃，穿過客廳。

卅七　萬里追蹤

片刻之後，只見啇八扶著杜九，緩步行了進來。

杜九臉色鐵青，嘴角間，鮮血淋漓而下。

蕭翎一躍而起，扶著杜九，道：「傷得很重嗎？」

杜九點點頭，道：「百里姑娘……」

蕭翎舉手一掌，拍在杜九的背心之上，接道：「不要說話。」

杜九似是要掙扎著說下去，啇八卻及時接道：「杜老三，聽大哥話，你如掙扎著說下去的話，只怕無法說完。」

杜九點點頭，閉上雙目。

蕭翎一面以真氣助他行功，一面查看杜九的傷勢，只見他傷得很重，口鼻間血跡隱隱，顯然他受了重擊之後，口鼻間鮮血湧出，但都已被他擦拭乾淨。

得蕭翎內力之助，杜九浮動不定的真氣，逐漸地穩定下來。

啇八道：「不知何人，有此功力，傷他如此之重。」

蕭翎伸手按在唇上，輕輕噓了一聲，道：「不要驚擾了他。」

雖然他急於知曉百里冰的消息，但他卻強自忍了下去。

足足過了有半個時辰之久，杜九才緩緩睜開雙目，望了蕭翎和商八一眼，道：「百里姑娘為人生擒而去。」

蕭翎吃了一驚，暗道：百里冰武功不弱，打傷她已不容易，生擒於她，那是非同小可了，不知何許人物有此能耐。

強按下心中的驚慮，淺淺一笑，道：「不要急，既是為人生擒，顯是無傷她之心，你慢慢的說吧！遇上了什麼人？」

杜九道：「遇上了沈木風。」

蕭翎和商八同時聽得一怔，道：「沈木風？」

杜九道：「不錯，那沈木風生擒了百里姑娘之後，擊我一掌，告訴小弟說，他已知曉咱們的住宿所在，但他此刻很忙，暫時不和大哥相會，打我一掌很重，但卻不足致命，他計算我足可強行支持，走回此地……」

話到此處，一陣急喘。

蕭翎長長吁一口氣，道：「杜兄弟，你慢慢說，不要太急。」

杜九喘息了兩口氣，接道：「他說，我勉強走回此地之後，已然累得筋疲力盡，必得要近一個時辰的調息，在此期間，不能講話，除非大哥不顧我的死活，但他算準了大哥俠肝義膽，

決然不會……」

蕭翎輕輕歎息一聲，道：「他不取你命而故意放你回來，自然有很多話要你轉告我了。」

杜九道：「正是如此，小弟明知那是一個圈套，但又不能不講。」

蕭翎道：「不要緊，你說吧！」

杜九道：「那沈木風告訴我說，他將把百里姑娘運入雪峰山中，大哥如若想見那百里姑娘，只有趕入雪峰山去找。」

商八道：「那雪峰山連綿千里，那沈木風沒有說明到哪裏找嗎？」

杜九道：「沒有說明，但他說過，只要大哥敢去，他會派人接應。」

商八道：「他們在那雪峰山中尋找一處最為險惡的地方，設下埋伏，派人接應，又不必說明地點，用心是不許我等派人施援了。」

蕭翎淡淡一笑，道：「沈木風的厲害處，就在此地，他設下的圈套，簡單明瞭，使人一看皆知，但卻又叫人不能不去。」

商八沉吟了片刻，道：「百里姑娘遇險，咱們是不能不救，但大哥一人前去，那是合了沈木風的心意了。」

蕭翎道：「小兄如不一人前去，沈木風派來接迎之人，定然不肯露面。」

商八道：「大哥在途中暗留記號，我等依照標識追蹤。」

蕭翎輕輕歎息一聲，道：「沈木風何許人物，豈能計不及此，只怕他沿途都有眼線。」

商八道：「我等也不會明目張膽的追蹤而去，易容改裝，暗中追索。」

蕭翎沉吟了一陣，道：「好吧！目下情勢，實也再想不出良策，不過，此事不要太多人知曉，只要告訴無為道長和馬文飛就成了！」

語聲微微一頓，接道：「追我之人，也不要去的太多，精選高手，不要多過五人。」

商八道：「大哥心目之中，以哪些人為宜？」

蕭翎道：「孫不邪孫老前輩，如若回來，那是最好不過，如若無為道長能去，由他同往一行，但他若不能去，也不要勉強，神箭鎮乾坤唐元奇、三陽神彈陸魁章，加上你一個，杜兄弟傷勢不輕，不宜同行，要他找一處幽靜的地方養息，同時轉告馬文飛，要雲集於長沙的群豪，化整為零隱藏起來，暫時不要和百花山莊的人照面。」

商八道：「如若孫不邪沒有回來呢？」

蕭翎道：「少一人也不要緊！」

語聲一頓，又道：「你還要辛苦一趟，趕往杭州靈隱寺中一行，告訴宇文寒濤，致我之意，請他相助群豪一臂之力。」

商八道：「可要他也趕往雪峰山去？」

蕭翎道：「告訴他這事，去不去由他自行決定。」

商八道：「小弟記下了。」

蕭翎道：「還有一樁事，你如能見著金花夫人時，告訴她這件事。」

商八點點頭，道：「小弟知道。」

蕭翎望了杜九一眼，道：「杜兄弟現在如何？」

杜九道：「勉可行動。」

蕭翎道：「好，咱們一起走吧！」

商八低聲說道：「大哥，咱們要約定一個特殊的暗號，極易辨識，又不易爲人察覺。」

蕭翎道：「以自然之物，稍加利用最好。」

兩人研商一陣，決定了暗記方法，扶著杜九，離開了客棧。

蕭翎送商八出城，直奔那水中沙洲所在，直待遇上了馬文飛等布下的哨卡，才低聲對商八說道：「接應有人，大約是不致再遇上沈木風了，小兄要先走一步，如若能夠趕在他們前面，攔住他們，那是最好不過了。」

商八亦知他心急如焚，決難勸阻，當下說道：「大哥保重。」

蕭翎道：「我會小心。」

話落口，人已在數丈之外了。

商八望著蕭翎遠去的背影，輕輕歎一口氣，抱著杜九直向渡口行去。

且說蕭翎想到那沈木風手段的惡毒，那百里冰落在他手中，不知要吃多少苦頭，一路急

奔，希望能先到雪峰山入口處，攔住他們。

半宵急奔，也不知跑了多少路程，以蕭翎此時功力的深厚，也跑得滿身大汗。

天亮時分，到了一處十字路口。

只見一座瓦舍矗立道旁。

布招兒迎風招展，原來是一家賣酒飯的所在。

一個五旬左右土布衣褲的老人，正在抹桌子。

蕭翎行向前去，一拱手，道：「老丈，有東西吃嗎？」

那老人抬起頭來，打量了蕭翎一眼，道：「客人好早啊？」

蕭翎緩緩坐了下去，道：「在下錯過了宿棧，趕了一夜的路。」

布衣老人微微一笑，道：「早點就好，客人稍候片刻，老漢先給你沏壺茶去。」

蕭翎道：「在下想借問一聲，此地可是去雪峰山的大路？」

那土布衣褲老人，已然轉過身子，聞言停了下來，說道：「客人如若腳程快，天黑時分就可以到雪峰山下了，不過那雪峰山連綿千里，不知客人要到何處？」

蕭翎心中暗道：是啊！我要到何處呢？

口中卻應道：「老丈適才說的是什麼所在？」

那老人哈哈一笑，道：「客人問路，快要把老漢也問糊塗了，老漢適才所言，是指那雪峰山分支，如是主峰，還在五百里外了。」

蕭翎心中暗道：我這一陣的奔走，二百里路總是有的，那沈木風押著冰兒趕路，就算他早走一個時辰，也該追上了，難道追錯了路不成？

心中念轉，口中卻應道：「從長沙到雪峰山，可是這一條路？」

那老者大約對蕭翎問路方法，甚感奇怪，搖搖頭，道：「客人好像也不知曉自己已經行到何處，是嗎？」

蕭翎苦笑一下，道：「不錯啊！我一個朋友，約我到雪峰山中會面，但他走得匆忙，沒有說明地方。」

布衣老者搖頭說道：「荒唐，荒唐，世上還有這等的糊塗事情……」

話說了一半，似是自知失言，急急改口道：「如若客官是奔雪峰山主峰而去，那就走錯了路，如是上七星潭，那就走對了。」

蕭翎心中一動，道：「何謂七星潭？」

那老人道：「七星潭是雪峰山一個名勝之區，七處小泉匯聚成七池潭水，中間有一道溪流，連了起來，布成了北斗七星形態，故稱七星潭。」

蕭翎道：「老丈見識很廣啊！」

那老人笑道：「老漢當年走單幫，到過的地方，少說點也有五、六省，這七星潭去的何止十次，如今年紀老邁了，跑不動了，開了這座小店餬口。」

蕭翎道：「由長沙去那七星潭，這兒可是必經之路？」

那老人道：「不錯。」

蕭翎心中暗道：如若我走錯了路，此刻回頭，已然來不及趕上他們，如是走對了，必然已超過他們，不如就在此地等等，藉機休息一陣，恢復體力，再作計較。

那老人自入室中，片刻工夫，沏了一壺茶送了上來。

蕭翎倒入茶杯，正待飲下，心中突然一動，暗道：江湖上險詐重重，百花山莊的人更是眼線遍佈，對這個老人，不得不防一下……

回頭望去，只見那老人向房中而去。

蕭翎口中雖然饑渴，但卻不敢飲用面前之茶。

又過了片刻工夫，那老人端著一盤熱包子，行了過來，道：「客人，趕了一夜路，腹中想已饑渴，趁熱吃盤包子。」

蕭翎笑道：「老丈請坐下來談談如何？」

那老人望了蕭翎一眼，緩緩坐了下去，道：「客人還有見教？」

蕭翎道：「老丈一早趕工，想也很餓，來來來，你先吃個包子。」

那老人道：「這怎麼成呢，老漢是開店的。」

蕭翎道：「我請客，老丈只管吃吧！」

那老人滿臉困惑之色，望著蕭翎一口吃下了兩個包子，哈哈一笑，道：「老弟，你可是懷疑老漢這是座黑店，賣的人肉包子？」

蕭翎微微一笑，道：「好說，老丈再請飲杯茶如何？」

那老人搖搖頭，道：「看來，你老弟當真是對我動疑了。」取過茶杯，一飲而盡。

蕭翎淡淡一笑，道：「在下聽說過一個故事，一個人住在黑店中，被人殺了，包成包子賣出去，日後雖然查明了那黑店，但已不知害了多少人命，出門不得不小心一些啊。」

那老人霍然而起，道：「如是老漢年輕幾歲，今日非得好好教訓你一頓不可，這不是指著和尚罵禿驢嗎？」言罷，行入店中。

蕭翎暗道：我言語開罪了他，走時多給他些銀錢就是。

拿起包子，吃了起來。

那老人行入店中之後，良久未再出來。

蕭翎吃完一盤包子，倒了一杯茶，正待飲用，瞥見兩個快馬，疾奔而來。

那快馬蕩起了一陣陣塵煙，轉瞬間，已到蕭翎停身之處。

第一騎馬上之人，身材魁梧，白髯垂胸，背上揹著青鋼日月雙輪，腰懸鏢袋，竟是多日未見的聖手鐵膽楚崑山，仍是精神健旺。

第二匹馬上，一個青衫中年，髮挽道髻，竟是東海神卜司馬乾。

蕭翎心中大爲奇怪，暗道：這兩人怎會走在一起呢？

只聽司馬乾說道：「楚兄，咱們就在這裏休息吧！」

聖子鐵膽楚崑山四顧一眼，道：「老朽跟你跑了半個多月，連那蕭翎的影子也沒有見

到。」一面說話，一面卻翻身下馬。

司馬乾笑道：「在下告訴楚兄時怎麼說？」

楚崑山道：「你說一個月內尋得蕭翎。」

司馬乾道：「是啊！現在幾天了？」

楚崑山道：「十六天了。」

司馬乾道：「一月三十天計算，還有十三日之多，楚兄急什麼呢？」

楚崑山道：「咱們找了十七天，連那蕭翎的消息也未聽到過，十三天的時間，如何能一定找到蕭翎呢？」

蕭翎坐在一側，把兩人談話聽得十分清楚，只是他已經易容改裝，別人無法認出他罷了。

這兩人突然間，在此出現，使蕭翎心中驚奇不已，他強自按下和兩人相見之心，閉目假寐，聽兩人說些什麼。

只見楚崑山高聲叫道：「掌櫃的，有沒有店夥計啊？」

他一連喝問數聲，始終無人答理。

蕭翎心中一動：奇怪呀！那店東明明進了房中，怎的無人答理，難道他氣的連生意也不做了嗎？

但聞砰的一聲，楚崑山一拳擊在木桌之上，高聲說道：「老夫一生走南闖北，從未見過這等的店家，火起來，砸了你的招牌！」

司馬乾緩緩說道：「事情確實有點奇怪，楚兄請稍坐片刻，在下進去瞧瞧，也許這店主人，遭了不測之禍。」

楚崑山道：「這話倒不錯，你該進去瞧瞧才是。」

司馬乾站起身子，大步向室中行去。

行到店門口處，突然回頭望向蕭翎。

這時，蕭翎也正向室中望去。

四目接觸，蕭翎急急轉過頭去。

司馬乾大步行入室中，片刻之後，抱著那老人大步行了出來。

楚崑山霍然站起，道：「老弟，怎麼回事？」

司馬乾道：「中了迷藥……」

目光一掠蕭翎，放下那老人，接道：「閣下來了很久？」

蕭翎緩緩取下掩在臉上的草帽，站起身子，望了那老人一眼，反問道：「他死了嗎？」

司馬乾一皺眉，道：「還未氣絕，這是閣下的傑作吧？」

蕭翎搖搖頭，道：「不是，我爲什麼要害他。」

司馬乾冷冷地說道：「閣下來了很久？」

蕭翎道：「嗯！大半個時辰了。」

司馬乾望著蕭翎木案上的包子、茶壺，道：「閣下到此之時，這位店東還完好無恙。」

蕭翎點點頭，道：「是的，他替我沏了茶，又替我送上一盤包子。」

司馬乾道：「以後呢？」

蕭翎道：「以後嗎？他就飲了一杯茶，回到房中，想不到卻中了迷藥，可怕呀！可怕。」

司馬乾道：「那是說有鬼在這壺中了？」

伸手取過茶壺，倒一杯茶，嗅了一陣，道：「很厲害的迷藥，無香無味，瞧不出一點破綻，閣下有此眼力，實在叫人欽佩。」

蕭翎道：「好說了。」

司馬乾道：「這位不知死活的店東人，看上了閣下的行囊，想在茶中暗下迷藥，把你迷倒，但卻被閣下灌他一杯，把他迷倒了。」

蕭翎笑道：「有一點不對。」

司馬乾道：「哪一點？」

蕭翎道：「我沒有灌他，只是他自己想證明茶中無毒，故意飲用一杯……」

司馬乾道：「這人當真傻得很啊！明明知道茶中有毒，卻故意裝作不知。」

蕭翎心中暗笑，口中卻應道：「也許他想回到店中去取解藥，想不到藥性提前發作，故而暈倒在地上。」

司馬乾點點頭；道：「推論的頭頭是道……」

冷笑一聲，接道：「閣下是早知茶中下有迷藥？」

蕭翎道：「我只是懷疑而已，所以未曾飲用，直到現在，才證明我懷疑的不錯，不過，兩位如若晚來一步，在下就忍不住飲用這壺中之茶了。」

司馬乾道：「他為什麼要毒你？」

蕭翎道：「這店東既未氣絕而逝，你何不救醒他來問問？」

楚崑山道：「有道理，司馬兄弟，救醒他問個明白。」

司馬乾端過一盆水，潑在那老人的臉上，一掌拍在他頂門之中。

這老人打了一個冷顫，緩緩坐起了身子，望望蕭翎，又望望司馬乾和楚崑山，道：「諸位大俠，這不關老漢的事……」

蕭翎淡淡一笑，接道：「你把經過說明白，自然不關你的事了。」

那老人道：「在你到此之前，先有一位客官爺到此，給了老漢一包藥物，要我把它放在茶中，把你迷倒……」

蕭翎道：「那人呢？」

店東人道：「就躲在老漢的房中，老漢本來不願，但他以我相依為命的老伴性命威迫老漢，老漢情不得已，只好照他的話做了。」

蕭翎抬頭望了司馬乾一眼，道：「司馬兄，你救這位老丈之時，可曾瞧到什麼？」

司馬乾怔了一怔，道：「閣下究竟是什麼人？」

蕭翎微微一笑，道：「在下就是司馬兄和楚老前輩要找的蕭翎。」

楚崑山圓睜雙目，打量了蕭翎兩眼，道：「你是蕭翎？」

蕭翎道：「不錯。」

司馬乾哈哈一笑，道：「我說呢？聲音有些熟悉……」

目光一掠楚崑山，道：「楚兄，在下的神卜如何？」

楚崑山微微一笑，道：「太巧了，老夫有些難信。」

蕭翎伸手取下人皮面具，道：「老前輩相信嗎？」

司馬乾笑道：「今日如若再遇不到蕭兄，兄弟還有得氣受了。」

楚崑山急急奔了過來，握著蕭翎的手，道：「老弟，果然是你，當年老夫就瞧出你非池中之物，果然被老夫瞧中了。」

言罷縱聲大笑起來。

蕭翎道：「因緣際會，適逢其巧，晚輩只不過是比他人僥倖罷了。」

楚崑山歎道：「如無蕭老弟這等才慧，豈能有此大成。」

兩人談話之間，瞥見司馬乾身軀一晃，直向那店房中衝了過去。

蕭翎心中明白，他去搜尋隱在暗處之敵，也不多問。

突然見塵煙滾滾，又有快馬奔來。

蕭翎急急戴上人皮面具，道：「老前輩，晚輩此刻，還不宜以真面目和人相見，還望老前輩多多原諒。」

楚崑山點頭笑道：「老朽知道，你現在是那沈木風心目中第一強敵，武林中正義之徵，自是不應輕易暴露身分。」

談話之間，四匹馬如飛而至。

蕭翎抬頭看去，只見第一匹馬上，坐著一個六十四、五歲的青衫老人，竟是武林四大賢中的洛陽朱文昌。

依序是濟南秦士廷、金陵尤子清、江州許詩堂。

楚崑山久年在江湖走動，武林四大賢，全部識得，當下一抱拳，道：「難得啊！難得，今天是什麼好日子，得見四位大賢人？」

朱文昌在馬上欠身一禮，道：「原來是崑山兄，咱們多年不見了。」

楚崑山哈哈一笑，道：「四位大賢向不問武林是非，此番連袂而行，不知是想遊哪座名山？」

朱文昌搖搖頭，黯然說道：「不捲入江湖漩渦，乃我們四人之願，數十年來，雖爲是非波及，但我們都能淡然處置，視若無睹，但這次沈木風重出江湖，手造浩劫，那蕭翎不及弱冠之年，奮起江湖，抗拒惡魔，使我們兄弟大爲感動，聚議研商，爭辯了七日七夜……」

楚崑山道：「四位辯論清楚沒有？」

秦士廷道：「辯論所得，是我等不應獨善其身，應該助那蕭翎一臂之力，以攔阻這一股氾濫的洪流。」

楚崑山道：「那是說，四位決心捲入這場江湖是非中了。」

金陵尤子清道：「不錯，咱們兄弟決爲武林正義，稍盡心力。」

朱文昌緩緩說道：「我們雖然決定插手於武林是非之中，但還有一事等待解決。」

楚崑山道：「什麼事？」

朱文昌道：「先要找到蕭翎之後，才能作最後的決定。」

楚崑山望了蕭翎一眼，道：「四位大賢要和蕭翎談些什麼？不知可否告訴老朽，待老朽見到蕭翎之後，轉告於他。」

秦士廷搖搖頭，道：「不成，這件事，我們非得找到了蕭翎之後，自己問他才成。」

楚崑山心中大感爲難，暗暗忖道：這蕭翎就在目前，但他一直不肯接口，那是顯然不願在武林四位大賢面前，現露身分了，我也不便替他作主說明內情……

心中念轉，口中卻道：「四位大賢急也不在一時，先請下馬，喝點茶水再行趕路不遲。」

朱文昌沉吟了一陣，道：「三位賢弟意下如何？」

濟南秦士廷道：「咱們讓坐騎休息一陣，再走也好。」

武林四大賢人齊齊翻身下馬，拴好坐騎，圍桌而坐。

那店主人呆呆地站在蕭翎身側，心中一片紊亂，不知如何才是。

四人剛剛坐好，司馬乾大步從店中行了出來，左手提著一把大茶壺，右手托著一大盤包子，行到幾人身前，道：「荒野小店，無物待客，諸位將就著吃點包子吧！」

江州許詩堂打量了司馬乾一眼，道：「閣下不像店裏的人。」

楚崑山笑道：「本來就不是，這位司馬老弟，乃是老朽同行之人……」

語聲微微一頓，接道：「司馬老弟，快來見過，這四位乃武林中大大有名的四大賢人。」

司馬乾抱拳道：「久仰，久仰，在下司馬乾。」

東海神卜司馬乾，進入中原不久，武林中甚少知他之名，這武林四大賢人，又是很少和江湖同道往來，自是不知，只好點頭說道：「原來是司馬兄。」

司馬乾微微一笑，回頭對楚崑山道：「楚兄，那人帶著這位店東的老婆，一起走了。」

那老人突然發足向前奔走，一路高聲喊道：「黑妞啊，黑妞啊！」

聲音淒厲，響蕩四野，顯然他們夫妻之間，情意很深。

蕭翎突然接道：「司馬兄，這位店東很可憐，咱們幫他找老婆去。」

楚崑山歎道：「少年夫妻，老來伴，這人在此荒涼之區，開這小店餬口，只有老伴相依為命，失去老伴，難怪要急得形同中邪了。」

這時，蕭翎已然舉步追在那店主人身後行去。

司馬乾心中一動，道：「諸位慢慢吃，在下去幫助那位兄台，替這店東追老婆去。」說完也放腿追了上去。

只見店主人發足狂奔，直向屋後一片雜林跑去。

蕭翎避開了武林四賢視線之後，突然加快了腳步，向前行去。

司馬乾追上蕭翎，道：「武林四大賢爲人如何？」

蕭翎道：「他們四人意欲獨善其身，但卻吃了沈木風很大的苦頭。」

司馬乾道：「他們在找你。」

蕭翎道：「我知道，這四人中了奇毒，我如現身和他們相見，難免有一番激烈的辯論，但我此刻，沒有時間和他們爭論……」

兩人行入林中，只見那店主人，直向林中一座茅舍撲去。

蕭翎一提氣，燕子三抄水，疾如電奔，先那店主人衝入茅舍之中。

原來，蕭翎疑這茅舍之中，藏有敵人，這店主人衝入之後，定然會吃很大苦頭，是以，先他衝入茅舍。

只見一個身著布衣的老婦人，仰臥地上，早已氣絕而逝。

那店主人撲入茅舍之後，一下子撲向那老婦人的身上，放聲大哭起來。

蕭翎黯然歎息一聲，道：「老丈不用哭了，人死不能復生，這裏有黃金兩錠，老丈趕快帶上逃命去吧！」

店主人揹起老婦人的屍體，接過蕭翎手中黃金，道：「老漢慚愧得很。」

蕭翎道：「此事難怪老丈。」

店主人道：「那人穿著一身破爛衣服，形似叫化，年約四十上下，黑臉濃眉，左邊眉心中有一顆綠豆大小的紅痣。」

蕭翎點點頭，道：「在下記下了，以後遇上他時，定然替尊夫人報仇。」

店主人道：「老漢走了。」

揹著屍體，出了茅舍而去。

司馬乾站在室門口處，低聲對蕭翎說道：「在下判斷，那兇手仍在左近，他怕那店主人洩露他的形貌，勢必要設法殺死他，只要咱們能夠不露痕跡的追在那老人之後。」

蕭翎道：「不錯。」

司馬乾道：「蕭兄等候片刻。」

突然一躍而起，直向店主人追了過去。

片刻之後，只見司馬乾慢步行回茅舍前面。

行得很近，蕭翎才認出是店主人，心中恍然大悟，暗道：是了，司馬乾和他換了衣服，借那老婦人的屍體，引誘那兇手現身。

只聽店主人道：「那位壯士吩咐老漢，換上他的衣著，他設法替老漢報仇。」

蕭翎道：「他說得不錯，咱們回到店中等他。」

和那老人並肩向前行去。

兩人行到店外，只見楚崑山和武林四賢，已然把桌上的包子，食用了大半。

楚崑山大聲叫道：「司馬老弟，過來吃幾個包子。」

店主人望望蕭翎，茫然不知所措。

楚崑山不聞那司馬乾回答之言，起身行了過去，行得近身處，才瞧出不是司馬乾，不禁一皺眉頭，道：「怎麼回事？」

蕭翎低聲說道：「老前輩還是先去陪著武林四大賢人談話吧！司馬兄立刻就可回來。」

楚崑山怔了一怔，重又行回座位。

洛陽朱文昌回顧了蕭翎和店主人一眼，道：「楚兄，那位司馬兄為何易容改作店東？」

楚崑山暗道：這武林四賢內功果然精湛，我要行到近前才能瞧清楚，他們老遠就看明白了。心中念轉，口中卻哈哈一笑，道：「這事和諸位無關，咱們吃茶。」

端起茶咕嘟一口，一杯茶喝得點滴不剩。

這等答覆，自難使人滿意，如是換了旁人，重則立時反目，輕則追問下去。

但武林四大賢人，一向是和人不同，他們從未捲入過江湖恩怨之中，更是不喜探人隱秘，淡淡一笑，也不多問。

蕭翎表面上，雖然未動聲色，但內心之中，卻是焦急異常，渴望那司馬乾早些回來，抓到那兇手，問明內情，最好不過，就算抓不到兇手，自然也該早些行動，等在此地，絕非良策。

足足過了一頓飯工夫之久，才見那司馬乾，快步行了回來。

蕭翎起身說道：「司馬兄，可曾抓到那人？」

司馬乾右肩一聳，砰的一聲，把背上之人，摔在地下，道：「你自己問吧！」

目光轉到店主人的臉上，道：「尊夫人的屍體，現在正西方一株大樹之下，閣下可以去收殮了。」

那店主人伸手抓起那人，瞧了一眼，道：「就是這人。」

突然一口，咬掉了那人鼻子，登時鮮血如注，流了一臉。

司馬乾一把抓住那店主人，道：「你咬掉了他的鼻子，已稍解心頭之恨，我等一定替尊夫人報仇，這等武林中恩怨，閣下實不宜捲入，快些去吧！」

那店主人又恨恨地望了那人一眼，才轉身而去。

司馬乾伸手拍活那大漢的穴道，低聲對蕭翎道：「他藏在一株大樹之上，突然撲下對我施襲，被我點中了穴道。」

蕭翎抬目望去，果然見身著破衣，頭髮蓬亂，打扮的有如丐幫中人，左眉心處，有著一顆紅痣。

當下說道：「我們已知你是百花山莊的人……」

那大漢突然揚手一掌，劈向蕭翎，蕭翎身子一側，避過掌勢，右手一抬，拿住了那大漢右腕，暗運指力，格登一聲，錯開了那大漢腕骨。

這等分筋錯骨的手法，給人的痛苦，尤過鼻子被咬之疼，只疼得那大漢「媽呀」一聲，滿頭汗水，滾滾而下。

蕭翎冷笑一聲，接道：「我沒有很多時間問你，只要你自信能忍得全身筋骨被錯開的痛苦，那就不用現在開口，我再扭斷你的左腕，然後是雙肩、雙腿……」

那大漢此時才知遇上了絕世高手，不禁長歎一聲，道：「我如若回答了你問題之後呢？你要如何發落我？」

蕭翎沉吟了一陣，道：「廢去你的武功，放你一命，也好使你從此擺脫了爲惡生涯。」

那大漢道：「就此一言爲定，你們可以問了。」

蕭翎道：「什麼人遣你到此，意欲爲何？」

那大漢道：「沈大莊主派遣在下帶了很多迷藥，暗中對付蕭翎。」

洛陽朱文昌聽得蕭翎二字，道：「那蕭翎現在何處？」

那大漢搖搖頭，道：「不知道，那沈大莊主連在下，總共派出了八個人，分赴八個不同的方位，等候蕭翎。」

蕭翎道：「你認識那蕭翎嗎？」

那大漢道：「不認識！」

蕭翎道：「不認識，你如何能找到？」

那大漢道：「我等奉命，只要形蹤可疑之人，全都下藥迷倒。」

蕭翎道：「這法子很惡毒，寧錯殺一千，不願錯漏一個……」

語聲一頓，道：「他們幾時來？」

那大漢道：「什麼人？」

蕭翎道：「那沈木風派遣你們八個人，分守八個方位，難道不知道爲什麼啊？」

伸手握住了那大漢左腕。

那大漢急急說道：「聽說日落前有一輛馬車過此，但那車中裝的什麼，在下真的不知。」

蕭翎點點頭，道：「一定從這條路走嗎？」

那大漢道：「不錯，那沈大莊主，親自告訴在下的。」

司馬乾道：「如果沒有此事，現在還來得及改正，我們留著你的性命，如是天黑之前，沒有馬車過此，那就有得你的苦頭吃了。」

那大漢道：「在下說的句句實言。」

蕭翎雙手握著他那右腕一合，接上斷骨，卻又伸手點了他兩處穴道，冷冷說道：「如若你說了一句謊言，有得你苦頭好吃。」

那大漢道：「東方百丈處，有一株大樹，在那大樹上掛起一個黃色布帶，他們就一定來了。」

蕭翎道：「那黃帶現在何處？」

那大漢道：「在下懷中。」

蕭翎伸手一摸，果然找出一條黃帶。

司馬乾伸手道：「在下走一趟。」

接過蕭翎手中的黃帶，急步而去。

蕭翎又加點了那大漢啞穴，放入店中，抱拳對武林四大賢一揖，道：「四位老前輩要找蕭翎嗎？」

洛陽朱文昌道：「閣下知道他在何處？」

蕭翎伸手取下人皮面具，道：「區區便是，四位找在下有何教言？」

武林四大賢八隻眼睛，一齊盯在蕭翎的臉上，瞧了一陣，齊齊點頭，道：「果然是蕭大俠。」

濟南秦士廷當先站起，道：「蕭大俠就在身邊，我等竟然不知。」言罷，抱拳一揖。

朱文昌、尤子清、許詩堂齊齊起身，抱拳作揖。

蕭翎起身還了一禮，道：「在下如何敢當四位老前輩的大禮。」

朱文昌道：「當真是踏破鐵鞋無覓處，得來全不費工夫。」

蕭翎復又戴上人皮面具，道：「晚輩正在和百花山莊中人物周旋，不得不暫時隱起身分，還望四位老前輩多多原諒。」

秦士廷道：「唉！蕭大俠年不及弱冠，也不為恩牽怨纏，但卻挺身和百花山莊為敵，這其間，只為大是大非，我們活了幾十年，既不能兼善天下，又不能獨善其身，當真是白活了。」

楚崑山心中暗自笑道：奇怪啊！這蕭翎果然有驚人的魔力，連這四個從來不捲入武林是非的四大賢人，竟然也有助他之心。

但聞尤子清接道：「我們幾番研商之後，覺得應該助你蕭大俠一臂之力，也為武林同道稍盡綿薄，只因其間，還有幾點不明之處，必得見到蕭大俠先行問個明白。」

蕭翎心中忖道：這四人生性之怪，倒也稱得空前，他們身受那沈木風百般折磨，就算不為大義，也該為私仇找那沈木風算帳才是，但四人研商幾日後，仍是解決不了此事，還要找我問個明白，不知要問些什麼了。

心中念轉，口中卻說道：「四位有何見教，晚輩洗耳恭聽。」

武林四賢相互望了一眼，齊齊說道：「我們四人，原想以淡薄名利之行，影響我武林同道，不再為名利爭執，若干年後，武林中爭名奪利之心，希能為之稍減，所以，我們四人協議，除了受到致命襲擊之下，就算挨上幾拳、幾腳，也不和人動手，更是不能插足於武林恩怨是非之中。」

蕭翎心中一凜，暗道：原來他們有這樣的宏大心願，武林四賢之名，實非倖至。

但聞朱文昌接道：「我等之行，初時被人譏為癡呆，但我等也不放在心上，仍是我行我素，不管別人譏笑，十年之後，果有功效，被武林人尊稱四大賢人。」

蕭翎道：「四位的宏大心願，非大賢大仁之人，如何能夠辦到。」

許詩堂道：「蕭大俠誇獎了。」

蕭翎道：「晚輩是由衷之言。」

卅八　情關難越

許詩堂歎息一聲，道：「武林四賢之名，傳揚於江湖之後，我等心中還暗暗竊喜，以為再過上三、二十年，定可使武林爭名奪利之心，為之淡了下來……」

他仰起臉來，長長吁一口氣，道：「哪知事與願違，我等除了得到那四大賢人的虛名之外，對武林卻是毫無幫助，我等耳聞、目睹，很多事情都使人不能不管，但我等又因立下的心願，不忍中途拋廢，這才改變約晤時、地，以使眼不見、心不煩。」

蕭翎心中暗道：原來他們也是血性之人，我還道他們是心如古井無波的無為之人呢！

只聽秦士廷接道：「但自上次我等身受百花山莊沈木風的一番虐待之後，再證諸數十年來的江湖情勢，覺得我等心願，全無作用，江湖殺戮依舊，而且是越來越見激烈，因此，我們不得不重行論辯，我們這等獨善其身的行為，是否錯了。」

楚崑山一拍手，道：「不錯，四位如能早二十年生出此心，今日江湖也許不是此番形勢了。」

秦士廷道：「就算我等全力施為，也不是沈木風敵手。」

蕭翎微微一笑，道：「四位老前輩找我蕭翎，究竟是爲了什麼？」

朱文昌道：「咱們想問蕭大俠兩件事。」

蕭翎道：「好！諸位請說吧！蕭翎知無不言，言無不盡。」

朱文昌道：「蕭大俠和沈木風雙雄相鬥，原因何在？」

蕭翎目光轉動，緩緩由武林四賢臉上掃過，道：「在下初入江湖之時，曾經陷身於百花山莊之中，承那沈木風看得起我，任以三莊主身分！」

朱文昌道：「這個，在下等曾聽人說過。」

蕭翎道：「我蕭翎如若依靠於百花山莊，那是何等威風，但蕭翎卻離開了百花山莊，而且和沈木風割袍斷義，劃地絕交，流浪於江湖之上，身經了無數凶險，如若有原因，那就是在下看不下沈木風那等惡毒的手段。」

朱文昌道：「還有一樁事，請教蕭大俠。」

蕭翎一皺眉頭，道：「四位老前輩還有什麼要問？」

朱文昌道：「如若那沈木風搏殺了你蕭大俠，那是武林道上空前的浩劫，整個的江湖，都將要爲黑暗、恐怖所籠罩，但不知蕭大俠勝了那沈木風之後，作何打算？」

蕭翎淡淡一笑，道：「如若真有這樣一天，武林中不再需要蕭翎，晚輩自當息隱山林，唉！其實，這多年來奔走，已使我蕭某厭倦江湖中的險詐了。」

朱文昌不再多問，舉手一招，秦士廷、尤子清、許詩堂，齊齊團攏過去。

只見四人交頭接耳，研商了一陣，齊齊行了過來，對著蕭翎一個長揖。

蕭翎急急說道：「四位老前輩有什麼事，但請吩咐。」

朱文昌道：「我等四人由此刻起，恭候你蕭大俠的差遣。」

蕭翎道：「派遣不敢當，但咱們聯手合作，共爲武林謀福，蕭翎卻是歡迎得很。」

許詩堂道：「我等從此受命，沈木風一日不死，我等就追隨蕭大俠一日，直到百花山莊全部敗亡爲止。」

朱文昌道：「我等數月以來，心中最爲難的事，就是擔心消滅一個沈木風，又造就一個沈木風，形勢迷人，尤過美女，今日得表明心跡，我等自是再無顧慮了。」

蕭翎微微一笑，道：「四位此慮，實也難怪，名利誤人多矣……」

語聲一頓，接道：「四位尙未捲入江湖是非之前，在下有一言奉告。」

朱文昌道：「什麼事？」

蕭翎道：「沈木風乃一代梟雄，智略、武功無不超人，陰險、狠辣、毒謀、巧計，無所不用，四位賢人，君子習性，只怕難以適應。」

朱文昌道：「這個我等早已想到，兵不厭詐，愈詐愈好。」

蕭翎道：「四位智謀、武功，都是第一流的人物，只因心懷宏願，不肯手染血腥，此番振奮而起，必可爲武林謀福，沈木風又多四個勁敵了！」

楚崑山突然縱聲大笑，道：「四位大賢，肯側身江湖，爲天下蒼生造福，實是一大喜訊，

老夫以茶代酒，乾三大杯，爲四位祝賀！」言罷，果然連喝了三大杯茶。
司馬乾低聲說道：「蕭大俠，時間不早，如何對付來人，也該有安排了。」
蕭翎回顧了拴在附近的六匹健馬一眼，道：「諸位先得把健馬移開。」
司馬乾道：「牽入那雜林茅舍中去。」
蕭翎點點頭，道：「有勞司馬兄了。」
司馬乾牽去六匹健馬，進入了雜林之中。
朱文昌道：「蕭大俠這等準備，似有所待。」
蕭翎道：「沈木風擄去了在下一位朋友，以她的生死作爲要脅，迫在下與他單獨相晤。」
朱文昌道：「蕭大俠如有差遣，我等願爲前驅。」
談話之間，司馬乾已然行了回來。
楚崑山道：「對付沈木風，不能不謹慎一些，我等要想個法子才成。」
司馬乾道：「在下想到了一個法子，不知是否適用？」
蕭翎道：「願聞高見。」
司馬乾低聲說了一番計畫。
楚崑山道：「這法子不錯，咱們立時動手。」
片刻之後，客店形勢，爲之一變。
朱文昌扮作那店主人，蕭翎和楚崑山扮作過往商旅，兩人就店前高搭的蘆席棚下，各據一

桌。秦士廷、司馬乾，隱身在距那客店二十餘丈的大樹之上，監視著客店中情形。

尤子清、許詩堂，隱身客店之中，一面守著那被點了穴道的大漢。

時光流轉，太陽西下，已經是夕陽無限好，將要近黃昏的時分。

蕭翎焦慮不安地喝一口茶，心中暗暗忖道：沈木風奸詐多智，只怕這又是他故意安排的詭計。心念轉動之間，突見正東方煙塵滾滾，當下精神一振，又倒了一杯茶。

凝目望去，煙塵中，果然出現了一輛馬車。

那馬車四周都用黑布圍嚴，顯是不願讓人瞧出車中人物。

片刻間，車近客棧。

蕭翎裝作漫不經心地回目一顧，只見那馬車之前，有四個佩刀的大漢開道，馬車之後，另有八個佩刀大漢相隨。

緊隨那八個騎馬佩刀的大漢之後，還有著兩輛篷車，不過，後面兩輛篷車較小，只套用兩匹馬，不似前面一輛，由四匹健馬拖行的氣派。

只見馬車突然停了下來。

垂簾啓動，一個全身黑衣的老人，一躍而出。

蕭翎目光一轉，掃掠那黑衣老人一眼，只見他雙目神光炯炯，兩面太陽穴高高突起，一望即知是內外兼修的高手，但卻是從未見過。

只見那黑衣老人躍下馬車之後，打量楚崑山和蕭翎一眼，高聲說道：「店主人。」

朱文昌應聲而出，接口道：「客人有何吩咐？」
一面答話，一面奔了過來。
黑衣老人冷冷說道：「站住。」
朱文昌依言停下腳步，道：「哪裏不對了？」
黑衣老人雙目神光炯炯，盯注在朱文昌的臉上，道：「店主人，你的命很長啊！」
朱文昌道：「老漢粗體還算安好。」
黑衣老人皺皺眉頭，道：「老夫今晨時分，派人到此，定下的酒菜，可曾準備齊了？」
朱文昌道：「齊備多時，你老請坐吧！」
黑衣老人道：「老夫派來之人，現在何處？要他出來和老夫相見。」
朱文昌道：「那位衣著破爛的大爺嗎？他已經走了。」
黑衣老人道：「老夫要他在此地等候，怎的會走了呢？」
朱文昌道：「那位大爺脾氣很壞，出口就要罵人，老漢也不敢多問。」
黑衣老人道：「他一個人走的嗎？」
朱文昌搖搖頭，道：「不是，兩個人走的。」
黑衣老人道：「那另一個人是什麼樣子？」
朱文昌道：「老漢不認識，看上去不過是十七、八歲……」
語聲頓了頓，道：「當時，老漢正在廚下，也不知那年輕人何時到此，出來時，那位大爺

已經與那位年輕人連袂而去，老漢只瞧到了兩人的背影。」

黑衣老人冷笑一聲，道：「好！你快些拿上酒菜。」

這店中確然是備有很多酒菜，但因那店主老妻失蹤，都還未做，那黑衣老人讓朱文昌拿上酒菜，朱文昌自然難以應付。

但幾人早經計議，朱文昌胸有成竹，當下微微一笑，道：「那位去時，也未交代一聲，老漢也不敢動手做……」

黑衣老人接道：「現在你可以動手！」

朱文昌道：「就算立時動手，也要一個時辰，才能食用。」

黑衣老人冷冷說道：「好！我們等你一個時辰。」

這回答，不但大出了朱文昌的意料之外，更使僞裝客人的蕭翎震驚不已，暗道：如若這篷車中果是坐的冰兒，怎會在這裏停留如此之久，難道這又是那沈木風的詭計不成……

但聞朱文昌輕輕咳了一聲，道：「你們一行有多少人？在下知曉了，準備飯菜時，也好有個譜兒。」

黑衣老人仰天打個哈哈，道：「那馬車中還有幾個女眷……」

話未說完，突然一伸右手，抓住了朱文昌的右腕。

武林四賢，君子氣度，對這等暗襲手法，自然毫無防備，那黑衣老人出手又快速無比，朱文昌閃避不及，被他拿住脈穴。

蕭翎目睹那黑衣老人出手快速，心中暗道：這人武功不弱，不能掉以輕心。

當下暗中一提真氣，準備出手解那朱文昌之危。

只聽朱文昌說道：「閣下這是何意？」

黑衣老人哈哈一笑道：「老夫眼睛揉不進一顆沙，你這點雕蟲小技也想騙過老夫不成！」

語聲一頓，道：「你究竟是何許人，快些報出姓名，如再推拖時間，老夫就一掌活斃了你！」

朱文昌只覺右腕扣的手指，愈收愈緊，有如一把鐵箍，只得運氣抗拒。

這一來，無疑暴露了自己的身分，也不再做作，冷冷說道：「洛陽朱文昌。」

黑衣老人怔了一怔，道：「武林四賢人？」

朱文昌道：「不錯，我們四兄弟全都在此。」

黑衣老人冷然一哂，道：「好！武林四大賢名重一時，但不知真實武功如何？老夫先斃了你，再試試另外幾位的武功如何。」

說話之中，扣拿在朱文昌右腕的五指，暗中加力。

朱文昌只覺半身一麻，頓失反擊之能。

黑衣老人右手舉起，落日餘暉下，只見他手掌心中一片紫黑。

朱文昌雖然從未和武林中人物動手搏鬥過，但他數十年往來於江湖之上，對武林中的事故，卻是知曉甚多，一見那人手掌，立時高聲叫道：「黑煞手常平。」

黑衣老人冷冷說道：「不錯，正是老夫……」

突然悶哼一聲，緊扣朱文昌脈穴的右手，不自主地鬆開。

原來，蕭翎眼看那朱文昌處境險惡，暗中發出了彈指神功，一縷尖風，破空而來，正擊在那黑煞手常平右腕的外關穴上。

爲了收奇襲之效，蕭翎不敢全力施爲，怕那黑煞手心生警覺。

朱文昌脈穴脫困，立時疾退三步，目注常平，防他施襲，一面運氣活動右腕行血。

常平初認是暗器所傷，回目一顧，只見外關穴上，不見血跡，但卻腫起老高，心中暗暗吃驚，道：這是什麼功力所傷？

一面運氣活血，一面流目四顧。

他乃積年老賊，江湖上的見聞十分廣博，目睹蕭翎處身的方位，正可傷到自己握著朱文昌脈穴的左腕，心中立時警覺，但卻未立時發作，反而緩緩退後四步。

敢情他腕上外關穴傷得很重，在未解是否仍能運用之前，不敢有所舉動。

這時，那些護守馬車的勁裝大漢，亦已警覺，只見車前的四個佩刀大漢，齊齊翻身下馬，快步奔了過來。

常平內功深厚，一面運氣，一面用左手推拿外關穴。

蕭翎那彈指神功，還未到火候，又未全力施爲，常平受傷，本也不重，經過一陣推拿之後，立時行血暢通。

這當兒，四個佩刀的大漢，已然一排分站在常平身後。

這些人，似都是久經大敵的人物，奔入場中，既未喝叫一聲，也未莽撞出手，只是靜靜地站在常平身後。

蕭翎在未了然百里冰是否在馬車上之前，也不願輕率有所舉動，是以形成短暫僵持之局。

這也給了那常平一個療傷的機會。

常平覺出傷勢無礙，立時膽氣一壯，低聲向身後四個勁裝大漢說道：「去把那人擒來。」口中下令，右手卻一指蕭翎。

但見寒光一閃，靠東首兩個勁裝大漢，齊齊拔出單刀，一左一右地奔向蕭翎。

原來常平始終想不出，右腕為何功力所傷，對蕭翎心存慴忌，故派兩個屬下，去試試蕭翎的武功如何。

這時，已近黃昏時分，但蕭翎目光過人，打量了兩個大漢一眼，暗中運氣戒備，但人卻坐在木凳之上未動。

兩個執刀大漢，行近蕭翎之後，揚起手中單刀，冷冷說道：「閣下是束手就縛呢？還是要我等出手？」

蕭翎道：「兩位是比公差還兇了。」

左面那大漢道：「不錯，公差只打人，但老子們卻是要命！」

蕭翎心頭火起，雙手突然一齊揚動，十個手指，分抓在兩人的單刀之上。

兩個勁裝大漢至此，才知曉遇上了高人，齊齊用力一抽單刀。

只覺手中單刀，有如被兩把強力的大鐵鉗箝住一般，竟是未能抽動。

蕭翎暗運功力，由刀上傳了過去，兩人同時感覺到手腕一振，不由自主地右手一鬆，蕭翎順勢向前一帶，兩個大漢手中之刀，一齊被蕭翎奪了過去。

朱文昌看蕭翎已經動手，立時一側身，直向黑煞掌常平撲了過去，口中說道：「久聞黑煞掌，力能裂碑碎石，不知傳言是否當真。」

右掌一揮，迎胸劈出一掌。

常平右手一揚，硬向朱文昌掌勢上迎去，口中說道：「閣下如是不信，不妨一試。」

語聲甫落，砰的一聲，雙掌接實。

那常平自恃自己的黑煞掌力，功候極深，這一掌縱然不能把那朱文昌震傷掌下，至少也要將他震得掌疼骨痠。

哪知，事情卻是全出了常平的意料之外，雙掌硬接一掌之後，那朱文昌立時欺身而上，右掌一揮，又是一掌劈了過去。

常平心頭駭然，口中卻冷冷說道：「武林四賢之名，果不虛傳。」

揮掌相迎，兩人展開一場惡鬥。

黑煞掌常平乃江湖黑道中極負盛名的人物，掌法造詣甚深，兩人這番惡鬥，打得凶險絕倫。

且說蕭翎奪過兩個大漢手中單刀之後，雙刀左、右一分，拍了過去。

他動作快速絕倫，雖然是普普通通的招術，但經他用出來，人卻讓避不及，齊被單刀擊中，悶哼一聲，倒坐地上。

蕭翎心中雖然極恨百花山莊的人，但仍然未傷兩人之命，單刀平著拍出。話雖如此，但蕭翎用力極強，兩人仍是受傷不輕，無能再戰。

蕭翎擊倒兩人之後，突然縱身一躍，直向那馬車撲去。

另外兩個大漢，拔刀而上，想攔阻蕭翎，但蕭翎身法快速，一閃而過，撲近馬車。

天色已暗，視線不清，車後八個佩刀大漢，眼看一條黑影，直向馬車撲來，立時從馬背之上，躍飛而起，撲向蕭翎。

蕭翎縱身而起，登上馬車。

這時，一個動作快速的大漢，已然懸空撲到，單刀一揮，斬了過來。

蕭翎遙發一記劈空掌力，暗勁隨掌湧出，那大漢還未近蕭翎，掌力已到，吃那強猛的劈空掌力，擊落實地。

砰的一聲，塵土橫飛。

蕭翎右手發掌，左手已然撩起車前垂簾，探首向車中望去。

但見寒芒一閃，一道白光，由車中直射而至。

雙方距離既近，這一擊又是出人不意，劍光閃動，已然到了面前。

匆忙間來不及揮掌還擊，只好行險自保，一張口，咬住了刺來的劍勢。

這不過是一瞬間的工夫，兩個隨後追來的大漢，已然追近馬車。

蕭翎一口咬住刺來劍芒，右手已然騰出，一把抓住了寶劍。

他手中套著千年蛟皮手套，不畏刀劍，抓住長劍之後，用力向外一拖。

同時，雙足用力一蹬，身子騰空而起。

車中人功力甚深，蕭翎並未能奪下長劍，但他爲了讓避圍攏而來的執刀大漢，縱身躍起，也無暇硬奪那人長劍。

只聽兩聲波波之聲，兩柄單刀，砍在車身横木之上。

原來，兩個緊隨而來的大漢，全力揮刀劈向蕭翎，收勢不住，砍在了車前横木之上。

那車前四匹健馬，經幾人這麼一鬧，受到驚駭，突然長嘶一聲，放足向前奔去。

怒馬奮蹄，奔行奇快，眨眼間已到數丈之外。

蕭翎雖然已經知曉，那車中發劍之人，決非百里冰，但未看清楚車中情形，總是放心不下，不理揮刀攻擊自己的大漢，發足追向馬車。

他心中焦急，施出八步登空的輕功絕技，有如天馬行空，兩個起落，已然是五、六丈外。

幾個追襲蕭翎的大漢，因此被拋在三丈以後，但蕭翎距那馬車還有數尺距離。

這當兒，瞥見兩條人影，疾如鷹隼一般，迎面而來。

這兩人，正是司馬乾和秦士廷。

原來，兩人藏身在大樹之上，因天色黑了下來，看不清過遠的景物，隱隱看出雙方已動上

手，急急跑了過來。

司馬乾迎面攔住馬車，大喝一聲，一掌劈出。

但聞砰的一聲大震，一匹雄馬，生生被司馬乾一掌劈死。

車套上四匹健馬，擊斃一匹，還有三匹，加上那快速奔行的衝力，仍然十分強大，司馬乾雖是內外兼修的高手，也是不敢硬行攔住那馬車，閃身避開，讓在一側。

秦士廷略一猶豫，右手也疾快發掌，擊在另一匹馬腹之上。

那健馬長嘶一聲，倒了下去。

四匹健馬已去其二，車行之勢頓然一緩。

蕭翎正若流矢般追上來，疾落一掌，又擊斃一匹健馬，左手抓住右面車輪，吐氣出聲，硬生生把奔行中的馬車拉住。

目光一掠秦士廷和司馬乾，道：「攔住後面人，別放走另外兩輛馬車，此地由我應付。」

司馬乾應了一聲，縱身而起，直向追趕蕭翎的幾個大漢迎去。

秦士廷微微一怔，緊追在司馬乾身後而去。

這一瞬工夫，追趕蕭翎的幾個大漢，已然和司馬乾碰上了頭。

當先一個黑衣大漢，手中單刀一揮，迎面劈下。

司馬乾側身讓開，右手一抬，抓住了那大漢右腕，五指加力一扭，奪過那大漢的單刀，左手一揮而出，擊在那大漢前胸之上。

那大漢悶哼一聲，口噴鮮血，倒了下去。

另一個黑衣大漢及時而到，單刀揮出，刺向司馬乾的後背。

秦士廷及時趕至，大喝一聲，一掌劈出，擊中那大漢執刀右臂。

那大漢悶哼一聲，右手單刀，脫手落地。

秦士廷左腿飛去，踢中那大漢小腹，慘叫聲中，身子飛出七、八尺外。

兩人一接手，連斃兩人，且手法俐落，使那隨後緊追的大漢爲之一怔，齊齊停住了腳步。

秦士廷武功雖然高強，但他大半生中，從未和人動過手，也未殺過人，此刻連斃一人一馬，心中大是不安，不禁爲之一呆。

司馬乾早已舞動單刀，迎向群寇。

他知曉那百花山莊中人的惡毒，出手絲毫不肯容情，刀光霍霍，奇招連綿。

秦士廷呆了一陣，才衝上前去。

再說蕭翎拉住那馬車之後，揮手一掌，擊向車篷。

篷車木架，如何當得蕭翎神力，「啪」的一聲，裂開一個大洞。

但見寒芒一閃，一柄長劍刺了出來。

蕭翎縱身避開，那長劍也突然收回。

此時，蕭翎閱歷大增，只看那刺出的劍勢，已知那車中人，是一位武功不凡的高手，至少在劍法上造詣極深。

奇怪的是，那人總是不肯現出身來，一直躲在車中，不知爲了何故。

心中念轉，口中卻說道：「閣下何許人，怎不請車外一會？」

他一連喝問數聲，車中人一語不發。

蕭翎心中既是奇怪，又是惱怒，怒聲喝道：「閣下可是料定在下不能揪你出來了。」緩步向篷車行去。

他已知曉那車中人劍法高強，倒也不敢大意，行到車前，突然伸手向車簾抓去。

他希望扯下車簾，先瞧瞧那人是誰，誰知手還未觸到車簾，車中長劍已破簾而出。最妙的是，車中人似是已知曉蕭翎雙手不畏利器，這一劍本是直刺，中途易勢，忽變橫削，刺向蕭翎右腕。

蕭翎縮回右手，那長劍也同時收回。

那車中人，似是只把篷車看做他唯一的天地，不管車外的搏鬥，多麼的凶險激烈，他都置之不理，甚至那套在篷車上的健馬，也似和他無關，他只要保護這篷車，不讓人衝入就是。

蕭翎一連換了數處方位，都無法衝上篷車，每當接近篷車時，那長劍就及時而出，而且攻襲位置，都是使人致命所在，非得讓避不可。

蕭翎心中的怒火，逐漸消失，代之而來的，是一股強烈的好奇。

目光一轉，只見不遠處，棄置著一柄單刀，伏身撿了起來，高聲說道：「閣下劍法果然高強，在下要衝上去了。」

喝聲中，縱身登上車轅。

但見寒芒一閃，長劍又是及時而出。

蕭翎手中單刀一揮，噹的一聲架開長劍。

這次，蕭翎已存心非要衝入篷車瞧瞧不可，是以刀上力道，十分強猛。

金鐵交鳴聲中，那長劍吃蕭翎一刀震開。

蕭翎一刀震開長劍，刀勢左、右揮動，削去了一半車簾。

另一半還未削開，那長劍又刺了過來。

蕭翎單刀揮動，又把長劍撥開。

那人隱身車中，長劍連連刺出，攻向蕭翎要害，但蕭翎因為無法瞧到那停身之處，無法迎擊，只好全採守勢。

雙方連拚了數招，蕭翎仍是無法進入車中，不禁心中大急，暗中運集真氣，覷準對方劍勢，橫裏一刀，斬了過去。

這一刀勢道奇而猛，逼住了那伸出車外的長劍。

蕭翎身子一側，半身欺入車中。

突然間白芒一閃，一把匕首，刺了過來。

蕭翎右手握刀，左手一招抓住了刺來的匕首。

凝目望去，只見一個全身黑衣的人，盤膝坐在車中，右手執劍，左手握著一把匕首。

卅九　群敵環繞

蕭翎左手握著那人的一半匕首，右手單刀架逼住對方長劍，形成了一個相持不下之局。

只見那黑衣人，右手一縮，收回長劍，迎胸刺來。

蕭翎一鬆手，棄去手中單刀，仗著手上戴有千年蛟皮手套，五指一伸，抓住了長劍，冷冷說道：「閣下是何許人？」

那人不但一身黑衣，連臉上也是一片漆黑，夜色中，更是五官不辨，只可見到他兩道神光炯炯的眸子。

只聽那黑衣人冷冷地應道：「你是誰？」

蕭翎微微一怔，道：「我在問你。」

那黑衣人道：「我爲什麼要回答呢？」

蕭翎冷笑一聲，道：「閣下不肯回答，今日之戰，咱們非得拚出生死了，你武功高強，劍術精奇，在百花山莊之中，也算第一流的高手，今日如不取你之命，日後正不知有多少武林同道，要死在你的劍下……」

語聲微微一頓，大義凜然地接道：「咱們無怨無仇，我今日取你之命，容或不當，但此刻乃武林正邪存亡的關鍵時期，你助那沈木風爲惡，我是不得不殺你了。」

那黑衣人突然哈哈大笑，道：「聽你口氣如此托大，似是一定能夠勝我了。」

蕭翎道：「你不信，咱們就試試看吧！」

暗中運氣，內力由劍身和匕首上傳了過去。

武林中人，內功精深的高手，雙掌相接，每以內家真力相搏，表面上看起來，不若真刀真槍相搏的激烈，實則那種無聲無息的搏鬥，才是不死不休的生死之拚，似蕭翎這種借長劍、匕首傳力擊敵，那是更上一層的武功了。

那黑衣人只覺一股潛力由劍上和匕首之上，傳了過來，心中大爲震動，一面運集內力抗拒，一面說道：「你是蕭翎？」

蕭翎也感覺到一股強勁的反擊之力，擋住傳出的內勁，正待運氣加力，突然聽得對方直呼自己的名字，不禁一呆，道：「你是誰？」

黑衣人道：「聽你口氣，果然是蕭翎了。」

蕭翎道：「區區正是蕭翎，怎麼樣？」

那黑衣人道：「閣下果然是名不虛傳，咱們暫時罷手息爭，在下有幾句話，說完之後，你如心中不服，再來打過不遲。」

蕭翎道：「我也不怕你的狡計。」

雙手齊鬆，放開了匕首、長劍。

那黑衣人緩緩把手中的長劍、匕首收起，放在身側，道：「你有一位義妹叫百里冰，是嗎？」

蕭翎怔了一怔，道：「不錯，那位百里冰姑娘現在何處？」

那黑衣人道：「不在此地，你殺光了這些人，也一樣找不到百里冰，問不出她的下落。」

蕭翎道：「那是說，只有閣下一人知曉那百里姑娘的下落了。」

黑衣人道：「閣下很聰明……」

語聲微微一頓，道：「你是否要見百里姑娘？」

蕭翎心中雖然恨不得立刻見到百里冰，但表面之上，卻仍能保持著冷靜，緩緩說道：「要見她有些什麼條件？」

黑衣人冷冷說道：「很簡單，喝住你的朋友、屬下，一齊住手，咱們兩個人輕騎快馬，趕赴那百里冰姑娘囚禁之處。」

蕭翎道：「沈木風布下了天羅地網，等待在下自投羅網之中。」

黑衣人道：「還有百里姑娘，也在那裏。」

蕭翎道：「有一件事，不知閣下是否想到？」

黑衣人道：「什麼事？」

蕭翎道：「此刻，我們可以盡殲你隨行之人。」

這時，武林四大賢和楚崑山、司馬乾聯手合力之下，已經搏殺了大部敵人，間有不死，也都受了重傷。

朱文昌生擒了黑煞手常平。

幾人搏殺了群寇之後，紛紛趕回，團團把篷車圍了起來。

只聽楚崑山大聲說道：「蕭大俠定是追這篷車中人去了，老朽不想他們會在篷車之中搏鬥。」

蕭翎心中暗道：「天下事就有些叫人難以相信。」

當下說道：「諸位，請稍候片刻，在下和車中這位朋友談談！」

司馬乾笑道：「楚兄不信他們會在車中搏鬥，但他們卻偏偏在車中動手，事實如此，實叫人不能不信了。」

蕭翎緩緩說道：「閣下都聽到了？」

黑衣人道：「聽到什麼？」

蕭翎道：「閣下的隨行朋友、屬下，此刻，只怕沒有一個人能助你了。」

黑衣人道：「大約你這番行動，早有計劃，隨行之人，都是第一流的高手，可惜的是，這些人也不能隨行助你……」

聲音突轉冷厲，接道：「除非你不再管那百里姑娘的生死了。」

蕭翎沉吟了一陣，道：「好！在下答應你的條件。」

黑衣人撿起長劍，挑起車簾，目光轉動，環視了圍在車前的武林四賢和司馬乾等一眼，口中卻回答蕭翎之言：「看來，閣下對那百里冰的生死，十分關心。」

蕭翎道：「自然關心。」

黑衣人還劍入鞘，立時被武林四賢和楚崑山、司馬乾包圍了起來。

蕭翎輕輕咳了一聲，道：「諸位不要動手。」縱身躍下馬車。

司馬乾點燃了一個火摺子，高高舉起，在那人臉上照了一下，只見那黑衣人一張臉黑得出奇，幾乎和他穿的衣服一般的黑法，但並非是黑紗包紮，心中大感奇怪，冷冷說道：「閣下不是中土人？」

那黑衣人冷冷說道：「我戴著面具，你都看不出來嗎？」

楚崑山大聲喝道：「咱們揭開他的面具，瞧瞧他的真正面目。」言下之意，似是要立刻出手。

蕭翎突然向前一步，道：「諸位請暫緩出手……」

頓了一頓，接道：「我要和這位朋友，去見那沈木風……」

洛陽朱文昌接道：「好，咱們一起去吧！」

蕭翎苦笑一下，道：「不成，這位朋友只肯帶我一人前去。」

楚崑山道：「這是陷阱，蕭大俠萬萬不能獨自前去。」

蕭翎道：「不去不成，那沈木風已然明擺了這處陷阱，但我卻不能不去。」

楚崑山道：「這又爲什麼呢？」

蕭翎道：「在下如若不去，一位美麗的姑娘，即將爲沈木風所加害。」

楚崑山道：「但你蕭大俠一人之力，能夠救她出來嗎？」

蕭翎道：「這個在下是毫無把握，但事逼至此，說不得只好去冒險了。」

楚崑山還待接口，司馬乾卻搶先接道：「想來是沈木風限你蕭大俠一人去了。」

蕭翎道：「正是如此。」

司馬乾道：「既是如此，我等也不便同行，但不知兩位幾時動身？」

蕭翎道：「最好是立刻動身。」

目光轉到那黑衣人的身上，接道：「朋友意下如何？」

黑衣人冷然說道：「好！」

司馬乾牽過來兩匹健馬，他倆縱身躍上馬背，一抖轠繩，向前奔去。

楚崑山望著蕭翎和那黑衣人，漸漸消失在夜色之中，緩緩說道：「司馬老弟，這就使老朽想不明白了，那沈木風明明擺下陷阱，如何能讓蕭大俠一人獨往呢？」

司馬乾微微一笑，道：「關鍵在那沈木風，他限制了蕭大俠帶人同往，咱們或許可以不理會沈木風，但那蕭大俠卻是非聽不可……」

他仰起臉來，長長吁一口氣，道：「如今唯一之策，就是咱們暗中追蹤。」

楚崑山道：「事不宜遲，咱們立刻動身。」

司馬乾道：「好！咱們改裝前往。」

且說蕭翎和那黑衣人放馬奔馳，只跑得兩匹健馬通體大汗。

那黑衣人才一收韁繩，道：「咱們該休息一下了。」

兩人翻身下馬，相對而立。

那黑衣人兩道炯炯的目光，盯注在蕭翎臉上，瞧了一陣，道：「蕭翎，你也戴有面具。」

蕭翎道：「不錯啊！」

黑衣人道：「可否取下人皮面具，讓在下瞧瞧你真正面目？」

蕭翎道：「如若閣下也肯同時以真正面目相見，在下也願一睹風采。」

那黑衣人道：「咱們一齊動手。」

兩人同時揭開了臉上的人皮面具。

蕭翎凝目望去，只見那人年約二十三、四，劍眉朗目，生相甚俊，心中暗道：看他的劍招、氣度，似是久年在江湖走動的人物，想不到竟是如此的年輕。

但是那黑衣人雙目盯在蕭翎臉上瞧了一陣，道：「蕭翎，你還認識我嗎？」

蕭翎只覺腦際間靈光閃動，突然想了起來，這人正是一度假冒自己之名的藍玉棠，當下說道：「閣下可是藍玉棠嗎？」

藍玉棠道：「正是藍某……」

蕭翎接道：「藍兄英雄人物，想不到竟然也投入百花山莊之下。」

藍玉棠冷然一笑，道：「蕭翎，你的名氣越來越大，但你的仇人也越來越多，別看目下，似是很多武林人擁護你，但真正能幫你忙的人，卻是寥寥無幾……」

仰臉望天，長長吁一口氣，道：「據在下所知，目下武林中實力最爲強大的少林寺，已爲沈木風先發制人，不但不能爲你增援，且將派遣高手，和你作對。」

蕭翎心中吃了一驚，但表面上，仍然裝作十分鎮靜，道：「沈木風在各門各派，派有奸細，這個在下早已知曉了。」

藍玉棠冷笑一聲，道：「只怕還有你不知曉的事情。」

蕭翎道：「願聆教言！」

藍玉棠道：「月前你在衡山斷魂崖底，和白雲山莊中人動手，可有此事？」

蕭翎心中暗道：他好像知道很多事情。

口中卻說道：「確有此事！」

藍玉棠道：「據在下所知，那白雲山莊也和百花山莊中接上了頭，此外，還有一位在江湖名不見經傳，但武功絕高的人物。」

蕭翎接道：「一位和尙？」

藍玉棠道：「不是，一位年輕人，不過二十四、五，也要和百花山莊聯手。」

蕭翎突然想起，自己五年前落江之後，被人救入巫山峭壁間一座石洞中，遇上的多病老

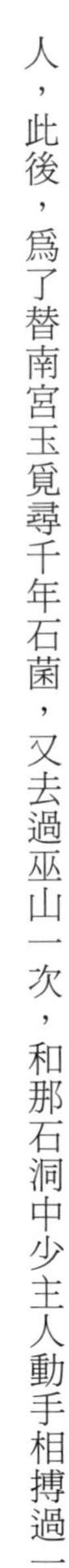

人，此後，爲了替南宮玉覓尋千年石菌，又去過巫山一次，和那石洞中少主人動手相搏過一陣，當下道：「那人住在巫山懸崖間，一座石洞中。」

藍玉棠道：「不錯，閣下知道了，在下就不多說了……」

語聲頓了一頓，道：「你可知這些人，爲什麼都要和你作對嗎？」

蕭翎道：「這個在下就不明白了。」

藍玉棠道：「因爲岳小釵……」

輕輕咳了一聲，接道：「這些人個個都是武林絕頂的高手，而且都存了殺死你的決心。」

蕭翎仰天打個哈哈，道：「所以，他們都甘心投效於百花山莊之中，聽那沈木風之命。」

藍玉棠冷冷說道：「我們雖然也投效百花山莊之中，但卻只是客卿地位，我們和沈木風有過約言，殺了你蕭翎之後，我們的合作，就算終結。」

蕭翎冷笑一聲，道：「你們相信沈木風？」

藍玉棠道：「沈木風不能信任，也不值得信任，這些人，所以能和一個不能信任的人合作，他們只有一個目的，那就是恨你太深，必欲殺你而後甘心了！」

蕭翎淡淡一笑，道：「照這般說法，你們和沈木風合作，殺死了在下之後，也是一樣要經過一場自相殘殺的，是嗎？」

藍玉棠道：「不錯，但你是我們中最強的一個，也是岳小釵寄情最深的一個，所以，在我們四人之中，第一個該你先死。」

蕭翎冷冷說道：「就算你們如願以償，借重那沈木風之力殺了我，就你們三人中情勢而論，閣下也是最弱的一環，三人相鬥，你最先死。」

藍玉棠冷冷說道：「這倒不勞關心，一個人在武林之中爭雄，情場上逐鹿，除了武功之外，還有別的手段。」

蕭翎道：「好！在下都知道了，承蒙相告，我這裏感激不盡。」

藍玉棠道：「蕭翎，你知道我爲什麼告訴你這些事情嗎？」

蕭翎道：「這個在下不知。」

藍玉棠道：「你已經有了百里冰，說嬌美，也不在那岳小釵之下，何況，還有一個捨死相救的多病美人南宮玉……」

聲音突轉嚴厲，接道：「有這兩個美女陪你，難道還不夠嗎？你還要霸佔岳小釵。」

蕭翎淡淡一笑，道：「藍兄異想天開，以小人之心度君子之腹。」

藍玉棠冷冷說道：「你眼前的處境，已是四面楚歌，就算有武當派中的人支持你，那也不過是螢火之光，豈足以和日月爭明。」

蕭翎冷笑一聲，道：「藍兄要說的話如果說完了，那咱們是否可以上路了？」

藍玉棠道：「我瞧蕭兄是不見棺材不掉淚，不到黃河不死心。」

翻身上馬，驟然向前奔去。

蕭翎隨後急追，兩匹馬快如流矢。

但藍玉棠似是路徑甚熟，夜色中不用辨認路徑，快馬奔馳不停。

又奔行一陣，兩人座下之馬，突然慢了下來，通體汗出如漿，大有舉步維艱之感。

蕭翎道：「藍兄，只怕坐騎不行了。」

話剛落口，一眼瞥見藍玉棠縱身躍下馬背，那健馬卻倒地而逝。

蕭翎一提氣，身子從馬鞍上直飛而起，落著於實地之上。

只見胯下健馬向前奔撞幾步，也倒了下去。

藍玉棠回顧了兩匹健馬一眼，冷笑一聲，道：「咱們趕路。」

放腿向前奔去。

蕭翎只覺他越跑越快，疾逾奔馬，只好放腿疾追。

這一口氣奔行，至少有三十里，藍玉棠才停下腳步。

回頭望去，只見蕭翎仍然緊追在自己身後三、四尺處，神色平靜，面不見汗珠，氣不聞喘息。

但藍玉棠卻感覺到自己有些隱隱作喘，趕忙暗中運氣，不讓鼻息出聲，淡淡一笑，道：「蕭兄的輕功很高明。」

蕭翎道：「藍兄誇獎了。」

心中卻在暗暗急道：我已和商兄弟約好了，沿途留下暗記，好讓他們追蹤，但這藍玉棠奔走如此之快，使人無法停留片刻，留下暗記，而我兩位兄弟，又都是義薄雲天，不見暗記，也

不會中途罷手，胡亂撞來，不但難以爲我之助，只怕自身還將遇險……

只聽藍玉棠冷冷地說道：「在下想到一件事，不得不事先告訴蕭兄一聲。」

蕭翎道：「什麼事？」

藍玉棠道：「如若兄弟料斷的不錯，在蕭兄之後，必然有很多追蹤之人。」

蕭翎吃了一驚，暗道：這人不但武功高強，才智也是驚人得很。

口中卻淡淡一笑，道：「我想他們也許會來，此事不足爲奇。」

藍玉棠道：「兄弟要使他們無法追蹤，或是追錯方向，自投入羅網之中。」

言罷，突然舉手互擊三掌。

掌聲甫落，突見草叢中竄出來四個人。

四個人穿著一色黑色勁裝，各自揹著一柄雁翎刀。

蕭翎目光轉動，掃掠了四人一眼。

只覺這些人無一相識，冷笑一聲，默然不語。

藍玉棠緩緩說道：「你們四位看清楚，這一位就是大名鼎鼎的蕭翎……」

語聲一頓，接道：「一切都在那沈大莊主預料之中，這位蕭大俠，雖然是獨自前來，但他的身後卻有著很多隨行之人，你們要留心了。」

四個人齊齊欠身，應道：「我等遵命。」

藍玉棠舉手一揮，道：「你們四位退回去吧！」

四個人齊齊對藍玉棠抱拳一禮，又退回那草叢之中，隱起了身子。

藍玉棠輕輕咳了一聲，道：「咱們走吧！」大步向前行去。

蕭翎緊追藍玉棠身後而行。

兩人腳步漸快，片刻間已走出了十幾里路。

藍玉棠輕輕歎息一聲，道：「蕭兄都看到了，是嗎？」

蕭翎道：「嗯，怎麼樣？」

借說話時光，暗中在道旁作了兩個記號。

藍玉棠緩緩說道：「在這條道上，一共設有七道埋伏，每一道埋伏中，都有著幾位暗器高手。」

蕭翎道：「除非他們找不到這條路，如果找到了這條路，那些現身之人，不啻是他們帶路之人。」

藍玉棠哈哈一笑，道：「這麼看起來，那沈木風果然比你蕭大俠高明一些！」

蕭翎道：「怎麼說？」

藍玉棠道：「你認爲這些人，都知道那百里冰的去處嗎？」

語聲一頓，道：「他們固守斯地，下一條路如何走，他們根本不知。」

蕭翎道：「藍兄的威迫手段，不過如此，在下都已經完全明白了，從此刻起，藍兄有什麼惡毒的手段，儘管施展出來，在下不想再受藍兄口舌間的威迫了。」

藍玉棠道：「好，咱們趕路。」

兩人一先一後，放腿而行，果然一路上藍玉棠不再講話。

蕭翎輕功，得自柳仙子所授，那柳仙子的輕功，號稱天下第一，自然高過那藍玉棠甚多，但蕭翎始終不肯超過藍玉棠，一直隨在他身後而行，藉機留下和啇八約好的暗記，只不過他把留下的暗記修改了一下，他心中雖知，這可能使那啇八感到困惑，但只要宇文寒濤能來，定可猜想到此中之秘。

忖思之間，藍玉棠突然停了下來，蕭翎只管想著心事，幾乎撞在了藍玉棠的身上。

藍玉棠淡淡一笑，道：「蕭兄，是否要休息片刻？」

蕭翎道：「這個聽憑藍兄作主了。」

目光轉動，只見金黃色的陽光，照射在兩側草地露珠上，有如千百萬明珠放光。

原來兩人這一陣奔走，時光甚久，太陽已出來多時。

藍玉棠伸手指著前面隱隱青山，道：「前面就是雪峰山了。」

蕭翎道：「沈木風已在那雪峰山中等候在下，是嗎？」

藍玉棠臉色一整，冷冷說道：「恕不奉告。」

蕭翎淡淡一笑，不再說話。

藍玉棠突然盤膝而坐，閉上雙目，調息起來。

原來，他一陣奔走，實已感到倦意。

藍玉棠心知在未找到百里冰以前，這蕭翎決然不會暗算於他，是以，十分放心。

但蕭翎卻不能不暗中戒備，跑到兩丈外一株小樹之下，背倚樹幹，閉目小息。

過約一頓飯工夫之久，突聞一陣得得蹄聲，傳了過來，抬頭看去，只見馬上是一個全身黑衣的年輕人。

那黑衣人行到藍玉棠身前，突然一勒馬韁，快馬突然停了下來。

那人對藍玉棠似是極爲恭敬，翻身躍下馬背，恭恭敬敬對藍玉棠行了一禮，低言數語。

只見藍玉棠微微點頭，答了數言，蕭翎因爲相距過遠，也未聽到兩人說些什麼。

只見那黑衣人應了一聲，縱身躍上馬背，一勒馬韁，轉身而去。

藍玉棠望著那黑衣少年去遠之後，才高聲說道：「蕭兄，咱們可以上路了。」

蕭翎道：「悉聽藍兄之便。」

藍玉棠道：「好！在下前面帶路。」大步向前行去。

蕭翎放步向前追去。

片刻之後，已然追到了藍玉棠的身後。

那藍玉棠對蕭翎似已恨極，一直未回頭望蕭翎一眼。

一口氣走出了十幾里路，在一座茅舍前面停了下來。

蕭翎輕輕咳了一聲，道：「藍兄，這是什麼所在？」

藍玉棠頭也不回地答道：「吃飯的地方，蕭兄跑了這麼多路，難道腹中不覺饑餓嗎？」

蕭翎目光轉動，看到那茅舍的前面，有著兩株小樹，於是出手在那樹上作下了暗記，隨著藍玉棠身後進入了茅舍。

這是一張八仙桌，早已擺好了香茗、細點。

藍玉棠大馬金刀地在上位一坐，緩緩說道：「有人在嗎？」

內廳中有一個少女，急步走了出來。

藍玉棠輕輕咳了一聲，道：「金木水火土，東方第一人。」

那少女一身青衣，長得眉目清秀，欠身對藍玉棠一禮，道：「你是藍大爺。」

藍玉棠道：「不錯，我們走得腹中饑餓，快拿酒飯上來。」

那少女應了一聲，匆匆行去，片刻之後，酒飯齊上。

藍玉棠自斟了一杯酒，冷冷說道：「日落之前，蕭兄就可見到那百里姑娘了，如若蕭兄有膽量，也許能夠當場奪回百里姑娘，此刻，還望進些酒飯，以保體能。」

蕭翎心中暗道：沈木風爲人陰險，無所不用其極，這酒飯是決不能吃。

心中念轉，口中卻說道：「在下腹中不饑，藍兄自請食用。」

藍玉棠先是一怔，繼而哈哈一笑，道：「蕭兄怕酒飯之中，下有毒藥嗎？」

蕭翎道：「照那沈木風的爲人而言，很難說他會不會在酒飯之中下毒。」

藍玉棠伸手從懷中取出一枚象牙箸子，持入酒菜之中試了一試，笑道：「蕭兄太過慮了。」

自顧大喝大吃起來。

蕭翎腹中雖然亦甚饑餓，但他卻強行忍住，不肯食用。

藍玉棠匆匆吃完酒飯，蕭翎卻是粒米未進。

那少女收拾殘肴盤菜，道：「藍大爺可要休息一下嗎？」

藍玉棠道：「不用了，我們還要趕路。」

起身向外行去。

蕭翎想到藍玉棠警告之言，如若自己當真不進一點食用之物，體力將大為消退，行經農家時，買了些雜麵做成的餅食用。

藍玉棠冷眼旁觀，譏諷說道：「看來蕭兄很怕死。」

蕭翎道：「這話怎麼說？」

藍玉棠道：「蕭兄不敢食用酒飯，那是怕酒飯中下有奇毒，把你毒死，是嗎？」

蕭翎淡淡一笑，道：「沈木風控制屬下高手的方法，就是先在他身上下一種無法療治的奇毒，除了他身上帶有特製的解藥之外，縱然是武林中第一流的高明醫生，也是無法醫治這等混合的奇毒，藍兄不要只替兄弟擔憂，最好多替自己想想。」

藍玉棠被蕭翎說得心中一動，臉上微現驚愕之色，但也不過一瞬之間，重又恢復平靜，淡淡一笑，道：「在未殺死你蕭翎之前，我想沈木風還不至於對我下手。」

蕭翎道：「在下言盡於此，聽不聽是你藍兄的事了。」

藍玉棠放步向前行去，不再多言。

又走了一個時辰，到了山腳之下，抬頭看去，群山連綿，一條羊腸小徑，直向峰頂通去。

藍玉棠回顧了蕭翎一眼，冷冷說道：「到了。」

他快步向峰頂奔去。

蕭翎舉步相隨，緊追在藍玉棠的身後。

行約數十丈，藍玉棠突然向右側轉去。

綠蔭遮掩中，透出一角紅牆。

原來這峰腰間，密林深處，竟有一座建築得十分精緻的紅磚房舍。

蕭翎行到那瓦舍前面，只見那木門橫匾上，寫著「無我小築」四個字。

心中暗暗忖道：不知是哪位高人，在此修身，竟然被沈木風霸佔了去。

藍玉棠舉手在緊閉的木門上輕擊三掌。

木門呀然而開。

只見一個微微駝背的大漢，當門而立，赫然是沈木風。

沈木風左面站著一位身著黃色袈裟的老僧，右面站著金花夫人。

蕭翎還未及開口，沈木風已伸出了奇大的手掌，微笑說道：「蕭兄弟，希望咱們兄弟今天能夠談得兩情歡洽。」

情勢迫人，蕭翎不得不伸出手去，和沈木風握了一下，道：「那要看你沈大莊主如何對待我蕭某人了。」

沈木風道：「廳中早已備好精美酒飯，蕭兄弟先請食過酒飯，咱們再談不遲。」

蕭翎心中暗道：既來之，則安之，倒要仔細地見識一下，他要的什麼手段。

也不待沈木風讓客，當先舉步而行，直入廳中。

果然，廳中已然擺上了美餚、酒杯，而且杯中已經斟滿了酒。

沈木風低聲說道：「蕭兄弟自己先選一個地方坐吧！」

蕭翎目光一轉，自行選擇了首位坐下。

沈木風坐了主位，那黃衣僧人就在左側坐下，金花夫人和藍玉棠，並肩坐在右側。

蕭翎雙手探入懷中，悄然戴上千年蛟皮手套，暗中提氣，一語不發。

沈木風舉起酒杯，一飲而盡，微微一笑，道：「蕭兄弟，先進點酒菜如何？」

蕭翎道：「沈大莊主有何見教，但請吩咐，在下腹中不餓，佳釀美餚，只好心領了！」

沈木風乾笑兩聲，道：「蕭兄弟對爲兄的，似是還有著很深的成見。」

蕭翎道：「沈大莊主言重了……」

語聲微微一頓，接道：「百里姑娘現在何處，要如何才能帶她離此？」

沈木風道：「百里姑娘不在此地，不過，她很好，毫髮未傷，只要蕭兄弟答應我一件事……」

蕭翎答道：「沈大莊主誘我來此的用意，是迫我答允你提的條件了？」

沈木風道：「倒也不是，出我之口，入蕭兄弟之耳，至於答應與否，那也無人敢逼迫你了！」

蕭翎道：「好！沈大莊主先說說看，那是什麼事？」

沈木風道：「說起來，簡單得很，只要蕭兄弟退出江湖，不和爲兄作對。」

蕭翎道：「如是在下不答應呢？」

沈木風道：「那也好，但那就要勞你蕭兄弟大駕，去救那百里姑娘了。」

蕭翎目光轉動，掃掠了四人一眼，道：「四位準備群攻在下了？」

沈木風哈哈一笑，道：「那倒不會，在座之人，個個都是有身分的武林高人，就算是你蕭兄弟武功高強，我等也不會群攻。」

蕭翎道：「車輪大戰？」

沈木風道：「也用不著。」

蕭翎道：「那是由你沈大莊主，一對一地對付我蕭翎了。」

沈木風笑道：「蕭兄弟處處向我挑戰，我想這機會總會給你遇到。」

蕭翎道：「大莊主究竟爲蕭翎設下了什麼陰狠埋伏，還請明說吧！」

沈木風道：「由此進山，十里後，有一道山谷，深谷盡處，就是囚居那百里冰之地。」

蕭翎道：「沈大莊主是在谷中設伏，要在下闖入谷中救人？」

沈木風道：「正是如此，我在那谷中設八道埋伏，如是你蕭翎能夠連破八道埋伏，才能見到百里姑娘……」

說到此處，打個哈哈，住口不言。

蕭翎一聳劍眉，道：「在下也想告訴你沈大莊主一件事。」

沈木風道：「好，我洗耳恭聽。」

蕭翎道：「你知道那百里冰是誰人之女嗎？」

沈木風道：「北天尊者。」

蕭翎道：「那北天尊者屬下高手之多，不在你百花山莊高人之下，百里冰如有損傷，你沈木風又多了一個勁敵……」

沈木風哈哈一笑，接道：「這個在下自有嫁禍之策，不勞費心。」

目光轉動，看了那黃衣僧人一眼，緩緩說道：「蕭兄弟，在座之人，只有這一位大師，是你不認識的。」

蕭翎道：「沈大莊主可否替在下引見一下？」

沈木風指著黃衣和尚，道：「這就是當代少林寺達摩院中住持高僧，十方大師……」

目光轉到蕭翎的臉上，指道：「這是大名鼎鼎的蕭翎、蕭大俠了。」

十方大師雙手合十，微笑說道：「久仰蕭大俠之名，今日有幸一會。」

蕭翎神情冷肅地說道：「少林派，一向被武林同道看作泰山北斗，高不可攀……」

十方大師笑道：「那是武林同道對我少林派的抬舉，老衲身為少林弟子，幸有榮焉。」
蕭翎冷笑一聲，道：「少林弟子個個都值得驕傲，唯大師似乎是不佩如此誇口。」
十方大師臉上笑容突斂，但也未現怒意，只淡淡地說道：「蕭大俠的脾氣很壞。」
蕭翎道：「對大師這等人，在下似用不著好言相對。」
十方大師冷笑一聲，不再接口。
只見蕭翎直接站起身子，道：「如何一個走法，還望沈大莊主帶路。」
沈木風道：「既然蕭大俠十分掛念那百里姑娘，在下也不勉強。」站起身子向外行去。
藍玉棠、金花夫人、十方大師，全都隨著站起了身子。
蕭翎走在最後，出了室外。
沈木風道：「咱們走捷徑，快一些……」直向峰頂之上登去。
這道峭壁，雖然長有很多松樹，可資攀登，但太過陡峭，行走其間，也是危險異常。好在這些人，都是一等一的身手，輕功卓絕，尚可應付。
登上峰頂，向後看去，只見懸崖之底，有一道深谷，蜿蜒向雪峰山中繞去。
沈木風指著那一道深谷，道：「就是那道深谷了，一直向谷中行去，衝過八道埋伏，你定可以看到百里姑娘。」
蕭翎打量那深谷一眼，隱隱間可見荒草，心中暗道：走在那深谷之中，只怕比走在絕峰之頂，更為險惡了。

心中念轉，口中卻說道：「沈木風，我如何能夠信你的話？」

沈木風微微點頭，道：「問得好！看來咱們分別不久，兄弟似乎是智略大進。」

蕭翎道：「如若你無法證明那百里冰在深谷盡處，而且還好好的活著，我蕭翎怎肯涉險，你設下的八道埋伏，豈不是白費心機了。」

沈木風點點頭，道：「倒也有理，自然要你確知那百里姑娘在那深谷盡處，你才肯涉險。」

蕭翎心中道：看這深谷，只怕有數十里深淺，不知如何才能使我相信那百里冰確在其中。但聞沈木風道：「你是否能辨認那百里姑娘的筆跡？」

蕭翎略一沉吟，道：「自然能夠。」

沈木風道：「單是筆跡一項，只怕還不足爲憑信，最好你要她在函中放一件信物，越是隱秘越好，使別人不知曉，免得在下僞造。」

蕭翎道：「我要她隨身攜帶的一只耳環。」

沈木風道：「好！」舉手一招。

立時有一個大漢，應手奔來。

那大漢一身灰衣，手中提著一個鳥籠。

沈木風道：「放出健鴿，帶封信給那百里姑娘，要她隨函附上身上的耳環一只。」

那大漢應了一聲，從腰間解下一個包袱，打開之後，竟是文房四寶。

只見他展函箋揮毫成書，交給沈木風過目之後，立時折起，打開竹籠，抓出一隻健鴿，把函件放入鴿羽之內，右手一抖，健鴿破空而去。

沈木風微微一笑，道：「蕭兄弟，咱們坐在此地，等候佳音，待那健鴿返回之後，證實了在下之言，你再去不遲。」

蕭翎也不答話，目注白鴿果然沿著那深谷而飛，繞過山峰不見。

幾人在峰頂等候約一個時辰之久，果然那白鴿去而復返。

四十 口蜜腹劍

那灰衣人站起身子，打了一個口哨，白鴿突然飛落到那高舉的左手之中，灰衣人扳開鴿翼，取出一封函件，恭恭敬敬，遞入沈木風的手中。

沈木風掂了掂函件，突然一皺眉頭，道：「怎麼，這函中沒有耳環？」

那灰衣人道：「小人已寫得明明白白。」

蕭翎緩緩說道：「可否把函件交給在下瞧瞧？」

沈木風道：「你自己拿去看看。」

蕭翎打開封簡看去，只見上面寫道：「我很安好，被擒之時，身上未戴耳環。」

寥寥數語，正是百里冰的筆跡，確實證明了百里冰人還活著。

沈木風道：「信中未附耳環，爲了何故？」

蕭翎道：「她根本未戴耳環，自然是無法交付這信鴿帶回。」

沈木風道：「兵不厭詐，愈詐愈好，但蕭兄弟這些時日中的進境，實叫爲兄佩服，再有三年，謀略、用策之上，爲兄也許就非兄弟之敵了。」

蕭翎道：「言重了。」

沈木風輕輕咳了一聲，笑道：「兄弟準備幾時進山？」

蕭翎道：「立時動身。」

沈木風一揮手，道：「恕爲兄不送了，咱們就此別過。」

蕭翎道：「在下不敢有勞。」

站起身子，一提真氣，看明了行往那深谷之路，向崖下奔去。

但聞沈木風高聲說道：「蕭兄弟，你如是不幸受傷，或是自知力已難逮，只要告訴他們一聲，要見爲兄，爲兄即可以最快的速度趕到。」

蕭翎一面奔行，一面應道：「沈大莊主只管放心，在下若不能救出百里冰姑娘，沈大莊主雖不能見蕭某之人，但可見蕭某之屍！」

沈木風歎息一聲，道：「兄弟，你不覺得太固執了嗎？」

蕭翎不再回答沈木風的話，凝神疾奔，不大工夫，已到了那深谷入口之處。

這是一座雙峰夾峙的山谷，谷口大約有七、八尺寬，但凝目望去，那谷中形勢，愈進入，愈見開闊，目力所及處，已有十丈左右寬闊。

蕭翎凝目查看，谷中不見小徑，顯然這地方很少有人行走。

谷中長滿了青草，雜以盛開的山花。

蕭翎緩步行入谷中，隨手折了一根樹枝，握在手中。

因那沈木風，既然說明了此谷有八道埋伏，自非虛言恫嚇，而這八道埋伏，不知是高手暗襲，還是佈置機關、毒物。

蕭翎深入了二十餘丈，仍然不見有什麼埋伏發動，不禁心中一動，暗道：這座山谷，不知多長、多遠，以我這等走法，不知走到幾時，才能走到山谷盡處，他說闖過八道埋伏，我旨在救人，倒是用不著和他纏鬥，只要我闖過去，那就算數。

心念一轉，放腿向前奔去。

又轉過幾個小彎，景物忽然一變。

只見矮松攔路，草深及腰，一片荒涼景象。

蕭翎估計這一攔路矮松，約在十丈以上，當下一提氣，施展草上飛的輕功，由草頂、樹梢之上，飛越而走。

果然，這叢集矮松，只不過十幾丈長，到一處轉彎處，突然斷去。

蕭翎飛身而過，長長吁一口氣，再看眼前景物，見小石突起，縱橫交錯，別是一番景象，心中暗道：我已深入將近十里，怎的還未遇到埋伏。

心念轉動之間，突聞人聲傳來，道：「好卓絕的輕功，閣下想是蕭翎了。」

蕭翎深入不見埋伏，心中反而生疑，此刻聞得人聲，不禁精神一振，當下應道：「不錯，在下正是蕭翎，閣下何人？何不請出一見。」

但見大石後人影一閃，一個白髯蒼蒼的老人，出現在一塊大石之上。

蕭翎目光轉動，只見那老人，面如紫金，身軀魁偉，卻是不相識。

當下一拱手，「老丈可否見告姓名？」

紫面老人淡淡一笑，道：「老夫鄧倫，已息隱江湖數十年，武林中能識得老夫之人，只怕是已經不多了。」

蕭翎心中暗道：沈木風實有人所難及的才能，但不知他施用了什麼方法，竟能使這些息隱江湖的人物，重新出山，爲他所用。

心中念轉，口中卻說道：「老丈既已息隱，爲何又重出江湖，而且又捲入漩渦之中？」

鄧倫緩緩說道：「老夫受那百花山莊的沈大莊主之邀，不得不出山助他一臂之力。」

蕭翎緩緩說道：「看來沈木風果然是一位甚具魔力的人物……」

聲音突轉嚴厲地接道：「老前輩可知沈木風的作爲嗎？你既然已退出江湖，就該頤養天年，悠遊林泉，爲什麼竟然要重出江湖，助紂爲虐。」

鄧倫冷笑一聲，道：「蕭翎，你不覺得管得太多了嗎？」

蕭翎道：「在下默察鄧老前輩之貌，不似一個爲惡之人，因此，想好言奉勸，希望老前輩能夠懸崖勒馬。」

鄧倫道：「如是老夫不受勸告呢？」

蕭翎道：「那只有各憑武功，一分生死了。」

鄧倫長歎一口氣，道：「那沈大莊主，對你似極重視，想來，你定有非常的武功，老夫也不願責備你口氣狂傲，你可出手了。」

蕭翎道：「好，老前輩準備與在下比兵刃呢?還是比試拳掌？」

鄧倫道：「老夫兵刃，藏於袖中，隨時可出克敵，你最好是亮出兵刃動手了！」

蕭翎一提氣，身子陡然飛躍而起，直向鄧倫停身前大岩石衝去。

鄧倫看他直向自己停身的岩石之上搶來，心中既是憤怒，又是敬佩，暗道：這小子年紀輕輕，手筆如此之大，出手竟然硬搶主位。

心中念轉，右手一揮，迎面拍出一掌。

這一掌，堂堂正正，毫無取巧的用心，顯然，要憑藉實力，硬擋蕭翎的攻勢。

蕭翎雙足一沉，腳尖踏在岩石上，右手卻硬接了鄧倫的掌勢。

鄧倫這等不願偷巧，不用側擊，正面迎擊的舉動，實也大出了蕭翎的意料之外，迫得他早先已想好的對敵之道，都無法應變，雙足共著實地，身子成了斜臥之勢。

形勢雖然是對他大大不利，但他仍然硬接了一掌。

但聞砰的一聲大震，蕭翎傾斜的身軀，直向下面摔去。

但他身子快要撞向實地時，左手突然拍出一掌，擊向實地。

蕭翎就借那掌勢擊地的一彈之力，身子忽然挺了起來，登上岩石。

那鄧倫接下蕭翎一掌，也被震得手腕一麻，不禁爲之一怔。

就在他一怔神間，蕭翎已經站上了岩石。

鄧倫哈哈一笑，道：「蕭大俠果然是名不虛傳。」

喝聲中又劈出一掌。

蕭翎暗中提氣，又硬接了一掌，感覺之中，鄧倫這一掌似乎是尤重過第一掌，他接下這一掌，身軀晃了兩晃，向後退了一步，但卻未被打下岩石。

鄧倫似是甚感意外，第三掌並未即時發出，雙目盯注在蕭翎的臉上，緩緩說道：「你如能再接下老夫一掌，就可以平安無事，度過這道埋伏了。」

蕭翎只覺鄧倫一團正氣，似非壞人，相助那沈木風，想必有不得已的苦衷，原本滿腔殺機，頓然消去。

緩緩說道：「好吧！閣下就再發一掌。」

這時，蕭翎本有反擊的機會，但他卻停手未動。

鄧倫點點頭，道：「蕭大俠的氣勢，無一不叫人心折，但這一掌，老夫將傾力施爲，蕭大俠要小心了。」

蕭翎接這鄧倫兩掌之後，已知他確有過人的武功，這一掌既是全力施爲，必將如驚濤拍岸，威勢奇大，倒也不敢大意，運氣屏息以待。

鄧倫長長吸一口氣，緩緩一掌，拍了出去。

蕭翎心中暗道：原來他要和我比拚內力。

也緩緩舉起右掌迎了過去。

雙掌緩緩接觸在一起。

兩掌接實，蓄蘊在掌心的內力，隨著發出。

片刻之後，鄧倫頭頂之上，滾下來連串汗水。

蕭翎的頭頂之上，也不停地冒著熱氣。

雙方又爭鬥片刻，鄧倫突然一鬆手，向後閃退五尺。

蕭翎本可借勢追襲，傷了鄧倫，但他卻停手未動，及時收住了內力。

鄧倫道：「蕭大俠請過吧！老朽不是敵手。」

蕭翎一抱拳，道：「老前輩承讓了。」

鄧倫苦笑一下，閃身退到一側。

蕭翎想不到這樣就算過了一關，於是放腿向前奔去。

轉了兩個山彎，那寬闊的山谷，又形縮小，成了兩丈多寬的一條狹窄的過道。

就在那狹谷之間，排著四個各執單刀的大漢。

這四人臉上都用一塊黑布包起，掩去本來面目，身上也穿著一身勁裝。

蕭翎目光轉動，隨手折下了兩根松枝，一根十分堅硬，一根十分柔軟，分握兩手之中。

四個黑布包臉的大漢，八隻眼睛，齊齊地盯注在蕭翎身上，一語不發。

蕭翎緩步行近四人，冷冷說道：「四位怎的不肯現出本來面目？」

四人也不答話，但卻迅速地散布開去，形成合擊之勢。

蕭翎冷笑一聲，道：「四位黑布包臉，那是自知所作所為，見不得人，不肯答話，是因心中有愧，是嗎？」

四人仍是一語不發，卻一齊舉起手中單刀。

蕭翎仍不聞四人答話，不禁心中大怒，右手松枝一揮，劈了下來。

但見四人同時迅快地移動方位，手中單刀，交錯劈出。

剎那間刀光山湧，四面八方攻來。

蕭翎吃了一驚，暗道：好厲害的刀陣。

急揮手中松枝拒擋。

以蕭翎功力而論，此刻用一段松枝做為兵刃，並無托大之嫌，只是他未料到對方的刀陣，威力如此之強，一著失錯，滿盤受損，左、右兩手中的松枝，登時被那四位湧來的刀光，削去了一半。

但見那攻過來的刀光，愈來愈是凌厲，交織成一片嚴密的刀網，把蕭翎圈入刀光之中。

蕭翎心中暗道：我若和他們這樣纏鬥下去，就算能夠支持，卻不知要多少時間，才能分出勝敗，最好是速戰速決，救回百里姑娘。

心中念轉，索性丟了手中松枝，右手揮動，施出彈指神功，嗤嗤兩聲，震開兩柄單刀，左手伸出撥開了另一柄單刀，縱身而起，避開另一柄襲向後背的單刀。

原來，蕭翎手中早已戴上了千年蛟皮手套，是以，不畏兵刃。

四個蒙面大漢的刀陣，逼人的威勢，有如附骨之蛆，蕭翎微身飛起，四人也同時飛躍追上，手中單刀，仍然分由四個方位，刺了過去。

蕭翎暗暗讚道：好厲害的刀陣，如是在未進禁宮之前，遇上這四個人，只怕此刻已經傷在他們手下了。

心中念轉，忽然動了惜愛之心，當下施展千斤墜的身法，疾沉而落。

這一下動作快速，一舉間，避開了四柄刀的襲擊。

蕭翎身落實地，雙足微一加力，整個身子，陡然間箭射而出。

四個蒙面大漢，四刀一齊刺空，立時，丹田真氣一沉，落在實地之上。

這四人武功、心意、動作，無不配合得恰到好處，同時躍起，攻出一刀，又同時落著實地，組成的刀陣，仍未散亂。

但蕭翎人已到了一丈開外。

四人目光一轉，齊齊放步追去。

不論四人的刀陣，如何佳妙，在追趕敵人時，卻無法仍然保持著刀陣。

蕭翎心中明白，此刻自己如展開身法，四人決然不易趕上，但如不在此地制服住四人，讓他們追了上去，和下面一陣之人，合而爲一，威力必然大爲增強，那時，自己只怕就很難對付。

是以奔行之時，左手已探入懷中，摸出了短劍，握在手中，故意使奔行之勢，緩了甚多。

四個持刀大漢魚貫追趕，蕭翎故意放緩了奔行之勢，立時被人追上。

當先一人，手中單刀一送，神龍入穴，點向蕭翎背心。

蕭翎的右手回掃，寒芒突閃，噹的一聲，削斷了那人手中單刀，左手一抬，發出了修羅指力，一縷指風，疾射而去，正擊中那大漢右胯環跳穴上。

那大漢右腿突然失去作用，向前奔行的身子卻收勢不住，砰的一跤，跌倒在地上。

蕭翎一擊得手，反身一躍，直向第二人迎撞過去。

那第二個蒙面大漢眼看當先同伴，突然倒了下去，不禁微微一呆。

就在他怔神間，蕭翎已經攻到。

那大漢抬刀一擋，噹的一聲，手中兵刃，就被削斷。

蕭翎飛起一腳，踢中那大漢右膝，那大漢膝疼如折，哪裏還能向前奔行，突然停了下來。

蕭翎連發修羅指力，又點了另外兩人的穴道。

四個蒙面大漢至此，全都失去了抗拒之能。

蕭翎轉身欲去，行了兩步，又轉了回來，扶起四人，點了他們四肢穴道，送在一大岩之下，把四人藏了起來。

然後，伸出手去，想解開四人臉上的蒙面黑布，但手指觸到那些蒙面黑布時，重又收了回來，突然轉身而去。

他一連闖過了兩道埋伏，不覺間膽氣大壯，暗道：如若沈木風這八道埋伏，都類似如此，看來連闖八道埋伏，那也不算難事。

心中念轉之間，又轉過一個山彎。

一陣山風吹來，夾雜著一股強烈的腥氣，撲鼻欲嘔。

抬頭看去，只見一片短草地上，雲集著千條毒蛇，有大有小，十分恐怖。

在那千條毒蛇之間，盤膝坐著一個微閉雙目的青衫少年。

蕭翎此時，已瞧出正是昔年在巫山峭壁，把自己推落懸崖之人，年前為救南宮玉，重上巫山時，又和他動過手。

他雖然和這個青衫人見過兩次，但對他的來歷、底細，卻始終是不太了然，只知道他的父親，認識雲姨。

因為在青衫人身前兩丈左右處，都是毒蛇，蕭翎自是無法再向前進，只好停了下來，道：「在下蕭翎，這裏有禮了。」

那青衫人緩緩睜開雙目，道：「沈木風說你進了禁宮之後，獲得了簫王張放的簫法秘錄，不知是真是假？」

蕭翎心中暗道：別人都稱沈木風為沈大莊主，此人卻直呼那沈木風的名字，顯然，他內心之中，對沈木風既無畏懼，也不尊仰，想來，是在有條件之下的合作了。

心中念轉，口中卻應道：「不錯。」

青衫少年冷笑一聲，道：「那是說閣下的武功，比起一年前，更爲高強了。」

蕭翎道：「稍有進境而已，談不上高強二字……」

暗中一提真氣，道：「多虧當年閣下那一推，才使蕭翎得有今日。」

青衫少年道：「但今日和已往形勢不同，只怪昔日我心地仁慈，不忍下辣手，才留下你的性命。」

蕭翎冷笑一聲，道：「可惜，閣下此刻後悔也來不及了。」

青衫少年道：「今天還有一個機會，因爲，沒有毒手藥王爲你制蛇了。」

蕭翎武功雖然高強，但看到成千的毒蛇，心中實也是有些發毛，但事已至此，不得不硬起頭皮來，說道：「閣下準備逐蛇對付我蕭某嗎？」

青衫少年道：「你的武功很高，單是毒蛇一項，也許制不住你，這些毒蛇，不過是助我一臂之力罷了。」

蕭翎心中暗道：要過此關，只怕是艱難重重，但事已至此，只有冒險一拚了。

當下說道：「咱們會過兩次，但蕭翎還不知兄台之名……」

青衫人冷冷說道：「咱們既非攀親結交，那也用不著通名報姓了。」

蕭翎道：「閣下雖然不肯通名，但日後蕭翎自會明白！」

青衫人道：「你日後知曉了，又能怎樣？何況，今日你已要屍遭蛇吻，哪裏還有以後。」

蕭翎右手執出短劍，左手折了一根松枝，道：「既是如此，咱們也不用再談了，閣下請出

手吧！」

青衫人仰天打個哈哈，道：「你自己行入蛇陣中和我動手吧！蕭翎，你知道你此刻的處境吧！我可以坐此不動，但你卻必須過去不可。」

探手從懷中取出一個竹哨，放在口中吹出了兩聲尖銳的哨聲。

只見那滿地毒蛇昂首而起，直向蕭翎撲了過來。

蕭翎左手中松枝振動，唰的一聲掃了過去，近身的毒蛇，盡為掃開，十餘條毒蛇，不是從中而斷，就是頭裂而死。

他心中對毒蛇本來十分害怕，但掃出一棍之後，突然覺得這些也不過如此，想傷自己，實非易事，不禁膽氣一壯。

正待再掃出一棍，擊斃一些毒蛇時，突然那青衫人口哨聲一變。

只見那昂首自行的毒蛇，紛紛躍起，直向蕭翎撲來。

蕭翎身子疾轉，左手中松枝疾掃而出。

但聞一陣波波之聲中，夾著很多小蛇的咕咕怪叫。

原來，蕭翎早已在松枝上貫注了內力，掃出之勢，力逾千鈞，凡是為蕭翎擊中的毒蛇，無不頭裂身斷。

突然間，勁風颯然，一股暗勁，直壓前胸。

原來，那青衫人已經欺身而上，發出一指。

蕭翎怒喝道：「快亮兵刃，在下無暇和你對掌。」

喝聲中，抽出短劍，向那青衫人襲去。

蕭翎此刻的功力，已非同小可，內力貫注，一股劍風，直逼過去。

青衫人似是未料到蕭翎功力，有此成就，不禁心中一震，縱身閃避開去。

蕭翎眼看他利用哨聲，指揮群蛇，得心應手，心知他的伎倆，決不至此，和他纏鬥下去，實是有害無益，當下縱身而起，借短劍護身，閃起一片寒光，直衝過去。

那青衫人似乎未防到，蕭翎的攻勢竟然如此凌厲，連伸手取出兵刃的時間，亦自不及，疾拍一掌，急急向旁側閃開。

蕭翎左手松枝點地，借勢翻身而起，躍飛起一丈多高，同時避開了青衫人的一掌。

青衫人大喝一聲，左手一揮，抓起了兩條毒蛇，投擲過去，右手同時發出一掌。

蕭翎此刻已無戀戰之心，右手短劍揮動，斬斷兩條投擲而來的毒蛇，左肩一沉，運罡氣硬接一掌。

這一掌勢道不輕，只打得蕭翎眼睛一黑。

但蕭翎卻借這一掌之力，連翻兩個筋斗，人到三丈開外。

松枝一點實地，又一個騰身而起，脫出了毒蛇的範圍。

青衫人心中大急，厲聲喝道：「蕭翎，你爲什麼不和我決一死戰？」

蕭翎道：「來日方長，日後咱們再分生死不遲，此刻，在下失陪了。」

答話中，已然躍足向前奔走，話說完，人已到十丈開外。

那青衫人雖然想逐蛇追趕，但已自不及。

蕭翎一口氣奔出了四、五十丈，回頭不見那青衫少年追來，才停下腳步，長長吁一口氣，運氣調息一下，才放步向前行去。

心中暗暗忖道：這一關闖得十分僥倖，如若心有爭強之意，他有毒蛇相助，這一陣勝負很難預料了。

忖思之間，突聞一陣尖銳的聲音，傳入耳際，道：「來的可是蕭翎？」

蕭翎趕忙停下腳步，長吸一口氣，應道：「不錯，在下蕭某，請問閣下何人？」

抬頭一看，只見前面一片空曠的草地上，突立著幾塊大岩石外，再無可疑之處。

只聞其聲，不見敵蹤，增長了不少恐怖、詭異的氣勢。

蕭翎等了一盞茶工夫，仍不聞回答之聲，心中大感驚愕，當下高聲說道：「在下正是蕭翎，哪一位高人，既然讓蕭翎通了姓名，何不肯現身相見？」

只見那突立的岩石之後，突然間站起來一個身披大紅袈裟的和尚，冷冷應道：「蕭翎，你的膽子的確不小。」

蕭翎聽他口音，辨其形貌，確是中原人氏，不禁心中一動，道：「大師可是來自少林寺嗎？」

紅衣和尚沉吟一下，正待答話，突見另一個岩石之後，又站起一個紅衣和尚，接道：「不錯。」

蕭翎仰天打個哈哈，豪氣陡生，大步向前行了兩丈，道：「諸位擺的可是羅漢陣？」

語聲甫落，只見那突起於草地的岩石之後，人影閃動，各自站起一個僧侶。

蕭翎暗中一數，那站起的和尚，正好是十二人。

只聽那最先站起的僧侶道：「蕭大俠果然聰明，貧僧正是擺下的羅漢陣，不過，這也是威力最弱的一種，不知蕭大俠是否願入陣內一試？」

蕭翎道：「對羅漢陣，在下也稍有知曉，不錯，你們這十二人的羅漢陣是人數最少的一種，但人數少不是威力減弱……」

十二個僧侶，披著一色袈裟，年紀相差不多，大都有四十左右，最奇怪的是，這些人的裝束，也力求一般，唯一不同的是，他們胸前掛的串珠，有長有短。

那當先立起的一個僧侶，項上掛的串珠最長，隱隱間，似是幾人中首領人物。

只聽他緩緩說道：「蕭大俠似是已留心到我少林寺的羅漢陣了，不知對這羅漢陣，蕭大俠知曉多少？」

蕭翎道：「其實羅漢陣的變化，九個人已可應付，多用三個，加於一點，那是說，在下不論攻向哪個方位，在一招接觸之中，同時要拒擋最少四人的攻勢。」

那和尚哈哈一笑，道：「蕭大俠果然高明，如此說來，閣下是不敢入陣一試了。」

蕭翎道：「江湖傳言，數百年來，能夠衝出羅漢陣的絕無僅有，但在下此刻處境不同，縱

然入陣之後，非要戰至力竭而死不可，在下也要一試……」

那首領和尚冷笑一聲，接道：「蕭大俠很有豪氣。」

蕭翎肅然說道：「在未動手前，在下心中有幾件不明之事，不得不先行說明。」

眾和尚齊應道：「什麼事？」

蕭翎道：「在下久聞少林寺是武林中的泰山北斗，數百年來一直仲裁武林正、邪力量，武林同道對少林僧侶，敬仰非凡，想不到你們竟也會助紂為虐，幫助那沈木風，難道你們都願意眼看那沈木風，達到他霸統江湖之願嗎？」

群僧被蕭翎一頓責備，似是心生愧疚，個個垂下頭去，默不作聲。

良久之後，才聽那當先站起的僧人緩緩說道：「貧僧等苦衷，也不願告訴你蕭大俠了，蕭大俠請放心入陣吧！」

這放心二字，大有作用，隱隱間，示有開脫之意。

蕭翎輕輕歎息一聲，道：「在下實難了解，沈木風有何魔力，既能統率邪惡，又能夠駕馭那正義的力量。」

那領頭僧侶，緩緩說道：「蕭大俠可以入陣了，你的時間不多，夜色愈深，對你也愈不利。」

蕭翎怔了一怔，暗道：這僧侶口氣十分緩和，顯無敵意，如若這十二僧侶，個個和他一般，度過這羅漢陣，看來並非是太難的事了。

暗暗一提真氣，大步向群僧行去。

只見群僧一抖雙肩，身上披的紅衣袈裟紛紛落地，左手一探，每人抓起一根鐵禪杖來。

蕭翎抬頭打量了群僧一眼，暗道：我如能施出八仙登空的身法，從攔路僧侶頭頂之上掠過，那就用不著和他們拚搏了。

心念轉動之間，突聞衣袂飄風之聲，傳入耳際，十二個僧侶一齊離開了原來之位，把蕭翎團團圍了起來。

蕭翎雖然心知群僧對自己敵意不深，但卻也不敢心生輕敵之念。右手領動劍訣，默誦華山談雲青的劍招手法，左手運集功力，屈指戒備，隨時準備用那彈指神功對敵。

目光轉動，只見群僧環圍在他的四周，緩緩地開始轉動。

蕭翎恩師莊山貝，見識廣博，知曉天下各門各派的武功，對羅漢陣知之亦深，曾對蕭翎有很詳盡的解說，心知自己只要攻入一招，羅漢陣立時發動，如讓他自然發動，勢道反而很慢。他欲窺奧秘，是以不肯搶攻，全神貫注群僧，讓他們自然發動。

只見群僧團團轉動了一陣之後，突然停了下來。

蕭翎心中大感奇怪，暗道：師父解說這羅漢陣時，似是無此變化，只說到那羅漢陣，由慢而快，然後，自然發動攻勢，但卻不知何故，竟然停了下來。

只聽一個聲音，傳入耳際，道：「蕭大俠快請出手，如待我們羅漢陣自然發動，每一次有

六十四招的攻勢，如是攻勢未完決難遏止，但如你蕭大俠先行發動，情勢就會大不相同了，我們處於被動，還擊、封架，都沒有連鎖攻勢，時間不多，我無法再和你多談了。」

蕭翎心中暗道：這中間還有許多分別，他既然洩露機密於我，那是有心放我一馬了。

心中念轉，左掌倏然發出。

蕭翎掌勢發出，人也同時向前衝去。

原來，他自作打算，準備藉機衝出羅漢陣。

哪知一掌劈出之後，羅漢陣也同時展開了反擊，一個手執禪杖的僧侶，左手斜斜推出，接下一人，卻突然閃避開去。

兩柄禪杖，就在那閃避開的和尚身後，突然伸了出來，左、右分進，擊向蕭翎。

蕭翎吃了一驚，暗道：好快的禪杖。

右手短劍探出，點向右邊禪杖，身子同時橫跨了一步，讓開了左面一杖。

那兩柄禪杖一擊未中，立時分向兩面閃去，但緊隨在兩柄禪杖後，又是三柄禪杖，擊了下來。

蕭翎短劍疾揮，暗貫真力，嗆的一聲，削中了一柄禪杖。

寶劍鋒利，那禪杖應聲而斷。

蕭翎左手疾探，接住了半截禪杖。

這些僧侶，都是使用重兵刃，蕭翎手中短劍，雖然鋒利，實也難和這些重兵刃相抗拒，這才不惜利劍受損，硬削下對方禪杖。

蕭翎還無暇觀察手中兵刃是否有損，又是三柄禪杖攻到，當下大喝一聲，左手中斷去的禪杖，橫裏掃出。

只聽砰的一聲大震，一柄迫身禪杖，被蕭翎半截斷杖，直震開去。

但這一招硬打硬接之後，也使蕭翎感覺到，少林僧侶果然是名不虛傳，似是人人都有深厚的功力。

羅漢陣全面發動，雖然只有十二個僧侶、十二柄禪杖，但那些層層波波的攻勢，卻如海浪一般，疊疊重重地湧上來。

十二支禪杖，加上那羅漢陣的精奇變化之後，有如千百支禪杖一般，分由四面八方攻到。

蕭翎右手持劍，左手拿杖，全力施展，希望能爭到主動，但那群僧禪杖，連綿不絕，竟使蕭翎沒有還手機會。

羅漢陣連綿變化的快速攻守，使蕭翎有著無法施展之感，心中既是驚奇，又是憂慮，暗道：不論這番惡鬥勝負如何，似這樣拖延下去，對我大是無益，這羅漢陣攻勢如此猛烈，嚴密得絲絲入扣，如若不冒險施展毒辣手段，只怕是難以取勝。但群僧對我，似又是手下留情，我如傷了他們之人，只怕當真要結下怨恨……

一時間心念電轉，大感爲難。

只聽一個細微的聲音傳入耳際，道：「蕭大俠能在我羅漢陣連番衝攻之下，仍然有攻有

守，那是足見高明了，但如這般相持下去，對你蕭大俠極是不利，爲了掩人耳目，我們又不能這樣放你走，最好你能傷我們兩個人。」

蕭翎聽那說話聲音，轉來轉去，分由四面八方傳了過來，心知是他在說話時，仍然隨著羅漢陣不停地轉動，所以，聲音由四面八方傳進。

心中立忖道：他已經點明於我，只是下手之時要拿捏得恰到好處，不能輕，也不能太重。

心念轉動之間，突覺那羅漢陣的攻勢緩了下來。

蕭翎心知這是群僧給他的機會，當下全力反擊，左手一揮輕輕彈出，一縷指風疾射而出。

這正是少林寺彈指神功。

只聽一陣悶哼，一個僧侶手中的禪杖落地。

原來，蕭翎這一擊之下，正中了一個僧侶的右腕，那僧侶握不穩手中禪杖，跌落實地。

轉動的羅漢陣，受此影響，全陣爲之一緩。

蕭翎借勢揮劍，擋開了兩支禪杖攻勢，右手輕輕一彈，又彈出一縷指風。

這一擊，又彈中一個和尚右腕之上，那和尚手中禪杖，又落地上。

兩僧侶受傷，羅漢陣快速攻勢，又緩了甚多。

蕭翎借勢大喝一聲，劍、掌齊施，衝出了羅漢陣，沉聲說道：「諸位大師承讓了！」

縱身而起，直向前奔去。

這幾句話，並非是一般客套，而是由衷之言，說得真情流露。

四一 風雨故人

蕭翎大步奔行，又越過一段山谷，仰天長長吁一口氣，心中暗道：這沈木風，布下的八道埋伏，如是一關強過一關，這一陣的埋伏，又不知是何許人物？

他放緩了腳步，慢慢地向前行去。

轉過了一個山彎，景物又是一變。

這時，西下的夕陽，已被高峰擋住，從兩峰之間的一道缺口，照射過來，映照了一半山谷，遠遠望去，半暗半明。

這一段山谷形勢，和其他山谷大不相同，怪石嶙峋，不見草木。

蕭翎心中盤算，第五關埋伏，應該就在這段山谷之中才是，是以，舉動突然間小心起來。右手取出短劍，緩步向前行去。

哪知深入了三、四丈以後，仍然不見一點動靜，心中大感奇怪，暗想道：難道那第五關埋伏未設於此嗎？

心中念頭還未轉完，突聞一個清脆的女子聲音，傳入了耳際，道：「來人可是蕭翎？」

蕭翎道：「正是蕭某，閣下何許人？」

口中說話，兩道目光卻盯注那發話處瞧了過去。

只見那是一塊突起的高大怪石，聲音就起自那怪石之後。

蕭翎心中忖道：不管是何許人，這一次總不能讓她占去先機，我要先行出手搶攻才成。

估算了那高大怪石，和自己停身處的距離，準備對方一現身，立時就躍起施襲。

但聞一陣咯咯笑聲，傳了過來，道：「蕭翎，你慢慢走過來。」

蕭翎心中大奇，忖道：她要我慢慢地走過去，是何用心，難道是要我全然無備時，她好突然躍起施襲不成？

口中應道：「在下來了。」

暗中卻提聚真氣，緩步行了過去。

繞過大石，只見一個美麗的少女，盤膝坐在大石之後。

蕭翎一和那少女目光相觸，不禁爲之一呆。

原來，那少女竟是巫蓉。

蕭翎本想一見石後人，立時搶先出手施襲，但卻萬萬未料到，石後坐的竟然是巫蓉，左手屈指運聚的彈指神功，竟然無法下手。

巫蓉兩道清澈的目光，一掠蕭翎，道：「蕭大俠不認識我了嗎？」

蕭翎道：「自然認識，你是巫蓉姑娘。」

巫蓉道：「正是賤妾。」

蕭翎想到她目睹巫婆婆死亡之後，發狂而奔的情形，有如得了瘋癲之症，想不到，此刻她卻又完好無恙。

心中想問，但又覺很難出口，只好忍了下去。

巫蓉仍然端坐未動，只是瞪著一雙清澈的眼睛，歎息著道：「我武功比你差得很遠，也不用向你打了，你只要一揮劍，就可以取我之命。」

蕭翎道：「姑娘不怕死嗎？」

巫蓉道：「我不怕，我一個人活得太孤單了，死了好見我奶奶去。」

蕭翎歎息一聲，道：「那沈木風明知你非我敵手，爲什麼要把你安排於此？」

巫蓉道：「我施毒的手法厲害，沈木風心中很明白。」

蕭翎道：「那是說，姑娘已在這段怪石谷中布下了奇毒？」

巫蓉道：「沈木風是這樣想，但如若我布了毒，此刻，你已經中毒多時了。」

蕭翎道：「姑娘爲什麼不布毒呢？那沈木風知曉了此事，豈肯饒你性命。」

巫蓉道：「沈木風殺死我和你殺死我，有何不同？反正，我已經不怕死了。」

蕭翎道：「姑娘既是不肯布毒加害在下，我又如何能夠下手殺你！」

巫蓉道：「你不殺我，沈木風也要殺我，我只有一條命，誰殺都是一樣，如是讓我選擇一個殺我的人，死在你手中我會舒服一些。」

蕭翎道：「姑娘親自看到了令祖母的下場，爲什麼還要混入江湖？」

巫蓉道：「我是被他們捉來的，他們用藥物醫好了我的瘋癲之症，要我替祖母報仇……」

蕭翎道：「姑娘神智已復，不難回憶起往事，令祖母並非我蕭翎殺死的啊！」

巫蓉道：「我知道，你不但不是殺死我祖母的人，而且，你還替她老人家報了仇，我心中對你非常感激。」

蕭翎道：「既是如此，爲什麼你還答應他們，和我作對？」

巫蓉道：「當時情景，我如不肯答應，他們絕不會放過我，這一關埋伏中，必將又換過別人，你豈不是多費一番手腳。」

蕭翎道：「這麼說來，姑娘是幫忙在下了。」

巫蓉道：「是不是幫忙呢，我也無法分辨，但只是覺得自己活得很無味，我不願死在沈木風的手中，就答應了布毒害你。」

蕭翎道：「沈木風老奸巨猾，陰險無比，如何會信你之言？」

巫蓉道：「他本來不信我布毒的本領，後來，當面試過，他才相信。」

蕭翎道：「如何一個試法？」

巫蓉道：「我走過一片草地，暗在草地上布下奇毒，沈木風喚來了兩個不知內情的屬下，由那草地走過，行至一半，人已倒地死去，他才對我刮目相看，讓我在這片怪石上布毒，取你性命，我假裝答應了他。」

蕭翎道：「姑娘家傳用毒之法，已到了出神入化之境，但用毒一道，終非君子行徑，姑娘以後還望謹慎施用，今日之情，我蕭翎身心感受，日後當圖報答，在下就此別過了。」

抱拳一揖，舉步向前行去。

巫蓉急急叫道：「蕭翎，你不能走。」

蕭翎停下腳步，回頭說道：「姑娘還有什麼吩咐？」

巫蓉道：「你先殺了我，再走好嗎？」

蕭翎道：「爲什麼？」

巫蓉道：「因爲你走了，他們也要殺死我，爲什麼不讓我死在你手中。」

蕭翎回顧了一眼，道：「四下無人，姑娘何不逃走？」

巫蓉淡淡一笑，道：「沈木風雖然對我很器重，但他對我卻不放心，因此，點傷了兩處穴道，這傷勢要三日才能發作，只要我聽從他的命令，他立時可以解我穴道。」

蕭翎道：「你相信他的話嗎？」

巫蓉道：「我不相信，但他還說了很多別的話。」

蕭翎道：「說什麼？」

巫蓉道：「他說，如是要我殺別人，他就不會多心了，但因爲是殺你，他才點了我的穴道。」

蕭翎道：「爲什麼呢?在下和別人有何不同?」

巫蓉道：「他說你生得很討女孩子喜愛，女孩家見了你就下不得手！」

蕭翎望望天色，道：「在下並無此感……」

語聲微微一頓，環顧了四周一眼，道：「那沈木風點了你何處穴道，在下瞧瞧，看看能否代姑娘解去。」

巫蓉道：「在我背後左、右雙肩之下，但那沈木風告訴過我，說是一種獨門手法，別人無法解得。」

蕭翎仔細地查看過巫蓉背上情勢，揚手拍了兩掌，道：「在下用內力替姑娘解穴，希望姑娘能夠運氣相應。」

巫蓉道：「好吧！咱們試試看。」

蕭翎找到了巫蓉的傷處，暗中運氣，內力源源攻入了巫蓉體內。

巫蓉運氣相應，全身行血加速。

蕭翎待巫蓉運氣至重要關頭時，突然取開右掌，點出兩指。

巫蓉全身一顫，回頭說道：「怎麼回事啊？」

蕭翎低聲說道：「這是家師傳授我的解穴之法，專解各種奇異和獨門手法點傷的穴道，是否靈驗，在下從未用過，姑娘運氣試試吧！」

巫蓉依言運氣相試，穴道竟已解開，回頭說道：「你本領果然高強，我的穴道已解！」

蕭翎道：「那很好，姑娘穴道既解，可以逃命去啦。」

巫蓉道：「我逃不了，我武功不如人，逃不過他們的追擊。」

蕭翎道：「但你布毒之能，卻是高明異常，為何不用來對敵。」

巫蓉嫣然一笑，道：「你不是告訴過我，那用毒不是君子行徑，要謹慎使用嗎？」

蕭翎一皺眉頭，道：「你用來保命，那就不能算錯了。」

巫蓉道：「你可知道，在這四周的高峰之上，有很多監視我的人嗎？」

蕭翎道：「這……在下不知。」

巫蓉道：「你幫助我解開穴道的事，他們定然已經瞧見，此刻，只要我有所行動，會一直在他們監視之中……」

語聲一頓，接道：「除了你殺死我一途之外，還有一個辦法。」

蕭翎道：「什麼辦法？」

巫蓉道：「帶著我一起走。」

蕭翎道：「在下闖過了四道埋伏，一道比一道高強，讓你和我同行，那不是自投虎口嗎？」

巫蓉神色一變，道：「你怕那位百里姑娘見了生氣，是嗎？」

蕭翎道：「不是！而是在下總覺得，姑娘應該有逃走的機會。」

巫蓉淒然一笑，道：「好吧！你稍留片刻瞧瞧，等我爬入那峰腰的雜林之中，你再走如何？」

蕭翎抬頭望望如削的石壁，道：「這一道光滑石壁，你如何爬得上去？」

巫蓉道：「你助我一臂之力如何？」

蕭翎道：「好吧！姑娘站在我雙手之上，我向上投擲，姑娘也同時施展縱躍身法。」

巫蓉縱身一躍，落在蕭翎雙掌之上，說道：「你如能瞧到我死去，記著在我胸前插上一朵山花，但不要把屍體埋起。」

蕭翎不願再和她多談，雙手運力，高聲說道：「姑娘小心了！」

雙臂一縮一伸，用力投出。

巫蓉柳腰一伸，直向峭壁之上一株突出的矮松上飛去。

蕭翎暗中運力，目注巫蓉，擔心她萬一抓不到矮松跌落下來時，好接住她的嬌軀。

只見巫蓉的身軀，懸空打了兩個翻轉，雙手抓住了矮松。

蕭翎長長吐一口氣，暗道：她只要能夠進入叢林，沈木風怕她在林木中布毒，不敢緊追，總有一半逃命的機會。

心念尚未轉完，突聞一聲尖叫，傳了過來。

抬頭看去，只見巫蓉由山壁直滑下來。

蕭翎吃了一驚，急急向前踏了兩步，接住了巫蓉的身軀。

只見那巫蓉前胸上插著一支長箭，臉色慘白，苦笑說道：「我說逃不出去，你不相信，現在相信了吧。」

蕭翎怒聲說道：「我替你報仇！」緩緩放下了巫蓉。

巫蓉急急說道：「不要去！他們在暗中埋伏，放暗箭施襲，你就算能夠搏殺他們，也要消耗去甚多的體力。」

蕭翎心中暗道：這話也有道理。

低頭細查巫蓉前胸傷勢，那長箭入內甚深，但只要未刺入內臟，箭上無毒，並非是難救之傷，當下說道：「蓉姑娘，這箭上有毒嗎？」

巫蓉搖搖頭，道：「沒有覺出，似是無毒。」

蕭翎道：「是否射入內臟呢？」

巫蓉道：「我不知道，但疼得很厲害。」

蕭翎道：「姑娘忍著點疼，在下幫你拔出長箭。」

巫蓉道：「你要幹什麼？」

蕭翎道：「如是姑娘的傷勢無礙，在下可以包紮好姑娘的傷勢再走。」

巫蓉道：「不用了，你時間不多了，我想明白了，既然難免一死，爲什麼不要他們抵償呢？至少我可撈兩條命的本錢回來。」

蕭翎道：「姑娘有此能耐，在下深信不疑，但殺敵能夠保命，那才應該，你這般和他們同歸於盡，那就犯不著了。」

巫蓉道：「除了同歸於盡之外，我想不出有什麼法子。」

蕭翎道：「療好傷勢，跟我一起走，也可助我一臂。」

巫蓉似是不相信自己的耳朵，眨動了一下圓圓的大眼睛，道：「你說什麼？」

蕭翎微微一笑，道：「在下也想明白了，姑娘留此，已成必死之勢，倒不如和我一同冒險了。」

巫蓉痛苦的神情中，泛現起一臉歡愉之色，道：「你不怕那位百里姑娘生氣嗎？」

蕭翎道：「她若知道你爲了救我，背叛那沈木風，自然不會生氣了。」

巫蓉道：「好！見她之後，你就很耐心地給她解說清楚。」

蕭翎神色嚴肅地說道：「我要事先給你說明白，看前面安排的情勢，我闖過的希望不大……」

巫蓉道：「我一個人留這裏一定要死，跟你走或有一分生機。」

蕭翎道：「好！那你現在要忍著點痛。」

右手握著箭杆，用力一拔，長箭應手而出。

一股鮮血，激射而出，噴了蕭翎一身。

蕭翎取出金瘡藥，包好巫蓉傷勢，低聲說道：「很痛嗎？」

巫蓉搖搖頭，站起身子，道：「咱們走吧！」

蕭翎抬頭看看天色，道：「你真的可以走嗎？」

巫蓉道：「不礙事。」

蕭翎道：「好！咱們現在走，不過，你還要答應我一件事，我和人動手之時，你不能隨便出手……」

巫蓉道：「我若是用毒呢？」

蕭翎道：「那也不能冒險……」

輕輕歎息一聲，接道：「巫姑娘，這谷中的八道埋狀，一道比一道凶險，我如是稍有分心，必然會造成失誤，你如涉險，必分我心。」

巫蓉點頭笑道：「我記下了，咱們走吧！」

當先舉步向前行去。

蕭翎道：「你走後面。」大步搶在巫蓉前面而行。

兩人行約百餘丈，又轉出一道山坳。

蕭翎抬頭看去，只見山谷開闊，兩面山壁之間，距離百餘丈，好一片搏鬥之地，心中暗道：如若沈木風在此設下埋伏，必然是一些武功高強人物，準備各憑武功，打一場硬仗。

只聽巫蓉的聲音由身後傳了過來，道：「蕭大俠，我害過你和你的朋友，你心中一點也不記恨嗎？」

蕭翎想起了鄧一雷和展葉青，他們生死未卜，心中暗道：如論你們祖孫所作所為，我實也不應該關心於你。

口中卻應道：「你雖然害過我，但今日卻救了我，我逼你離開，害你受傷，心中極是不安

……」

巫蓉接道：「所以，你才關心我的生命？」

蕭翎回過頭來，道：「也不全是如此。路見不平，拔刀相助，乃是習武之人的本色，姑娘身受箭傷，處境危難，既覺得跟在下同行，才有生機，在下豈能推辭。」

巫蓉輕輕歎息一聲，道：「你是英雄，所以才肯帶我走，因爲我是一個弱女子，無依無靠，身世淒涼，你憐憫我，同情我，才答應我，是嗎？」

蕭翎回目望去，只見她的一雙星目中，滿含著晶瑩的淚水，臉上是一片茫茫無依的神情，不禁心中一動，暗道：我如據實而言，必將大傷她心，此情此景，實是不宜直認了。

心中念轉，口中說道：「姑娘只能算說對了一半，因爲姑娘棄邪歸正，這勇氣是何等的令人欽敬，在下自當盡我之能，助姑娘脫出危險。」

巫蓉慘然一笑，道：「人家稱你蕭大俠，果然不錯，這些理由，是何等的博大，怎能不叫人心服口服呢？」

語聲一頓，道：「咱們快些走吧！」突然放步向前奔去。

蕭翎心中大急，一提氣，向前追去。

他輕功卓絕，豈是巫蓉及得，不過一會兒，已然追在巫蓉身後。

只要再有一丈左右距離，蕭翎就可越過巫蓉。

就在這瞬息之間，突聞一聲厲喝，道：「小丫頭再走快些。」

喝聲中，四點寒芒，疾如流矢一般，直射而來，分取蕭翎前胸、小腹。

蕭翎雙掌齊出，波波兩聲，擊落了射來的暗器。

他手上戴有蛟皮手套，不畏鋒刃所傷，發掌拍落暗器。

但這一耽誤間，巫蓉已奔出了一丈開外，只見人影閃動，四個大漢，疾閃而出，放過巫蓉，攔住了蕭翎的去路。

但聞一個蒼勁的聲音，說道：「小姑娘，快躲到右面大岩後去。」

原來，那右面山壁之處，有一塊突出的大岩，這一關埋伏之人，卻藏在那大岩之後。

巫蓉大聲說道：「你們要當心啊！他武功高強得很……」

說話時，人也停了下來，躲在那現身四個大漢之後，喘著氣接道：「我受了傷，跑不動啦！」

蕭翎揮掌擊落暗器之後，本想施展燕子三抄水的輕功，追上巫蓉，解救於她，但見她躲在那大漢之後，分明是又改了主意，想重投沈木風的手下，立時停下來腳步，心中暗道：這丫頭自幼在巫婆婆教育之下，人性已變，不知曉什麼正邪之分，見利忘義，遇險變節，才是她的本性，我寄望她棄邪歸正，自然是期望過高了。

他生具俠義天性，眼看巫蓉重新投敵，心中並不氣怒，反而覺著少了一個累贅，暗中吸了一口氣，說道：「你這一陣準備如何和我蕭翎動手？」

只聽一個蒼勁的聲音道：「這一陣和你比拚真實武功。」

隨著那回答之言，巨岩之後，緩步走出一個花白髮鬚垂胸，寬臉大額的老人。

蕭翎目光轉動，只覺此人面孔陌生，從未見過，當下拱手，道：「閣下何許人？」

那老人不答蕭翎的問話，兩道目光盯注在蕭翎的臉上，打量了一陣，道：「你能連闖五陣，足見很高明，倒叫老夫生出憐惜之心。」

蕭翎心中暗道：聽他口氣，似是並非那沈木風的屬下。

仔細看去，只見那四個攔路大漢的衣服，都很特殊，不管什麼顏色的衣服，前胸上都繡著一個黃色的虎頭。

這分明是一種標識，只是蕭翎卻無法認出這標識代表著什麼。

只聽那老人冷冷說道：「蕭翎，你在想什麼？」

蕭翎緩緩說道：「我在想你們胸前繡的虎頭，代表著什麼。」

那長髯老人冷冷說道：「諒你小小年紀，也不會認出這標識代表著什麼。」

蕭翎道：「就算在下認不出來，但在下可以斷言，閣下等決非百花山莊中人，只是沈木風邀來的助拳之人！」

長髯老者哈哈一笑，接道：「你雖沒有見識，但卻很聰明，沈木風邀請老夫等師徒助拳，雖許以豐厚的報酬，但那並非是老夫答應的主要原因了。」

蕭翎道：「沈木風自視極高，閣下能受邀而來，足見是一位大有名望的人物。」

長髯老人哈哈一笑，道：「老夫說你聰明，果然不錯……」

語聲一頓，聲音突轉冷漠，道：「老夫師徒們擺下一座飛虎陣，數十年來，能從飛虎陣中逃生之人，實也不多，老夫對你一見有緣，只要你能答應老夫兩件事，老夫可以推卻那沈木風優厚的報酬，放你過關了。」

蕭翎道：「不知閣下要蕭某答應何事？還望能夠先行說出，讓在下考慮一下，如是閣下提的條件太過苛刻，在下未必答應。」

長髯老人怒道：「好狂的小娃兒，你還要考慮老夫所提的條件？」

語聲一頓，接道：「不過，老夫很欣賞你這份膽氣，破例優容，先告訴你吧！老夫這飛虎大陣，花了我畢生精力，才研究而成，共計十人，才能使飛虎大陣的威力，步上巔峰，但老夫只收了九個徒弟，使全陣缺了一環，遇到強敵還要老夫親自出馬，主持陣勢，老夫以此為憾，但良材難求，也是無可奈何，你如肯投我門下，補足飛虎陣的缺憾，老夫就放你過關。」

蕭翎淡淡一笑，道：「還有第二個條件呢？」

長髯老人道：「聽說你要去救一個女娃兒，是嗎？」

蕭翎道：「不錯，閣下怎生知曉？」

長髯老人道：「沈木風告訴老夫的，不過老夫門下，嚴禁女色，你如答允拜我門下，老夫就助你救了那女孩子，然後，要她離開，此後永不能和你相見……」

說罷，仰天打個哈哈，接著又道：「怎麼樣，老夫這條件很簡單吧？」

蕭翎道：「條件雖然簡單，但在下卻不能答應。」

那長髯老人似是不相信自己耳朵，道：「什麼？你不答應？」

蕭翎道：「是的，閣下這兩條件，在下是一件也不能答允。」

長髯老人怒道：「你是活得不耐煩了。」

舉手一招，另外有五個大漢，由那巨岩後奔了出來。

蕭翎右手取出短劍，平胸而舉，緩緩說道：「閣下不用慌，在下待閣下飛虎大陣擺成之後，再行動手。」

那些大漢動作熟練，奔出巨岩，立時各就方位，片刻間，陣勢已成。

蕭翎短劍一揮，道：「諸位小心，蕭某闖陣了。」舉步向前行去。

他神情間雖然輕鬆，但心中卻未小覷強敵，暗中提氣，準備一出手就搶先機。

九個布陣大漢，各執著一柄巨斧，只有老人赤手空拳，居於陣中。

蕭翎心中暗作盤算，道：我如先行傷他們兩人，使全陣變化受阻，或可一舉通過，至少，可使這飛虎陣的攻勢威力，減少一些。

當先兩個大漢，似是虎頭，走近五尺左右，一齊舉起手中巨斧。

蕭翎暗道：好啊！他們竟不肯讓我先機。

左手一屈，準備施展彈指神功，先傷他們一人。

只聽兩聲悶哼，傳了過來，兩個當先舉斧的大漢，突然拋去了手中兵刃，捧著小腹蹲了下去。

那長髯老人怒道：「兩個飯桶，怎麼陣勢尚未發動，就受了傷呢？」

只聽那兩個大漢齊聲應道：「師父，弟子腹疼如絞。」

長髯老人道：「爲什麼忽然腹疼起來？」

這時，巫蓉已悄然退到一側，聞言接口說道：「因爲他們中了我下的奇毒。」

長髯老人道：「臭丫頭，老夫先斃死你。」揚手劈了出去。

巫蓉縱身閃開，笑道：「你的武功最高，我下毒也最重。」

長髯老人劈出了一掌之後，突然一皺眉頭，第二掌竟是無力發出。

原來，他劈出一掌之後，只覺小腹內一陣劇疼，有如利刃絞腹，其疼無比。

緊接著，餘下七人，個個棄去手中巨斧，捧著肚子蹲了下去。

蕭翎眼看幾人腹疼之狀，和那日店中所見一般無二，心中確知巫蓉下毒，心中暗道：我還道她當真叛我而去，原來她在使用詐術，藉機下毒。

飛虎大陣，十個人，九個捧腹蹲在地上，只有那長髯老人，仍然肅立不動，但卻也在極力忍受著痛苦，頂門上汗水滾滾而下。

巫蓉突然感覺到一陣羞赧，泛上雙頰，緩緩說道：「你瞧著我幹什麼？」

蕭翎輕輕歎息一聲，道：「你幾時下毒，我怎麼沒有瞧到。」

巫蓉道：「要是被你一眼就瞧出來，我如何還能傷得別人。」

蕭翎道：「看起來，你已盡得令祖之能了。」

巫蓉搖搖頭，道：「差得很遠，算起來，我得祖母之能不過十之二、三。」

只見那長髯老人冷哼一聲，也緩緩蹲了下去。

這時，另外的九個人，功力不如那長髯老者，早已忍受不住腹內疼痛，失聲而叫。

蕭翎低聲說道：「蓉姑娘，這些人會死嗎？」

巫蓉搖搖頭，道：「不會，但他們永不停息地疼下去，到無法忍耐時，大都要自絕而死。」

蕭翎道：「這毒物很殘忍。」

巫蓉淡淡一笑，道：「嶺南二魔殺死了我的奶奶之後，使我體會出江湖上的險惡、可怖，我武功不能自保，只好在下毒方面用功夫了，所以，我用毒之技，比過去進步很大……」

望了那蹲在地上的十人一眼，緩緩接道：「這些人和你無怨無仇，素不相識，為什麼要來殺你？他們如是那沈木風的部屬，還情有可原，但他們都不是，和咱們作對的原因，不是為名，就是為利，咱們不殺他們，就要為他們所殺了。」

突然伏身撿起一柄巨斧，揮手掄動，一斧一個，片刻間，十個人盡為她劈死斧下。

蕭翎目睹那十具屍體，不是身首異處，就是腦袋被生生劈開，死狀至慘，不禁暗暗歎息了一聲，忖道：這丫頭心中，似是充滿了激怒、悲憤，日後要疏導於她才成。

巫蓉連劈了十人之後，投去手中巨斧，笑道：「蕭兄，咱們走吧。」

蕭翎道：「咱們把十具屍體掩埋起來，再走好嗎？」

巫蓉搖搖頭，道：「不用了，這兩面峰腰中，都有沈木風埋伏的人手，咱們去後，他們自會前來收屍。」

蕭翎點點頭，道：「咱們走吧！」

搶在巫蓉身前，接道：「蓉姑娘，沈木風未把你背叛百花山莊一事，傳告各路埋伏，你才這般輕易得手，但可一不可再，他們吃過這次苦頭，不會再諱疾忌醫，定然把你叛離百花山莊一事，通知了最後兩陣中人。」

巫蓉道：「你說了半天，我還是不明白你的意思。」

蕭翎道：「我的意思是說，下一陣，你不要出手，站在我身後，替我掠陣。」

巫蓉道：「如是我有機會幫助你，難道也站著不動，是嗎？」

蕭翎道：「那倒不是，在下之意是，姑娘不要再用詐術，如是有機會助我，在下仍是感激不盡。」

巫蓉輕輕歎息一聲，道：「謝謝你這樣的關心我，自從我奶奶死去之後，你是第一個真正關心我的人。」

蕭翎聽得一怔，急急舉步向前行去。

巫蓉緊隨在蕭翎身後而行。

這時，太陽已爲高峰所阻，天色逐漸地暗了下來。

蕭翎振起精神，又轉過兩個山彎，耳際間忽聞水聲淙淙。

凝目望去，只見眼前峽谷中，一片碧水，攔住了去路。

兩面岸壁間，流泉潺潺，在去路邊聚成了一灣潭水，寬約五丈，縱然是世間第一流的輕功，也無能在一躍之下，飛登彼岸。

蕭翎望著那一片碧水，不禁爲之一呆，出神半晌，說不出一句話來。

原來他千算萬算，確未想到，會有一片潭水攔路。

巫蓉也大感意外，不禁一皺眉，道：「蕭兄，你會水上功夫嗎？」

蕭翎道：「不會。」

巫蓉道：「我也不會。」

蕭翎道：「沈木風早已知曉我不會水中功夫，既有這片天然的障礙，他豈會棄之不用，沈木風定然會利用這片天然的屏障，布下惡毒的埋伏。」

巫蓉正待接言，突見彼岸人影一閃，一個用樹身連結的木筏，緩緩行了過來。

原來，那木筏靠在潭邊一角，上面覆以青草，是以很難看得出來。

兩條人影，躍上木筏，緩緩划動，直向蕭翎停身之處行來。

蕭翎看到那木筏之後，心中一動，暗道：以我此時成就，一躍三丈，尙非難事，只要那木筏行入潭心，我即可一躍而上，借木筏之力，躍登彼岸，只要能足踏實地，那就不用怕他們了……

突然想到了巫蓉，不禁爲之一呆，想好的計畫，頓然受阻。

原來，巫蓉的輕功決難借木筏之力躍登彼岸，這迅雷不及掩耳之策，實已無法再用了。

他天生的俠肝義膽，心想既然答應了帶著巫蓉，決不能中途棄之不顧。

目下情勢，只有待那木筏駛近，再行見機行事了。

忖思之間，木筏已然行近岸邊。

蕭翎凝目望去，只見那木筏上兩個人，其中之一，竟然是逍遙子。

不過，逍遙子此刻已然脫下道袍，換著了一身疾服勁裝。

另外一人年紀很輕，身著青衫，頷下無鬚，僵直地站在木筏上，有如一副木雕泥塑的人像。

蕭翎心中暗道：這人的樣子很奇怪，不知是何許人物，但是既然為沈木風做埋伏人手，自非是平常人物。

心中念轉，口中卻冷冷說道：「我道是誰，原來是逍遙子道長。」

逍遙子微微一笑，道：「蕭大俠果然厲害，一眼就瞧出貧道。」

蕭翎道：「別說道長換著衣服，就是你火燒成灰，在下也能認出。」

逍遙子笑道：「山行艱難，著袍不易行動。」

蕭翎冷笑道：「想不到道長和四海君主，竟然歸服了沈木風。」

逍遙子道：「我們是有條件的合作！」

蕭翎冷冷說道：「不管是歸服了沈木風也好，或你們是有條件的合作也好，對於在下來

說，並無不同……」語音一頓，道：「道長在這裏設的何等埋伏，蕭某如何過關還請說明，在下恭候吩咐！」

逍遙子不理蕭翎問話，目光卻轉到巫蓉臉上，緩緩道：「對令祖之死，貧道無限抱憾。」

巫蓉道：「你是貓哭耗子假慈悲呢，還是真的有抱疚之心？」

逍遙子道：「自然是真的抱疚了。」

巫蓉道：「我奶奶已經死了，你抱疚又有何用，如是你良心不安，那就幫我一次忙吧！」

逍遙子道：「要貧道如何幫助姑娘呢？」

巫蓉道：「很簡單，只要你幫我們渡過這片潭水，就行了。」

逍遙子道：「孩子，你可知曉那水潭彼岸，擺好了一座五龍大陣，在等候你們嗎？」

巫蓉道：「什麼五龍大陣？」

逍遙子道：「那是沈木風賴以對付武林高手的奇陣，費了他無數心血。」

蕭翎道：「在下見識過了，那也不足爲奇，只是幾個穿著奇服異裝，刀槍不入的怪人罷了。」

逍遙子歎了一聲，放低聲音道：「蕭大俠，你雖然英勇絕世，但你今日只有一個人啊！」

蕭翎道：「在下不解道長言中之意。」

逍遙子道：「好！貧道再說明白一些，此時此地，蕭大俠是最需要別人幫助的了。」

蕭翎道：「道長心意難解，還請明說了吧！」

逍遙子點點頭，答道：「蕭大俠進入禁宮得了何物？」

蕭翎道：「一把斬鐵如泥的短劍，也正因在下有此短劍，才不畏那沈木風的五龍大陣。」

逍遙子道：「還有呢？」

蕭翎道：「簫王張放的武功秘錄……」

逍遙子接道：「不錯，據在下所聽得消息，那宇文寒濤已然把張放的武功秘錄，交給了你蕭大俠，是嗎？」

蕭翎道：「不錯，怎麼樣？」

逍遙子按制著胸中的喜悅，淡淡笑道：「如若蕭大俠願以張放秘錄相贈，貧道願全力相助蕭大俠救出那百里姑娘。」

蕭翎心中暗道：這人貪心得很，倒也不必以君子手法對付他。

但聞逍遙子接道：「蕭大俠請仔細想想，那百里姑娘的性命重要呢，還是你那本張放武功秘錄重要？取捨之間，任憑蕭大俠，貧道決不勉強。」

蕭翎心中忖道：張放武功秘錄，我已轉奉岳姊姊，少林的彈指神功和華山劍法，我交給了鄧一雷和展葉青，此時此情之下，就算他們取了蕭翎之命，也是無法取去武功秘錄，我何不以此作餌，誘他說出一些內情，也好作我對敵的參考。

心中念轉，口中卻說道：「道長的耳目果然是靈敏得很。」

逍遙子道：「我們沒有很多的時間，蕭大俠意下如何？必得快作決定才成。」

蕭翎長長吁一口氣，強自按下心中的焦急，緩緩說道：「在下身處險境，還可沉得注氣，道長又急什麼呢？何況，沈木風設下埋伏，用那百里姑娘誘迫在下來此，在下未見那百里姑娘之前，我想他不會加害那百里姑娘。」

逍遙子道：「貧道只知蕭大俠的武功高強，卻不料你這養氣的功夫，竟然也已達到了這等高深的境界。」

蕭翎道：「一本簫王武功秘錄，如若真正能以救得百里姑娘和在下，再加上這位巫蓉姑娘，一共三條命，在下自是不會吝惜區區一本秘錄。」

逍遙子望望天色，道：「看來咱們這筆生意談成的希望很大。」

蕭翎道：「那要看你逍遙道長有多大本領了。」

逍遙子道：「此話怎講？」

蕭翎道：「閣下自覺武功比那沈木風如何？」

逍遙子淡淡一笑，道：「貧道自知單打獨鬥，要輸上沈木風一籌。」

蕭翎道：「用略施計謀呢？」

逍遙子沉吟了一陣，笑道：「貧道和沈木風相較，當在伯仲之間。」

蕭翎道：「若照在下的看法，道長的心機、惡毒，都難及得那沈木風，就算你們在伯仲之間，此刻，兩岸峭壁，都佈滿了沈木風的耳目，道長的謀叛行動已經暴露，那沈木風會立刻得到消息，那時道長自顧尚且不暇，又如何能照顧到我等三人呢？」

逍遙子淡淡一笑，道：「蕭大俠不只武功越來越強，而這動用心機上，似乎是也有了很大的進步。」

蕭翎道：「這要拜謝諸位之功了，和你們幾位善用心機的高手相處，在下是不進步也得進步了……」

語聲一頓，接道：「逍遙道長準備如何相救我等，還望先行相告，如是確然可行，在下自會奉上張放的武功秘錄。」

逍遙子道：「看來蕭大俠對沈木風也有著很大的顧忌……」

隨即伸出右手，接道：「拿過來吧！貧道立時將告訴你們離此之法……」

蕭翎道：「拿來什麼？」

逍遙子道：「張放武功秘錄。」

蕭翎搖搖頭，道：「在下還未見百里姑娘之面，就是見了面，也不能立時交付於你。」

逍遙子道：「爲什麼？」

蕭翎道：「咱們講的是救我們三人之命，待我脫出危險之後，再給你張放的武功秘錄不遲。」

四二　玉殞香消

逍遙子道：「蕭大俠這般不信任貧道，要貧道如何能夠信任過你呢？」

蕭翎道：「咱們誰也不用信任誰，一切都要按部就班做去，現在，在下想先渡過此潭。」

逍遙子略一沉吟，道：「好！你們兩位上來吧！」

蕭翎低聲說道：「巫姑娘，咱們躍上木筏，一切由在下對付，姑娘不用開口，也不用多管閒事。」

巫蓉點點頭，嫣然一笑，躍上木筏。

蕭翎緊隨著登上木筏。

逍遙子低聲說道：「蕭翎，張放武功秘錄，可帶在身上嗎？」

蕭翎道：「咱們還未談好，恕在下不便奉告。」

逍遙子舉手一探，木筏已向前面行去，輕輕咳了一聲，道：「咱們在登上對岸之前，必須談好，如是不能談妥，對岸就是五龍大陣，蕭大俠登上岸不過五丈，就要陷入了五龍大陣之中。」

蕭翎道：「道長可以說出救我等三人之法了。」

逍遙子突然重重咳了一聲，木筏停在潭心，道：「救兩位的辦法嗎？就在這潭水之中。」

蕭翎抬頭看去，木筏距對岸還有三丈多些，四丈不到，自己或可冒險一試，但巫蓉是萬萬無能躍登對岸……

心中念頭轉動，口裏說道：「道長可是知在下不會水中功夫，準備在木筏上施展手腳？」

逍遙子搖搖頭，低聲說道：「非也，蕭大決盡你目力，四面看看，你能看得多遠？」

這時，夜幕已垂，兩面峭壁夾峙，谷中更見黑暗。

蕭翎流目四顧了一眼，道：「可看五丈左右。」

逍遙子道：「這就是了，以你蕭大俠的目光，只不過能看得四、五丈遠，沈木風埋伏山峰監視貧道之人，武功自是難比你蕭翎，他們此時已然無法看到咱們了。」

蕭翎道：「這和道長相救我們之法，有何關連？」

逍遙子道：「很簡單，貧道要李代桃僵之法，安排一個假的蕭翎，去闖五龍大陣……」

蕭翎接道：「就算有人假冒在下，去闖五龍大陣，在下等又如何逃出此谷呢？又如何去救那百里姑娘？」

逍遙子低聲說道：「一把火燒去五龍……」

蕭翎道：「也燒死那假的蕭翎。」

逍遙子道：「這和你無關，不勞費心。」

蕭翎道：「百里姑娘呢？」

逍遙子道：「貧道已查看過地勢形態，一施展火攻，不但燒死五龍，而且也將燒亂沈木風的陣角，我已早布內應，火起之後，自有人帶那百里冰姑娘和咱們會合。」

蕭翎道：「那人是誰？」

逍遙子道：「這個嘛，在下已有安排，此事和閣下無關。」

蕭翎道：「自然有關了，在下要知曉那人是何許人物，看他是否有能力救出那百里姑娘。」

逍遙子道：「就算貧道告訴你，你也不知曉他是誰。」

蕭翎早已暗中打量過四面的景物，心中卻想著對敵之法，覺出只有出手生擒逍遙子，才能平安地渡過這片水面，但此人武功高強，如是想出手一擊就生擒於他，實非易事，必得在他全然無備之下出手，才能有望。

這一擊關係著成敗生死，是以蕭翎絲毫不敢大意，口中笑道：「道長安排那假冒在下之人，又在何處呢？」

逍遙子右腳在木筏上連點三響，水花一冒，一個身著油綢子水衣褲的人，突然由水中翻上木排。

敢情那大漢就躲在水中木筏之下。

蕭翎心中暗道：糟糕，原來有兩個敵人，現在又多上一個了。

逍遙子輕輕咳了一聲，道：「你脫下水衣、水褲。」

那大漢應了一聲，脫下水衣、水褲。

逍遙子道：「蕭大俠天生英俊之貌，遍天下只怕很難找出一個像你之人，因此，貧道只好找一個身材類似的人，好在那五龍神智不清，身披重甲鱗衣，諒他們也無法瞧出蕭大俠。」

蕭翎仔細打量那人一眼，果然身材和自己相差無幾，心中暗道：看來，這逍遙子是早有準備了。

當下說道：「在下還有一點不解之處，請教道長。」

逍遙子道：「什麼事？」

蕭翎道：「如是道長取得簫王張放秘錄，如何逃過沈木風的追擊？」

逍遙子道：「這是貧道的事，用不著和蕭大俠研商吧！」

蕭翎道：「好！就依道長之意，帶我們渡過吧！」

逍遙子微微一笑，道：「並非貧道以小人之心度君子之腹，只因咱們在敵對相處之境，貧道不得不小心一些。」

蕭翎道：「道長可是要在下，先把那簫王張放的武功秘錄，交付道長，是嗎？」

逍遙子道：「那樣太不公平，貧道只要蕭大俠取出那張放秘錄瞧瞧，然後仍由你蕭大俠保管，屆時，咱們一手交人，一手交那秘錄，彼此誰也不要取巧，不知蕭大俠意下如何？」

蕭翎道：「此時此地，時機不宜！過了這片潭水，再看不遲。」

逍遙子道：「因爲蕭大俠不會水中功夫，不願在水中和貧道鬧翻，是嗎？」

蕭翎心中暗道：我輕易不用詐術、謊言，今爲形勢所迫，使用一次，就要被人當場拆穿。

心中念轉，口中卻冷冷說道：「道長認爲這區區一片潭水，就能使我蕭翎屈服，聽憑擺佈？」

逍遙子道：「瞧瞧蕭大俠懷中秘笈，不算過苛之求吧！蕭大俠來此之前，可能把秘笈交付他人，如是果有此事，貧道甘冒奇險，相助閣下，豈不是白費了一番心機嗎？」

蕭翎暗道：糟糕！非被他逼得露出馬腳不可。

只聽巫蓉冷冷說道：「不用看了。」

逍遙子微微一怔，道：「爲什麼？」

巫蓉道：「因爲你們已經中了毒，就算把簫王張放的武功秘錄給你，你也沒有機會學了。」

逍遙子怔了一怔，道：「有這等事？」

巫蓉道：「你不信，是嗎？」

逍遙子道：「貧道和令祖母有過交往，對她用毒之能，十分敬佩，因此，對你也十分留心，自從登舟之後，貧道一直注意著你的舉動，你雙手未動過，如何下毒？」

巫蓉隨口答道：「自我記事，就沒有見過你和我奶奶有來往過……」

逍遙子道：「貧道說這話，二十多年了，那時，你大概還未出世。」

巫蓉答道：「這就是了，我奶奶退隱之後，已經研究出一種新的下毒之法！可以隔物傳毒，刀上、劍上，都可傳毒！」

逍遙子笑道：「如若貧道的記憶不錯，咱們似乎是未動過手。」

巫蓉道：「但你站在木筏上，我借著木筏傳過奇毒。」

逍遙子呆了一呆，道：「當真嗎？」

卻在心中暗道：寧可信其有，不可信其無，當下運氣相試。

巫蓉就在他運氣分神之時，輕輕揮手一彈。

她早已預謀，等待機會，悄然移位，只待順風吹來，才接口說話。

逍遙子運氣一試，並無中毒之徵，不禁冷笑一聲，道：「小丫頭，竟敢向貧道用詐。」

巫蓉道：「我說的千真萬確，不信你再試試。」

一般人運氣之後，大都要深深吸一口氣，逍遙子亦不例外，當下長長吸一口氣，只覺一股異味，撲入鼻中。

原來，巫蓉並無隔物傳毒之能，只是施詐騙他運氣相試，然後，才借風勢放毒。

逍遙子一生精明，卻未料到巫蓉人小鬼大，騙他上當。

固然，逍遙子因震於巫婆婆用毒之能，才信了巫蓉隔物傳毒的謊言。

但他究竟是一代雄才，覺得有異，立時警覺，左手一揮，疾向巫蓉劈去。

蕭翎身子一側，右手揚起，接下逍遙子一掌。

雙方掌力接實，響起了一聲大震。

巫蓉急急叫道：「蕭兄，別讓他搶到上風。」

她這奉告蕭翎之言，也無疑告訴了逍遙子，順風放毒。

逍遙子一面閉住呼吸，一面側身搶攻，希望能搶到上風。

原來，他自知已經中毒，雖然及時警覺，中毒不深，但巫婆婆調合之毒，都是奇烈無比，只有在毒性未發之前，把蕭翎逼向下風，讓他也中巫蓉施放之毒。

但因蕭翎連番奇遇，武功進境奇速，逍遙子雖然搶了先機，但連攻數招，均爲蕭翎逼退。

雙方動手相搏數招，也就不過是眨眼間工夫，那僵直的青衫人和黑衣人，已同時出手，攻向蕭翎兩側。

蕭翎右手屈指彈出，一縷暗勁，破空而出。

這正是少林寺彈指神功。

那黑衣大漢人還未欺近蕭翎身側，突覺右胸一麻，被蕭翎彈指神功，擊中穴道，站立不穩，一跤跌下潭去。

砰的一聲，水花四濺。

逍遙子微微一怔，幾乎吃蕭翎掌勢擊中，心中暗道：這小子的武功，似是又長進了不少，看來，只有在水中擒他一途了。

心中念轉，縱身一躍，飛落水中，同時大聲叫那青衣人道：「快下來。」

蕭翎目睹逍遙子躍入水中，已了然他用心，要掀翻木筏，準備在水中生擒自己和巫蓉，哪裏還容那青衫人躍入水中，當下左手一抬，硬接那青衣人一拿，右手卻斜裏伸出，扣拿那青衣人的脈穴。

但聞波的一聲，雙掌接實，蕭翎竟然被震得向後退了一步。

這青衣人奇高的功力，大出了蕭翎意料之外，心中暗道：此人掌力之強，實不在那逍遙子的掌力之下。

那青衣人掌力雖然強猛，但舉動卻是有欠靈活，蕭翎疾快攻出的右手，竟然一把擒拿住了他的腕脈要穴。

這一次，又是大出了蕭翎的意料之外。

原來，以那青衣人掌上雄渾的掌力而論，應不該避不過這一擊。

這不過一眨眼間的時光，那青衣人聽逍遙子呼叫之言，跳入潭中時，右手脈門，已爲蕭翎拿住。

那青衣人反應出奇的遲緩，只管遵從那逍遙子的命令，也不管右手是否已被人扣拿住了脈穴，奪身向水中跳去。

蕭翎也想不到，拿住他脈穴之後，他竟然仍然向水中衝去。

不禁心中一震，暗道：這人不知練的什麼武功，似是他這手臂、四肢，都和他無關。

蕭翎怕弄翻木筏，不敢用力拖他，大跨一步，左手一揮，切了下去。

但聞格登一聲，那青衣人一條手臂，被蕭翎一掌切斷。

同時右手一鬆，那青衣人如願以償地跳入水中，口中卻發出一聲悶哼。

顯然，蕭翎一掌切斷那青衣人的右臂，已使他感覺到痛苦。

蕭翎冷笑一聲，道：「我還道你不知疼痛呢！原來你也會感覺到骨折之疼……」

語聲未落，突然一晃，腳下木筏，直向一側翻去。

蕭翎急急移動身子，施展千斤墜的身法，向下壓去，穩住木筏，回頭對巫蓉道：「蓉姑娘，在水中下毒。」

這句話說的聲音甚高，似是有意讓逍遙子等聽到。

巫蓉目注蕭翎，微一搖首，口中卻大聲叫道：「逍遙前輩，你們三人都已中毒，雖然你內功深厚，可抗拒一時，但也支持不過一盞熱茶工夫，毒性就要發作，只要我們能穩住木筏，便可以跳到岸上，你們似是只有死亡一途了。」

只見水花一冒，逍遙子露出一個腦袋，道：「我把你翻入水中，生擒你們兩人之後，不怕找不到解藥。」

巫蓉道：「好，蕭兄，咱們躍向岸上，讓他們毒發而死。」

逍遙子看那木筏，距岸邊不過三丈，他們一躍登岸，決非難事，放下臉說道：「賢侄女，可是準備和我談談條件嗎？」

巫蓉道：「是啊！只是不知你是否肯答應？」

逍遙子道：「只要公平，咱們不妨談談。」

巫蓉道：「你們在水中，推動木筏，把我們送到對岸，我就奉贈三粒解藥。」

逍遙子道：「條件我倒是願意答應，不過你要找個保人。」

巫蓉道：「哪裏去找保人？」

逍遙子道：「那就要蕭大俠作保吧！」

巫蓉回眸一笑，道：「蕭兄，願不願保我，我們女孩子家，有很多話，可以說了不算。」

蕭翎冷冷說道：「逍遙子，只要你不再施展詭計，把我等送登岸上，在下當可擔保巫姑娘給你們三粒解藥。」

逍遙子道：「蕭大俠一言九鼎，不能和巫姑娘同日而語，我們送你們過去。」言罷，隱入水中不見。

果然，足下木筏，緩緩向對岸行去。

蕭翎暗中運氣戒備，防那逍遙子暗中搗鬼。

只覺木筏行速甚快，片刻間，已到了對岸。

蕭翎、巫蓉不待那木筏靠好，縱身一躍，登上實地。

只見水花一冒，逍遙子躍登上岸，道：「蕭大俠，你說過的話，莫是不算？」

蕭翎道：「焉有不算之理……」

回目一顧巫蓉，道：「給他們解藥。」

巫蓉拿出三粒藥丸，一抖手，投了過去，道：「我奶奶如非受你蠱惑，此刻她還好好的活著，這筆帳我要記在你的身上了。」

逍遙子接過解藥，不理會巫蓉，卻望著蕭翎長長歎息一聲，道：「蕭大俠的武功，似是又長進了許多，貧道偷雞不著蝕把米，並非是貧道計算有錯，實是你蕭大俠武功進境，大出了常情預料。」

回手對水潭一招，接道：「你們上來。」

但見水波翻花，那青衣人和黑衣大漢，一起行了過來。

逍遙子分給兩人各一粒解藥，道：「吃下去。」

蕭翎冷笑一聲，道：「看來閣下還是不肯信那丹丸是解毒之藥，要我蕭某擔保何用？」

逍遙子淡淡一笑，把手中藥物吞了下去，道：「此等情勢之下，兩位也用不著再下毒了！」

蕭翎望了逍遙子一眼，道：「我們就要過那五龍大陣，閣下可以走了。」

逍遙子道：「蕭大俠多多保重，那五龍大陣，凶險無比。」

縱身躍上木筏，那青衣人和黑衣大漢，也隨著登上木筏，划向對面。

蕭翎仰臉望著滿天星斗，長長吁一口氣，道：「蓉姑娘，百花山莊中最厲害的，就是這五龍大陣……」

巫蓉接道：「五龍大陣，有多少人布成？」

蕭翎道：「五龍大陣，自然是五個人了！」
巫蓉接道：「你見過五龍沒有？」
蕭翎道：「五龍成陣，在下沒有見過，不過，我卻鬥過五龍之一！」
巫蓉道：「是何模樣，爲何稱人作龍？」
蕭翎道：「他們穿著一種特製的奇服，全身鱗光閃閃，刀槍不入。」
巫蓉點點頭，道：「原來如此。」
蕭翎道：「據我推想，那五龍身受的控制，絕非如此而已，也許還有一種特殊的藥物，使他們能有超異常人的豪勇……」
語聲一頓，接道：「因此，盡可放手對付五龍，你儘管施毒對付他們。」
巫蓉點頭道：「我記下了。」
蕭翎探手入懷，摸出短劍，映照著星光，望了一眼，道：「這番搏鬥，必然是凶險異常，在下恐怕無能顧到姑娘，你要自行珍重了。」大步向前行去。
巫蓉緊隨在蕭翎身後而進，心中暗道：他一向豪氣干雲，此番卻不厭其煩地再三提示於我，小心應付，想來那五龍，定極凶惡。
當下凝神提氣，戒備而行。
兩人行約十餘丈，突見火光一閃，亮起了兩支火把，火光照耀下，只見一個身著黑衣的勁裝大漢，站在峭壁下一塊大岩石上，高聲說道：「來人可是蕭翎嗎？」

蕭翎道：「不錯，閣下什麼人？」

那大漢緩緩說道：「在下無名小卒，說出姓名，蕭大俠也不知曉。」

突然跳下巨岩，隱失不見。

但見火光連閃，片刻之間，四面亮起了十幾支火把，把一段峽谷，照得一片通明。

蕭翎心中暗道：我何苦一定要鬥五龍，趁他們陣勢還未發動之前，何不藉機闖過。

主意打定，低聲說道：「蓉姑娘，咱們快闖過去。」

當先向前奔去。

火光下，只見銀光流動，兩個鱗光閃閃的怪物，疾躍而出，攔住了蕭翎的去路。

蕭翎陡然停下腳步，道：「蓉姑娘，退後一些。」

巫蓉凝目望去，只見那兩個怪人，全身上下，都是閃光的鱗片，只露出一對凶光四射的眼睛，兩隻手臂上的鱗片，色呈血紅，五個指尖處藍芒閃動，顯是，除了紅鱗之外，還裝有尖利的淬毒鋼指。

巫蓉心中暗道：這兩個人打扮的和怪物一般，如非先聽說過，驟見此物，必然駭一大跳。心中念轉，雙手齊齊向外一彈，兩股白色的粉末，應手而出。

只見左首怪人右手一揮，波的一掌，迎著毒粉拍去。

巫蓉彈出的毒粉，吃那怪人一掌，反擊地倒飛過來。

蕭翎一吸氣，疾退五尺，低聲說道：「姑娘退遠些，他們都在那堅硬的鱗甲保護之下，看

樣子是不畏奇毒了。」

只見右首怪人身子向前一探，疾快無倫地撲向蕭翎。

蕭翎一提氣，身子飄飛而起，斜斜躍出八尺多遠。

左首怪人緊隨著發動，疾快地撲向巫蓉。

巫蓉只見一團光影，揮舞兩臂撲來，心中大是驚駭，急急向一側閃去。

但那怪人來勢太快，巫蓉讓避不及，但聞嗍的一聲，巫蓉身著衣服，被那怪人指鋒掛上，撕下了一片。

也不過是毫釐之差，就要抓中巫蓉的肌膚。

巫蓉一件長衫被那怪人撕裂一半，露出貼身之衣，露出了雪白肌膚。

那原本撲向蕭翎的怪人，卻突然一轉頭，反向巫蓉撲去。

巫蓉驚魂未定，那怪人血紅的鱗臂，挾著藍芒閃閃的指尖，已到頭頂。

蕭翎大聲喝道：「姑娘小心。」

右手一彈，用出彈指神功，一股暗勁，疾湧而到。

勢在意先，彈指擊出，人才呼叫出聲。

那怪人右臂被蕭翎暗勁擊中，掌勢一偏，巫蓉柳腰一搖，奔向蕭翎。

他穿著紅鱗堅厚，蕭翎彈指神功，並未能使他受傷。

只見身隨臂轉，打了一個轉身，突然躍飛而起，疾撲蕭翎。

這怪人雖然穿著堅厚的厚衣，但舉動卻很靈活，撲擊之勢，更是快捷無倫。

蕭翎的左手一抬，劈出一掌。

那怪人右手迎向蕭翎掌勢，硬接一掌。

蕭翎亦想藉機會，試驗一下這些人的內功如何，手上套有千年蛟皮手套，也不畏他們鋒利的指鋒所傷。

砰的一聲，雙掌接實，那怪人被震得退了一步。

這一次硬拚掌力之中，蕭翎用出了七成功力，但自己亦覺得手指一麻。

蕭翎拚過一掌，立時縱身而起，又向左側橫裏躍出五尺。

原來，他已從一接掌勢之中，覺出這人有很堅硬的鱗甲護身，如若和他們動手硬拚，只怕很難傷得他們，只宜智取才有勝望。

就在他心念轉動間，左、右兩側，又出現三個怪人，把蕭翎和巫蓉圍在中間。

巫蓉衣服被人扯破，露出部分肌膚，心中對那怪人已生極大的畏懼，眼看又有三個怪人出現，不禁大感害怕，急道：「蕭兄，又有三個。」

蕭翎環目一顧，只見那三個現身怪人，各占了一個方位，停步未動，當下說道：「一共只有五個，不會再有了……」

聲音突然放得很低，接道：「此時，保命要緊，姑娘將就著把破衣穿好吧！」

原來，巫蓉雙手各抓住破衫一角，遮掩著露出的肌膚。

巫蓉點點頭，用手把破衣結在身上，雖然仍有部分肌膚露在外面，也無法顧及了。

蕭翎只覺她楚楚可憐，武功又不高，極需自己的愛護，但面對著五龍的合擊威力，實有著力難勝任之感，不禁歎息一聲，道：「在下實不該帶姑娘同來。」

巫蓉精神一振，道：「不用為我擔心，放手對付強敵，我自會珍重自己。」言來，卻有些口齒不清。

日前她嚼舌求死，後為蕭翎所救，平時說話尚可運用自如，但此刻，衣服被人扯去，心中又羞又怕，說話時，就有些運轉不靈，語言不清。

蕭翎知她已為適才那怪人一擊嚇壞，心中餘悸猶存，當下柔聲說道：「蓉姑娘，他們也是人，只不過，他們披上了堅硬鱗甲，看上去形狀怪異，不似人樣，適才姑娘破那飛虎大陣的豪氣、膽識，鬚眉難及，勇不畏死，這五龍怪人，想也不會放在心上了。」

這幾句話，果然發生了很大的效用，巫蓉嫣然一笑，道：「他們也是人啊！我為什麼怕他們。」

精神一震，伸手摸出了兩把毒針，握在手中。

蕭翎看她情緒漸定，暗暗吐一口氣。

這時五龍已布成合圍之陣，緩緩向兩人停身之處逼近。

蕭翎目光轉動，掃了五龍一眼，高聲說道：「諸位只不過憑仗身上的堅硬鱗甲，不畏刀劍，但在下手中這柄短劍，乃是千古寶刃，斬金切玉，削鐵如泥，諸位小心了。」

口中說話，暗中卻留心著五人的反應。

果然，五人聽得蕭翎之言，停下逼進之勢。

顯然這些人都還神智清明，也知曉斬鐵寶刃，正是自己的剋星，心中有些畏怯。

蕭翎哈哈一笑，道：「諸位可是有些怕了嗎？」

陡然飛躍而起，撲向正東方位。

原來，蕭翎自知難免一場苦戰，如其讓他們全陣發動，還不如自己先攻，如能傷得一、兩個人，也好使他們合擊的威力減小。

那人眼看蕭翎撲來，立時一躍而起，竟是直向蕭翎迎撞過來。

同時，東南、正北兩個方位上的怪人也飛躍而起，撲了過來。

六隻血紅的手臂，分由不同的方向，抓向蕭翎。

蕭翎身懸半空，看敵人來勢猛惡，心中亦不禁爲之一震，急沉丹田真氣，向前撲撞的身子，陡然向下落去，右臂伸出，短劍改向東南方位撲來的怪人削去。

合擊之勢，雖然嚴密，但蕭翎應變之能，更是高明。

雙方動作均極快速，一錯而過，寒芒過處鮮血噴灑。

雙方腳落實地，已經錯開了一丈多遠。

回頭望去，只見一根帶著鋼鋒鱗甲的手指，跌落在實地之上。

原來，蕭翎中途易劍擊敵，那怪人閃避不及，吃蕭翎一劍，斬斷了一根手指。

這當兒，突然響起了一聲刺耳的尖叫聲，傳入耳際。

轉目望去，只見巫蓉被一個怪人抓住舉起，指上鋼甲，已然深陷入巫蓉肌膚之中，鮮血淋漓而下。

蕭翎只覺心頭火起，長嘯一聲，飛身而起，身劍合一，直向那怪人衝去。

他在急怒之下，不覺運起了全身功力，施展出馭劍術。

這正是莊山貝傳他劍道中最高的境界，馭劍取敵，平日他練習無成，今日一急，竟然用了出來。

但見寒芒閃過，只見一個怪人，卻疾躍而起，迎向蕭翎。

寒芒飛閃，響起了一聲慘叫。

鮮血噴灑中，一物砰然墜地。

回目望去，只見那怪人，鱗甲破裂，前胸處鮮血仍然不停地湧出。

原來，蕭翎施展馭劍術，一擊之下，利劍破堅甲，刺中那怪人心臟要害，當場氣絕而逝。

其他四個身披堅甲的大漢，眼看蕭翎揮劍一擊，如此威勢，也不禁爲之一怔。

巫蓉被一個怪人抓住，高高舉起，那怪人掌上鱗甲和指上鋼鋒，大都深陷於巫蓉肌膚，痛徹心肺，失聲呼叫，但她手中仍然牢牢握著毒針。

蕭翎仗利劍博殺一龍，其餘四人爲蕭翎威勢震駭，一時間呆在當地。

巫蓉暗中咬牙，乘敵不備，右臂用力一掙，掙脫了那怪人掌握。

但那怪人掌指上的鱗甲、鋼鋒，都已深入巫蓉肌肉，巫蓉運力一掙，右臂雖然已掙脫，但卻皮開肉綻，可見臂上白骨。

景象淒慘，觸目驚心。

巫蓉自知已難再活，口中大聲喝道：「蕭郎！得君片刻溫存，妾願已足，有緣來生見。」口中說話，右手一把毒針，全力向那怪人眼中刺去。

這些怪人，全身都爲堅硬的鱗甲掩護，只有雙目上無物相護。

那怪人驟不及防，吃巫蓉毒針，刺入目中，慘呼一聲，雙手一扯，生生把巫蓉撕成兩半，投擲於兩丈之外。

巫蓉針上之毒，奇烈無比，一把毒針，刺入目中，那份痛苦，極難忍受。

那怪人摔出巫蓉之後，一手蒙面，一手懸空揮舞，口中不住地大聲呼叫，聲音如傷禽怒嘯，刺耳異常。

這不過一瞬間的事情，蕭翎想救巫蓉，已知不及。

眼看她奇慘死狀，又激起了蕭翎殺機，怒喝一聲，縱身而上，揮劍掃出。

那怪人毒針刺目，視線不清，再加毒性發作，其狀如狂，神智早已迷亂。

蕭翎揮劍擊來，他哪裏還知閃避。

寒芒過處，鱗甲紛紛落地，一條左臂，應手而落。

就在那怪人斷臂的同時，幾聲厲嘯響起，另外三個怪人，同時躍起，撲向蕭翎。

蕭翎一劍得手，身子一側，閃到那斷臂怪人身後，飛起一腳，踢在那怪人後臀之上。

那斷臂人身不由己地向前而撲，按在左目的右手，急揮而出。

此刻，他已神智迷亂，哪裏還能分清敵我，擊出右掌，正好撞向另一個同伴身上。

正東方位疾撲而來的怪人，閃避不及，被那斷臂人一掌擊中前胸。

斷臂人連受重傷，垂死發掌，乃是畢生功力所聚。

只聽砰的一聲大震，那正東方位撲來的怪人，向前躍的身子，竟然被他一掌打得跌落實地之上。

但那斷臂怪人一掌擊出之後，全身潛力已盡，身子搖搖欲倒。

蕭翎殺機已動，疾行一步，短劍一揮，插入那斷臂人的後心。

右腳同時飛起，踢在那怪人的後胯。

只聽一聲悶哼，斷臂人吃蕭翎一劍，腳登出了七、八步遠，屍體摔倒地上。

五龍二死一傷，陣角已亂。

蕭翎卻豪氣大生，準備寶刃，一舉間，盡殲五龍。

這當兒，突聞一陣淒厲的哨聲傳來，兩個未傷怪人，突然回身而奔。

那摔倒在地上的怪人，也掙扎而起，回頭奔去。

兩側高燃的火把，也同時熄去。

事情發生得太過突然，蕭翎怔了一怔，幾人已走得蹤影不見。

山谷中恢復一片黑暗。

蕭翎仰臉望著天上的星辰，長長吁一口氣，閉上雙目，待視覺適應了暗夜之後，才睜開雙目，緩緩行到巫蓉身前，黯然說道：「姑娘爲助在下，不幸而亡，區區救援不及，心中感慨萬分，在下只有搏殺五龍，以慰姑娘芳魂。」

說聲微微一頓，接道：「只是此刻在下無法在此多留，待在下殺過五龍，再設白燭素花，奠祭姑娘在天之靈。」

言罷，撿起山石，掩起了巫蓉的屍體，對那疊起的石塚，拜了一拜，轉身向前。

這時，天若含悲，烏雲密佈，掩去了一天繁星。

幽靜的山谷中一片黑，黑得伸手不見五指。

蕭翎長長吸一口氣，抖落一身哀傷，大步向前行去，心中暗暗盤算道：過了五龍大陣，我已經過了七陣，那第八陣乃是最後一陣，埋伏的人手，必定最爲凶猛，不知是何等人物。

一面提氣戒備，一面大步向前行去。

四三 義無反顧

行行復行行，不覺間，已經走了三、四里路。

只見前面景物忽然一變，到了一片濃密的叢林前面。

蕭翎停下腳步，心中暗暗忖道：這每道埋伏，相距僅有里許左右，這道埋伏，相隔怎的如此深長，難道他們的埋伏，設入了這密林之中不成。

忖思之間，突然火光一閃，數十丈外，亮起了一盞燈籠。

火光照耀下，看得十分清楚，只見那燈籠上寫著「百花山莊」四個大字。

蕭翎輕輕咳了一聲，道：「什麼人？」

那執燈人身軀十分高大，揚了揚手中的燈籠，道：「三弟武功精進，竟然能連闖七關，好生叫人佩服。」

聲音沙啞，正是那沈木風。

蕭翎冷冷說道：「在下想這最後一道埋伏，定是十分凶險，但卻想不到竟然是沈大莊主親自出陣。」

沈木風哈哈一笑，道：「那要看你是否有和我動手的運氣了！」

蕭翎怒道：「這話怎麼說？」

沈木風道：「蕭兄弟稍安勿躁，這小谷中有八道埋伏，你只過了七道，只要你能闖過這第八道埋伏，在下總有和你決戰之日，但如你死亡於此，那就心願難償了。」

蕭翎道：「好吧！你這第八陣現在何處，沈大莊主可以叫他們發動了。」

沈木風淡淡一笑，道：「蕭兄弟覺得眼下的形勢有些奇怪嗎？」

蕭翎道：「沈大莊主以後請直呼蕭翎之名，不要兄弟兄弟的，叫得在下肉麻。」

沈木風冷笑一聲，道：「好！在下改稱你蕭大俠。」

蕭翎心知已激怒於他，目光四處轉動，打量了眼前的景物一眼，道：「在下實在瞧不出有什麼奇怪之處……」

沈木風道：「這山谷中遍生怪石，此地卻長滿了矮松奇樹。」

蕭翎道：「在下瞧不出這矮松奇樹有什麼奇怪之處。」

沈木風道：「蕭大俠瞧到那密林之間，有一道羊腸小徑嗎？蕭大俠請照著那小徑直入，而且放心大膽地走，兩邊決無一兵一卒的埋伏，深入百丈之後，可見一座石屋，在那石室內，關著你蕭大俠的心上人，百里姑娘。」

蕭翎輕輕咳了一聲，道：「所有的機關埋伏，都集中在那石室之中嗎？」

沈木風搖搖頭，道：「沒有，閣下只管放心行去就是。」

蕭翎道：「太簡單了，實在叫人難信。」

沈木風道：「信與不信，那是蕭大俠的事，在下說的句句實言。」

蕭翎道：「以後呢？」

沈木風道：「那石屋裏的百里姑娘，手腳都爲牛筋捆綁，還有在下用獨門手法，點了她兩處穴道，但也難不住你蕭大俠了。」

蕭翎道：「希望你言發由衷。」

沈木風道：「看在昔年我們兄弟一場的情分之上，在下奉告你幾句話。」

蕭翎道：「沈大莊主請說！」

沈木風道：「越是看來無險之地，那才是最凶險的佈置，還望你多多珍重。」

言罷，揮動手中燈籠，一晃而熄。

蕭翎知他已離去，多問亦是無益，右手握劍護胸，沿著小徑向內行去。

雖然沈木風已說明這密林之中沒有埋伏，但蕭翎仍是絲毫不敢大意，提聚了十成功力，運氣遍佈全身，緩步而進。

深入二十餘丈，果然是全無半點動靜，不覺間加快了腳步，向前行去。

一切都如那沈木風所言，沿途中未見埋伏。

百丈之後，果見一座石室。

石屋前吊著一盞紅色的紗燈，光焰血紅，耀人眼睛。

蕭翎急步跑到石屋前面，高喊道：「冰兒，冰兒。」

石屋內，傳出來百里冰的聲音，道：「是大哥嗎？」

蕭翎道：「是我，冰兒，你無恙嗎？」

砰的一聲，擊開了木門。

凝目望去，只見百里冰端坐在一張木椅之上，雙手、雙足，都被牛筋捆著。

蕭翎左手一伸，取過掛在門上的紅燈，大步行入室中，右手短劍一揮，斬斷了百里冰手、足之上的牛筋。

百里冰活動了一下雙臂，長長吁一口氣。

蕭翎低聲說道：「冰兒，他們傷害了你嗎？」

百里冰點點頭道：「是啊！他們點了我腿上的穴道。」

蕭翎長長吁一口氣，道：「原來如此。」

百里冰嫣然一笑，道：「快些解開我的穴道，咱們走吧！」

蕭翎解開了百里冰兩處穴道，道：「沈木風有強迫你服下毒藥嗎？」

百里冰道：「沒有呀！」

蕭翎道：「以那沈木風的爲人而言，對你太好了。」

百里冰道：「也許他心中害怕大哥，不敢對我太壞……」

蕭翎搖搖頭，道：「他們不傷害你，不過是存心誘我到此。」

百里冰歎道：「我被囚禁於此，內心之中，也是矛盾異常，既想要你來，又怕你真來，你知道，你來了，是如何一個後果嗎？」

蕭翎微微一笑，道：「冰兒，不要再想這些了，快些運氣調息，你要盡快恢復體能，我們早些離開。」

百里冰果然不再多言，閉上雙目，開始運氣調息。

蕭翎緩緩伸出右手，抵在百里冰背心之上。

他此時功力，何等深厚，掌勢一按百里冰的背心，立時熱流滾滾，攻入了百里冰內腑之中。

就在蕭翎右掌觸接到百里冰背心的同時，只見一股淡煙，撲入室中。

蕭翎霍然警覺，暗道：所謂八道埋伏，這第八道竟是火攻。

在這密林環繞之地，四面大火燒來，除了肋生雙翼，飛出絕境，實是生機渺茫。

蕭翎心中明白，此刻如早走一步，那就可能多一分逃生的機會，但那百里冰行功正值緊要關頭，此刻驚擾於她，可能害她真氣岔道，走火入魔，只好咬牙苦撐，默不作聲。

百里冰家學淵源，內功本極深厚，再得蕭翎之助，運氣極是快速，不過片刻時光，已然暢通全身。

但那火勢燒得亦極快速，百里冰運功完成，濃煙已撲入室中。

百里冰一躍而起，急道：「大哥，沒瞧到這濃煙嗎？你爲什麼不叫我？」

蕭翎看她慌急之情，不得不故作鎮靜，笑道：「那時，你正在行氣，我怕你真氣岔了經脈。」

牽起百里冰左手，笑道：「走！咱們出去瞧瞧，其實，早出此室，晚出此室，都差不多。」

兩人行到室外，蕭翎一提氣，牽著百里冰躍上屋頂。

流目四顧，只見四面火焰漫天，濃煙四起，還有著濃厚的硫磺氣味。

百里冰目睹四面火勢，暗歎一聲，忖道：火勢如此強大，蕭大哥武功再高一些，也是無能逃出這一望無際的火勢。

想到他此番困於大火，全是爲了相救自己而起，不禁流下淚來，倚入蕭翎懷中，黯然說道：「大哥如非爲了救我，豈會陷此絕境……」

蕭翎縱聲笑道：「冰兒，你不是常說要和我死在一起嗎？看來今日我要得償心願了！」

百里冰嫣然一笑，道：「嗯！若能和大哥死在一起，在我而言，雖死猶生了。唉！但是現在可不行了！」

蕭翎道：「爲什麼？」

百里冰道：「你目前乃武林中一盞明燈，代表著正義之光，你如何能夠死呢？」

蕭翎輕拂一下百里冰的秀髮，道：「現在你想改變心願，只怕是也不成了。」

他心中已知處身在絕望之境，心中反而鎮靜異常，微微一笑，接道：「但咱們不能讓那沈木風太稱心……」

略一沉吟，道：「這火勢雖然強大，但要燒到這石室，大概還得一陣工夫，咱們籌思應付之法，下去碰碰運氣吧！」

百里冰心中本來十分惶急，對蕭翎又有著很深的愧疚，但見蕭翎鎮靜得出奇，心中的緊張，亦爲之鬆懈不少。

只見蕭翎流目四顧一眼，突然面露歡愉之色，道：「冰兒，去做一支火把來，咱們時間不多，快去快來。」

百里冰應了一聲，急步而去。

蕭翎躍下屋頂，向西行去，行約七、八丈。

只見一座巨石，攔住去路。

蕭翎登上巨石查看。

只見四面一片火海，耳際間響起了悲慘的獸吼之聲。

但聞百里冰的聲音傳了過來，道：「大哥啊！你在哪裏？」

蕭翎提聲應道：「我在這裏，冰兒快些過來。」

躍下巨石，揮動手中短劍，斬削身邊的樹木，一面發掌推開削斷的樹木，一面默算風向距離。

百里冰高舉火把找到時，蕭翎已把那巨石周圍的樹木，大都斬去。

蕭翎回顧了百里冰一眼，道：「冰兒，快幫我把斬斷的樹木，推到東邊。」

百里冰道：「幹什麼？」

口中發問，人卻已動手移動蕭翎斬下的枝幹樹身。

蕭翎道：「現在刮的是西北風，是嗎？」

百里冰道：「是啊！」

蕭翎道：「那就不會錯了，快把這些樹枝堆在一起，用火把燃起它。」

百里冰道：「大火由四面八方燒來，咱們還要用火燒出去。」

蕭翎道：「不錯，如是兩面對燒，可使這大火縮短時間，咱們也可減少煙薰火蒸之苦。」

百里冰看蕭翎手不停揮，仗利劍之助，已然在那巨石四周，闢出了四丈方圓一片空地，心中若有所悟，知他成竹在胸，立時舉起火把，燃起了東南方的樹木，一面急急動手，搬運蕭翎斬倒的樹木。

這時，蕭翎已經偏重削斷西北方向的樹木。

這地方，乃是沈木風自己選擇之地，大部的樹木，都早經柏油塗抹，一經點燃，立時爆燃起來。

片刻間，那堆積的樹木，冒起熊熊的火焰。

這時強烈的濃煙撲捲而到，四周的火勢，也逐漸逼近了兩人。

蕭翎低聲說道：「冰兒，閉住氣，別要被那濃煙嗆住。」

百里冰道：「我看不見東西，不能搬樹木了。」

蕭翎道：「乖乖的站著別動，我來接你。」

百里冰應了一聲，果然站著不動。

只覺右手被人牽住，向前行去。

原來，蕭翎早已有了準備，牽著百里冰行到大石旁邊，揮動利劍，挖了一個小坑。一面揮動手中預做的樹葉紮成的扇子，以減少身前濃煙，一面說：「冰兒，那大火已經燒到咱們身邊了，不過，咱們要運功忍受那火的煙薰之苦，你知道，咱們都不能死，你那爹娘，都在北海冰宮中，盼望你早些歸去，我還要你幫我找那沈木風報仇。」

百里冰道：「大哥放心，我自信可以忍受。」

蕭翎道：「那很好，現在煙氣淡了一些，你睜開眼睛瞧瞧。」

百里冰張眼望過去，只見那濃煙在蕭翎樹葉搖揮之下，果然薄了許多，當下微微一笑，道：「大哥，你想得很周到啊！」

蕭翎道：「如若咱們能夠忍下那火烤之苦，在此要有一段很長時間停留，就有出困的機會了。」

說話之間，火勢已然逼到，西北風也愈吹愈強。

蕭翎雖然在西北方上，斬削去很多樹木，但那強大的火焰，挾帶著灼人熱氣，陣陣撲來。

蕭翎把短劍交給了百里冰，讓她向地下挖掘，自己卻擋在百里冰的身前，擋那熱氣蒸騰之苦。

他雖然內功深厚，但也漸漸地感覺到承受不住。

突然間，覺著身上一涼，一股冷泉，疾射而出。

原來，百里冰無意中挖出泉眼，泉水湧出。

蕭翎正覺承不住那灼身熱氣，冷泉湧出，頓感精神一振，喜道：「冰兒，咱們有救了。」

那泉水十分強大，眨眼間，兩人挖掘停身的洞穴，已爲泉水湧滿，泉水潺潺，向外流出。

兩人整個的身子，都泡在泉水之中，只露出兩個腦袋。

如是那泉水力道不強，湧滿兩人停身洞穴之後，不再湧出，在四周大火熱氣蒸騰之下，不過半個時辰，那穴中之水，即將變熱，漸成滾湯。

但幸那泉水奇強，不斷湧出，不但蕭翎和百里冰停身洞穴中蓄水長冷，而且穴滿盈出，有如一道小溪般，流向東南。

那東南方火勢雖然強大，但在泉水不停灌注之下，漸爲水勢所熄，明火近身，濃煙反而消減甚多。

蕭翎張嘴喝了幾口泉水，歎道：「當真是想不到的奇蹟，如非這冷泉及時湧出，此刻咱們非被烤得滿身起泡不可……」

百里冰嫣然一笑，突然伸出雙臂，抱住了蕭翎，把粉臉偎在蕭翎臉上，道：「大哥爲了護我，擋我身前，承受灼熱，唉！大哥對我這麼好，我要怎麼報答你呢！」

蕭翎笑道：「冰兒，你以後如是乖些，我會對你更好……」

突然面色一整，道：「冰兒，咱們見面之後，一直無暇詳談，有一件事，忘了告訴你。」

百里冰道：「什麼事？」

蕭翎黯然說道：「那巫蓉姑娘死了，而且死得很淒慘。」

百里冰道：「怎麼死的？」

蕭翎道：「她死於五龍圍攻之中，可憐一代紅顏，死去之後，竟然連一個棺木也是沒有！」

百里冰道：「大哥在場嗎？」

蕭翎道：「在場，親眼看到她慘遭死亡，但卻是救援不及。」

百里冰聽了巫蓉的死訊，不由黯然道：「唉！她未死之前，我心中有些恨她，但聽到她的死訊，卻又有些爲她難過，人啊！真是奇怪得很。」

那灼熱雖然迫人，但兩人泡在冷泉水中，泉水不斷地湧出，冷度一直不變，再加那湧出的泉水，熄去了近處之火，灼熱之感，逐漸地低退、消滅。

蕭翎回顧了一眼，看四周大火仍極強烈，心中感慨萬千，長長歎一口氣，道：「如非你挖出泉水，咱們就算不被燒死，也要被這熱氣薰死……」

百里冰笑道：「大哥怎的會想起除去四周樹木的辦法呢？唉！我爹娘常常讚我聰明，看起來，大哥是比我能幹多了。」

蕭翎道：「今日能夠逃得性命，使小兄想起了師恩的浩蕩，無微不至。」

百里冰道：「為什麼呢？」

蕭翎笑道：「小兄從師習武之時，我那師父常常告訴我些武林中的形勢，以及百年來出現江湖的高人，各家門派的武功之長，而且還常常替我講解很多啓發智慧的小故事……」頓了一頓，接道：「我想除去林木，就受其中一個小故事的啓發！」

百里冰道：「什麼故事，講給我聽聽好嗎？」

蕭翎道：「看四周火勢，最少還要燒六、七個時辰，咱們有的是時間談話……」語聲一頓，接道：「有一個人，行走在一片荒涼草原中，那草原突然失火，燒了起來，你要如何應付？」

百里冰沉思了一陣，搖搖頭，道：「我不知道。」

蕭翎道：「那人就在身前放起一把火來，兩面火勢延燒，中間留下的一片空地，他就可以存身其間了。」

百里冰喜道：「這法子真不錯啊！」

蕭翎道：「今日，咱們處身在林木之中，四面大火燒來，林木火勢強大，自非草原可比，但由那小故事的啓發，使我想到伐林以求自保的辦法了，但那時聽這故事時，卻一點也未留心，浩蕩的師恩，卻早已替我籌謀到，日後遇此險應付之法了……」

長長吁一口氣，接道：「咱們今日能夠脫了此難，一半人為，一半運氣。」

百里冰道：「大哥智計求生，和運氣何關？」

蕭翎道：「譬如說吧，我沒有這一把削鐵如泥的短劍，決無法在那樣短促的時間中，斬削了那樣多的林木，開闢這樣大一塊基地，火勢必將逼近咱們，如果不是你挖出這一股地下泉水，咱們也無法抗拒灼人的熱氣，但咱們卻既有利劍，又挖中泉眼，這不是運氣是什麼呢？」

百里冰舉手理一下秀髮，接著說道：「說起來，咱們還要謝一個人。」

蕭翎道：「什麼人？」

百里冰道：「宇文寒濤，如非他把這柄鋒利的短劍，相贈大哥，今日咱們就算不死，也要多吃一些苦頭，自然，大哥救他之命，使他感恩圖報，也是原因之一！」

蕭翎點點頭，道：「那宇文寒濤自從中了沈木風一掌之後，似是那一掌，打得脫胎換骨，其人智謀絕倫，人所難及，就是沈木風，也未必是他之敵，此後，咱們還得借重他的智計，對付那沈木風！」

百里冰道：「如果宇文寒濤如此厲害，那沈木風為什麼還要殺害他呢？」

蕭翎微微一笑，道：「這就是宇文寒濤為什麼要背叛於他了，沈木風性情陰沉，如果用你之時，不惜好言相向，許以重利，但他卻不許自己的好友和屬下，武功、才能超過他，如是一旦被他發現，必須殺去而後快……

「那宇文寒濤武功雖然不如沈木風，但他的詭計才智，實又不在那沈木風之下，沈木風既用他，又怕他，宇文寒濤自然早已看出沈木風的用心，早有殺他之意，自己武功又難和沈木風

抗拒，唯一的辦法，就是憑仗自己的才慧聰明以求自保，這其間既不能對那沈木風太過遷就，自貶身分……」

百里冰接道：「爲什麼呢？他既想保全性命，又不願遷就那沈木風，豈不使沈木風更堅決殺他之心？」

蕭翎微微一笑，道：「問得好！」

略一沉思，接道：「因爲，他如太過遷就那沈木風，沈木風定然視他如屬下、奴僕，以那沈木風的爲人，殺一個屬下、僕從，自然不用多費思量了。」

百里冰眨動了一下圓圓的大眼，道：「我還是有些不明白？」

蕭翎道：「那宇文寒濤在自持身分時，要使那沈木風有一種感覺。」

百里冰道：「什麼感覺？」

蕭翎道：「使那沈木風覺著宇文寒濤是他的朋友、功臣，必須要藉一個適當的理由殺他，才能使屬下心服，自己心安，但宇文寒濤憑仗著自己的機智，一直使沈木風無法找到這個理由！」

百里冰嗯了一聲，道：「原來如此。」

蕭翎道：「聽起來似很簡單，事實上，這是椿極爲困難的事，那宇文寒濤只要在沈木風的身前，就必須處處小心，注意那沈木風的情緒變化，不能有一點大意，有時要陪盡小心，有時要自持身分，一著失錯，立刻就性命難保……」

話到此處，突然啊呀一聲，跳出水穴。

百里冰吃了一驚，急急說道：「大哥，你怎麼了？」

蕭翎伸手探入懷中摸出經文，道：「這本經文濕了。」

借著火光望去，經文已經濕透。

百里冰道：「小心點，不要把它撕破。」

蕭翎小心地捧著書頁，出了一會兒神，緩步向火邊行去。

百里冰也隨著躍出水穴，說道：「不用向前走了，林木仍在燃燒，火力仍極強猛，把它放在那大岩石上，片刻就會烤乾了。」

蕭翎應了一聲，行回大岩旁邊，小心翼翼地把書頁放在大岩之上，找了兩塊石頭壓住，人又跳入水穴之中，望著那書頁出神。

原來，大火猛烈，陣陣熱氣湧來，仍然有傷膚灼肌之感。

這片林木，大都是千年老樹，延燒之力，十分強大，火焰沖霄，光亮強烈，蕭翎目光本極銳利，站在那水穴之中，仍可清楚地看到那書頁上的水分，化作蒸氣而去，字跡清晰可見。

心中暗暗忖道：如若那和尚說得不錯，這本經文記述的武功，那是尤重過十大奇人留下的武功秘錄，那位贈我武功秘錄的忘年之交，盡得禁宮中高手武功而去，獨留下這本經文和那簫王張放的武功秘錄，但那張放秘錄他定然已經瞧過，故意把它留在那裏，這經文卻是他沒有找到之物……

突然間，一陣尖厲的哨聲飄來，傳入耳際，此起彼落，群相呼應。

蕭翎疾躍而起，伸手抓起經文，低聲說道：「冰兒，沈木風要有所行動了，咱們得準備一下。」

百里冰道：「什麼行動？」

蕭翎道：「大約他認爲咱們已經燒死，但他看不到咱們的屍體，又不放心，所以，要遣人入山尋咱們的屍體。」

百里冰道：「我們怎麼辦？」

蕭翎道：「先把這個水穴填起，咱們不能給他留下解去謎底的線索，如是咱們能夠佈置一下，他認爲咱們死亡的線索，那是最好不過，至低限度，也要給他們一個生死難測之謎才成。」

就地找了兩塊大石，堵上泉眼，然後，把泥土填入水穴之中。

片刻之後，兩人挖成的土坑，又被石土填滿，蕭翎回顧了一眼，只見近身火勢，已經大減，熱氣也不似剛才那般灼人，低聲說道：「冰兒，咱們設法搬些未燒完的枝幹來，在這個大岩石旁燃起來，以掩痕跡。」

兩人同時動手，不大工夫，一片空地上，堆滿餘燼未完的林木。

百里冰拍去手中的煙塵，低聲說道：「現在我們還要幹什麼？」

蕭翎道：「坐在此地，運氣調息，待聽到警兆之後，咱們再走避不遲。」

百里冰應了一聲，盤膝坐下。

只見那四周延燒的火勢，似是已逐漸地停熄下來，勢道大為減弱。

蕭翎心中明白，這延燒火勢，突然收縮，定然是那沈木風遣入所救的結果。

蕭翎伸手摸摸衣服，已然大都為火勢烤乾，當下把手中書頁藏入懷中，說道：「冰兒，咱們建築一處藏身之處如何？」

百里冰道：「如何一個建築之法？」

蕭翎道：「目下西面火勢，消滅甚快，顯然那沈木風派遣之人，想從西面行進，搜尋咱們行蹤，三面火勢未熄，不論咱們如何躲避，都無法藏得隱秘。」

百里冰道：「所以，咱們就建築一處藏身之地，躲在裏面是嗎？」

蕭翎道：「正是如此。」

百里冰道：「用那燒去的枝幹、灰燼。」

蕭翎點點頭，道：「不錯，這裏有甚多為泉水熄去的枝幹，未經燃燒，負重之力甚大，困難的是，咱們要尋到一處形勢好利用的地方才成。」

這時，火勢已小，兩人仔細地找了一陣，找到了一處天然的深坑，縱橫不足三尺，深卻五尺有餘，正是極佳的所在。

兩人一齊動手，不足頓飯工夫，已然建築了一座可容身的所在，上面伏上泥土，再堆些燃燒未盡的樹枝，兩人一齊躲在裏面，四面都開了小型窗口，用燃燒過的枝幹掩起，向外瞧看

時，用手撥動，可大可小，兩人擠在裏面，剛好可以盤膝而坐。
百里冰低聲說道：「大哥先行運氣調息，我來守候，如是發覺敵人，我招呼大哥。」
蕭翎微微一笑，道：「好吧！」閉上雙目，運氣調息。
不知過了多少時間，蕭翎突覺身體被人推動，睜眼看去，只見四面陽光滿地，已然是近午時分。
陽光映照下，只見沈木風站在那高岩之上，流目四顧。
緊傍沈木風身側，站著逍遙子和金花夫人。
耳際間步履零亂，顯然，還有很多人，在四下尋找。
蕭翎搖搖手，示意百里冰不要出聲，輕輕地伸出手去，撥動枯枝，掩起小窗，附在百里冰耳邊說道：「冰兒，如是咱們被人發現，難免一場惡鬥，咱們不能戀戰，必須且戰且退，我不熟此地形勢，但西方火勢先熄，那說明西方林木較薄，東南是我來此之路，北面好像是有道深谷，咱們只好往南走。」
百里冰點點頭，低聲應道：「大哥比我聰明，聽大哥的話，自然是不會錯了。」
但聞沈木風的聲音傳了過來，道：「道長的看法，他們會不會逃出四面大火？」
逍遙子道：「不可能吧！除非有一條地道通往山外。」
沈木風道：「何以找不出他們的屍體呢？」
逍遙子道：「大火燃燒數個時辰之久，彌天掩地，就算是鐵打的人，也要熔做鐵汁了，哪

裏還能留下屍體呢？」

沈木風道：「那蕭翎帶有一把短劍，乃是得自禁宮之中，何以連那短劍也找不到了呢？」

逍遙子道：「區區一柄短劍，能占多少地方，如何能夠找到呢？」

沈木風道：「唉！無法確定他們已死，實叫人放心不下。」

逍遙子道：「大莊主請放心，依貧道的看法，兩人必死無疑。」

只聽金花夫人冷冷接道：「那倒未必，我瞧那蕭翎不似早夭之相，人不該死，五行有救，也許他們早已逃出此地了。」

蕭翎心中暗道：糟糕，這金花夫人如是想幫我忙，那就是幫倒忙了，如是她說動那沈木風，必要找出證據而後甘心，這藏身之地，非要被他們發覺不成。

只聽逍遙子哈哈一陣大笑，道：「夫人說那蕭翎未死，不知有何證明？」

金花夫人道：「沒有證明，也不需證明，我只是覺得他不會死就是。」

沈木風微微一笑，道：「金花夫人，聽說那蕭翎和你認了姊弟，可有此事嗎？」

蕭翎仰起頭，用一隻眼睛，由那木枝空隙中，向外望去。

原來，他知曉眼前三人都是第一流的武林高手，耳目靈敏無比，稍不小心，都將驚動他們，是以，不敢撥動木枝。

但聞金花夫人應道：「這個嗎？我倒是很願意，只是蕭翎卻未把我當姊姊看。」

沈木風笑道：「我天性從不能容忍叛逆之人，但唯獨對你金花夫人，卻是破例容忍。」

金花夫人道：「這個我也覺得很奇怪，不知沈大莊主為何不肯殺我。」

沈木風道：「我也常動殺你念頭。」

金花夫人道：「何以遲遲不肯下手？」

沈木風道：「這就是為什麼你還能活到現在的原因了，至於我何以不肯下手，我自己也說不出其中的道理安在。」

語聲微微一頓，接道：「目下蕭翎已死，夫人是否感覺到很傷心呢？」

金花夫人道：「如是他真的已經死去，我自然肝腸痛斷，但在未證明他死前，我不信他確已死去。」

逍遙子道：「夫人如何才肯信呢？」

金花夫人道：「見他屍體……」

逍遙子道：「屍體已隨火化作灰燼。」

金花夫人道：「他身上遺物呢？」

逍遙子道：「這一場大火，燒去了方圓十里的原始林木，只燒得山川、林木都已成灰，蕭翎有遺物在此，也是很難尋到。」

金花夫人長長歎息一聲，不再多言。

顯然，她內心之中，已為逍遙子說服，在此情景之下，實是萬無生理。

但聞沈木風仰天大笑一陣，道：「夫人似是相信了，是嗎？」

金花夫人望了沈木風一眼，默然不語。

沈木風淡淡一笑，道：「咱們回去之後，我允許你設下靈堂，奠拜蕭翎一番，讓你盡番心意。」

逍遙子輕輕咳了一聲，道：「蕭翎已死，大莊主第一步計畫已然完成，此後準備如何？」

沈木風道：「昭告江湖，宣佈蕭翎的死亡之訊，然後，便全面發動……」語到此處，突然住口不語，回目望望逍遙子，道：「道長有何打算呢？」

逍遙子道：「貧道希望能遵前約，陸上歸你沈大莊主掌握，至於江、海、湖、河，爲四海君主所有，水旱分明，各居其位。」

沈木風哈哈一笑，道：「道長對那四海君主很忠心啊！」

逍遙子道：「貧道受人之託，忠人之事，俟江湖底定，貧道即將反璞歸真，退出江湖了。」

沈木風仰天打個哈哈，道：「似道長這等才氣縱橫的人物，如若退出江湖，歸隱林泉，那未免太可惜了。」

逍遙子道：「也許大莊主不信貧道之言，好在大莊主霸業將成，江湖風浪即將平息，貧道歸隱之期，亦自不遠，屆時，沈大莊主自然可以瞧到了。」

沈木風微微一笑，道：「但願道長能夠心口如一……」語聲微微一頓，接道：「咱們走吧！」

金花夫人道：「蕭翎遺體還未找到，咱們如何能走呢？」

沈木風道：「如若他們被燒死，屍體該在這附近才是，如若說他們能夠逃出這片火場，實也叫人難信。」

金花夫人道：「那是說，你已經相信那蕭翎已死於大火之中。」

沈木風道：「除非那蕭翎能夠飛天、遁地，逃出火劫。」

金花夫人四顧了一眼，道：「我有一個感覺，就是那蕭翎還好好地活在世界上。」

逍遙子哈哈一笑，道：「夫人這感覺很奇怪，貧道是百思不解，試問在這等強烈的大火之下，就算是一塊鋼鐵，也要被熔化成汁了。」

沈木風淡淡一笑，道：「咱們走吧！」當先向前行去。

逍遙子、金花夫人緊隨身後而去。

蕭翎目睹幾人去後良久，才低聲對百里冰道：「冰兒，沈木風誤認咱們已死，咱們將計就計，給他個莫測高深，等天色入夜之後，咱們再走，你要多忍耐一時饑餓。」

百里冰偎入蕭翎懷中，低聲說道：「和大哥在一起，就算多餓幾天，也不要緊。」緩緩閉上雙目。

蕭翎心中計算了方向，計畫好逃走的路線，然後閉目調息。

天色入夜之後，兩人動身而行。

他心中早已默記好了逃走的路線，雖然地勢不熟，但他心中有了計畫，走起來少了很多猶豫，行動十分快速，不到二更已然出了火場。

再向前走，只見林木茂密，又是一番景象。

這段小路，蔓草遮徑，常人走起來，十分艱難。

但兩人輕功卓絕，行走起來，便利不少。

又翻過兩座山嶺，百里冰首先停了下來，柔聲說道：「大哥，咱們歇歇好嗎？」

蕭翎道：「好啊！我也有些睏倦了。」緩緩坐了下去。

百里冰緊傍蕭翎身側坐下，緩緩道：「大哥，我有些餓……」

蕭翎接道：「我知道，我也有些饑餓，再忍受片刻，咱們找一個農家，多給他一些銀子，好大吃一頓。」

百里冰微微一笑，道：「大哥此後準備如何？」

蕭翎道：「那沈木風誤認咱們已死，我想將計就計，易容改裝，看看武林形勢和沈木風有些什麼陰謀，武林中對我之死的反應如何……」

長長吁了一口氣，接道：「沈木風有他一套很完善的征服江湖的計畫，但現在卻已章法自亂，迫得他不得不提前發動。」

百里冰道：「唉！有一點，我一直想它不透。」

蕭翎道：「什麼事？」

百里冰道：「我常聽父母談起中原少林派，說他們如何了不得，而且人數眾多，高手如

雲，爲什麼那少林派，眼看著沈木風如此的猖狂，卻不肯過問，難道少林派中，連覆巢之下無完卵的道理，也無人懂嗎？」

蕭翎道：「就目前我的觀察而言，少林派中，已有人和沈木風勾結，但少林寺一向清白自守，自然是大部分人，不會贊同，這其間，只怕是還有內情。」

百里冰道：「大哥告訴我闖那幾陣埋伏，其中有一道埋伏，是少林寺的羅漢陣是嗎？」

蕭翎道：「因此，我才懷疑少林寺中，早已有人和那沈木風勾結，而且那個和尙的地位，在寺中很高。」

百里冰道：「不用懷疑了，人贓俱在，還有什麼可懷疑之處呢？」

蕭翎道：「那少林僧侶和我動手時，暗中留情，放我過關，很顯然，他們並未存有替沈木風賣命之心，但卻又爲一種力量約束，不得不聽那沈木風之命。」

百里冰道：「原來如此……」

蕭翎突然抬頭看了天色一眼，道：「休息夠了，咱們先去瞧瞧有無農家再說。」

兩人繼續向前行去，天亮時分，找了一處農家，大吃一頓，問明瞭了路徑，出山而去。

爲了隱秘行蹤，蕭翎和百里冰，都經過了一番精細的易容，兩人的身分，也經常隨著時間和環境變化。

這日中午，蕭翎和百里冰到了長沙城郊一座荒店之外。

蕭翎和百里冰，這時正裝做一對村夫、村婦，提著包裹，牽了一匹毛驢，緩緩向前行去。

只見那荒涼的小店之前，此刻卻十分熱鬧，店前樹上，拴滿了健馬，招魂幡高達數丈，迎風招展，白布上寫著「魂兮歸來」四個大字。

店前面，用整匹的白綾幔起，所有的桌椅都完全移開。

一座高大的靈堂，占滿了整個店面。

蕭翎牽著毛驢，緩緩行到店前，轉目看去，只見靈堂之上寫著：武林大俠蕭翎之靈位。

室內、室外人來人往，但每人的臉色都是一片肅穆，全身上下都穿著白衣服。

蕭翎遠遠望去，只見目光所及，不下二、三十人，全都是一身白，看不到第二種雜色的衣服。

百里冰低聲說道：「大哥，那是你的靈位。」

蕭翎啞然一笑，暗道：我這一生中，已經死亡很多次了。

緩步向那荒店行去。

兩人距那小店還有五、六尺遠，瞥見人影一閃，兩個身著白衣的大漢，緩步行了過來。

那當先一人白髮白髯，身材十分枯瘦，正是那丐幫長老孫不邪。

他似是十分哀傷，雙目通紅，顯然是經過了長時間的哀傷和煎熬。

緊隨在孫不邪身後，是展葉青。

只見他臉色蒼白，雙目也是一樣的紅腫，顯然也是極度的哀傷所致。

蕭翎心中大爲感動，暗道：看來，我蕭翎的死，他們都付出了深沉的悲痛。忽然想到展葉青和鄧一雷都已經中過奇毒，不知他們體內之毒，解了沒有。心中念轉，不覺多瞧了展葉青一眼。

兩人的舉動似是已引起孫不邪的懷疑，只見他轉動一下赤紅的雙目，神光一閃，盯注在蕭翎臉上，道：「小哥貴姓啊？」

蕭翎急急應道：「小可姓孫，送我這位媳婦回門。」

孫不邪大約是想到這人和自己有著同宗之誼，當下一揮手，道：「快些去吧！此地不宜多留。」

蕭翎應了一聲，急急向前行去。

百里冰緊隨蕭翎的身後，片刻工夫，兩人已行出了十餘丈。

百里冰低聲說道：「你瞧出那兩人身分沒有？」

蕭翎道：「他們並未易容，自然瞧得出來，他們是孫不邪和展葉青。」

百里冰道：「你瞧到跪在靈堂前的兩人嗎？」

蕭翎道：「沒有啊！」

百里冰道：「那展葉青擋住了你的視線，但我瞧到了，同時，還瞧出他們哭得傷心欲絕，跪伏於靈堂兩側。」

蕭翎道：「什麼人？」

百里冰道：「你那兩位義弟，商八和杜九。」

蕭翎輕輕歎息一聲，道：「我該現身和他們相見，不能這等捉弄他們才是……」

百里冰道：「那商八、杜九，哭得很可憐，咱們回去告訴他們吧！」

蕭翎痛苦地搖搖頭，道：「不成，咱們要多忍耐才是。」

百里冰道：「你忍心看到他們那等悲苦之狀嗎？」

蕭翎輕輕歎息一聲，道：「如是我此刻現身，把他們那悲傷氣氛沖淡，沈木風必將知曉我還活在世上，爲了武林大局，只好多瞞他們一陣了……」

語聲微微一頓，道：「他們都已到，那宇文寒濤恐怕也到了。」

百里冰道：「你好像很注意宇文寒濤，是嗎？」

蕭翎道：「不錯，只有宇文寒濤到此，才能抗拒那沈木風的陰謀詭計。」

談話之間，瞥見前面煙塵滾滾，幾匹快馬，疾奔而來。

蕭翎低聲說道：「冰兒，咱們讓到路側，瞧瞧看來的是什麼人。」

快馬奔行奇速，兩人剛剛讓到路側，三匹快馬，已然急馳而過。

蕭翎目光銳利，雖只匆匆一眼，已然瞧出三匹馬上之人，正是馬文飛帶著神箭鎭乾坤唐元奇，和三陽神彈陸魁章。

三個人也穿著一身白衣，白巾勒頭，看快馬過後，大道上點點馬汗，不難想到三人奔行的急速。

百里冰黯然一歎，道：「他們是真的對你好，個個爲你身著全孝。」

蕭翎輕輕歎息一聲，正待接言，突聞輪聲轆轆，一輛篷車，急馳而過。篷車全用白布幔遮，連車前的馬，也都披著白綾。

車中隱隱傳出了低聲的啜泣。

百里冰低聲說道：「大哥，看樣子，那車中之人，也是爲你而來。」

蕭翎點點頭，道：「大概是不錯了。」

百里冰道：「什麼人呢？不騎馬，坐車而來。」

蕭翎低聲說道：「我也是覺得奇怪，坐車而來，八成是女子了。」

百里冰道：「車中傳出來低沉的嗚咽，我聽得很清楚，那是女子的聲音，會不會是岳姑娘？」

蕭翎道：「岳姊姊此刻，正爲她本身的事情忙碌，怎會有空到此，唉！我和她訂下的會晤之約，還要如期趕往……」

百里冰接道：「如是岳姊姊聽到了你被沈木風布下的火攻之計燒死，定然會不惜棄去一些約會、諾言，趕來奠拜你的靈位。」

蕭翎望望那獨立的店房，此刻似乎是整個的店房，都要用白綾幔起。

百里冰低聲說道：「就算是一派掌門之尊，故去之後，只怕也不會有大哥這等榮耀。」

蕭翎正待答話，又瞥見馬隊行來。

這一批，人數眾多，不下二十餘騎，後面還有著兩輛馬車。
凝目望去，只見馬上人全都是白衫罩身，頭上是白巾勒頭。
那白衣製作簡單，顯然是匆匆製做的衣服。
蕭翎看來人，多不相識，大都佩帶著兵刃。
人人臉色肅穆，見不到一絲笑容，兩輛馬車上堆滿著白絹。
百里冰心中暗道：他們購了這麼多白絹，不知要如何裝飾大哥的靈堂，看來，他們的氣派，要一口氣買完長沙城中的白絹白布了。」
兩人站在道旁，似是已引起馬上群豪的注意，數十道眼光不停地投注在兩人身上。
蕭翎牽起毛驢，轉身向前行去。
百里冰急急隨行而去。

四四 江湖凶訊

俗。

兩人這番改裝，事先經過了精密的計算，所以，並不引人注意，也很適合當地的民情風

兩人走在一條小徑上，不大工夫，已然避開大道，目光所及，但見塵煙滾滾，似是仍有著無數的車馬，奔向那間荒涼店舍。

蕭翎望著那瀰起的塵煙，心中大感奇怪，忖道：哪裏來的這麼多人馬，奔行向那荒舍呢？難道說這些人，都是去憑弔我蕭翎不成。

心中念轉，口中卻說道：「冰兒，咱們得設法去那裏瞧瞧。」

百里冰道：「不錯，咱們先到長沙，再改扮成江湖人物，和他們一般的穿上白衣，那裏人數眾多，想來絕不致被他們發覺大哥。」

蕭翎道：「好！」放了手中的毛驢，放步向長沙行去。

兩人繞道兼程，在落日時分，趕到了長沙。

這時，蕭翎和百里冰又改裝成江湖人物，蕭翎塗黑了面孔，一身黑色的勁裝，腰間掛著一

柄腰刀。

百里冰的改扮更絕，因她瘦小，乾脆裝扮成一位枯瘦的老人，稀疏黃鬚，加上一張蠟黃的臉，一身土布衣服，褲腿下又紮了兩條黃帶子，手中又提了一根二尺八寸長旱菸袋，誰也想不到，看上去毫不起眼的糟老頭，竟然是一個如花似玉的絕代美人。

兩人先在幾條熱鬧的街上繞了一圈，只見幾家大布莊的白綾、白緞以及白土布，全都被人買光。

兩人裝作互不相識，保持著一丈左右的距離。

蕭翎心中早有計劃，看過了市間情勢，折入了一座酒樓中。

夜幕已垂，酒樓中點燃著四盞吊燈，照得大廳中一片通明。

蕭翎和百里冰各據一桌，百里冰深入內廳，坐在靠壁間一張小木桌上，蕭翎卻選在靠廳門的一處座位。

這時刻，應該是晚餐將過，但店中的夥計，仍是白裙圍腰，衣著整齊地站在店中，似是他們心中有把握，還會有大批的客人到來，可做幾票好買賣。

蕭翎目光轉動，只見廳中除了自己和百里冰外，還有一桌客人，看上去都似武林中人，只見他們狼吞虎嚥地吃完飯，匆匆會帳而去。

一個年紀最大的走在最後，出店時，忽然對蕭翎打個問訊，道：「朋友，可也是來此趕那蕭大俠之喪？」

蕭翎含含糊糊地道：「不錯啊，諸位也是吧？」

那老人停了下來，道：「蕭大俠明日正式開奠，靈堂距此還有幾十里路，朋友如是想趕上早祭，今夜要摸黑趕路才成。」

蕭翎道：「多謝兄台，不過，在下現在還在想是否該去。」

那老人奇道：「蕭大俠爲造福武林，不幸中了那沈木風火攻之計，生生被大火燒死，我武林道中，誰不感動，自然是應該去了！」

蕭翎搖搖頭，道：「那蕭翎出道江湖，時間很短，如說他在江湖上有很多建樹，卻也未必，在下又和他從未晤面，趕熱鬧，倒還有一份雅興，如是要摸黑路，趕個早祭，在下實是難提這份情趣了。」

那老人冷冷說道：「那蕭大俠出道雖然不久，但他的豪壯之氣，俠義肝膽，卻是前無古人，以不及弱冠之年，一劍獨拒百花山莊，也由於他俠氣感召，使我武林同道，如夢初醒振奮而起，拚命保命，抗拒那沈木風，如非蕭大俠的豪壯氣概，只怕整個武林，都要淪入那沈木風的魔掌之下，聽憑宰割了。」

這老人家說完了一席話，也不待蕭翎接口，轉身出店而去。

蕭翎望著那老人的背影，呆呆出神，心中暗自忖道：我被武林如此推崇，自己竟然不知。

一個店小二，緩步行了過來，低聲說道：「這位客官！這兩日咱們酒店來的，盡都是你們武林人，提起那蕭大俠，人人欽敬，適才那位老大爺說得不錯，你要……」

但聞一陣急速的馬蹄之聲，傳了過來，緊接著是一陣迅快、雜亂的步履之聲，一群佩帶著兵刃的大漢，奔入店中。

那店小二自動停下未完之言，忙著招呼客人而去。

蕭翎目光一轉，只見入店之人，正好八個，分在兩桌點了菜，立時催飯，似是全無喝酒之興。

武林中人，大都喜飲上幾杯，這幾人中竟無一人叫酒，顯然，每人的心中，都有著很沉重的心事。

但聞其中一個大漢說道：「夥計，這裏有裁縫嗎？」

一個店夥計急急行了過來，道：「您老要什麼？」

那大漢道：「替咱們做八件孝衣來，越快越好，我們多給銀子。」

店小二望了八人一眼，道：「孝衣小店備有成貨，至於價錢，諸位大爺隨便賞賜！」

那大漢不再多言，匆匆吃過飯，八人一齊穿上店小二取來的白衣，隨手摸出一錠銀子，丟下就走。

蕭翎正待招來店小二會帳，瞥見一老一少，行入店中。

那老人大約有六十以上，小的只有十六、七歲，兩人身上，都帶著兵刃。

蕭翎心中一動，暗道：這兩人年紀懸殊，怎會走在一起，倒要瞧瞧他們是何來路。

只聽年輕人叫道：「爺爺，這次去奠祭那蕭大俠的人，好像很多很多，是嗎？」

那老人道：「你沿途看到的，只不過是聞訊趕到的人，至於那路途遙遠，來不及明日之前趕到的，何只多此十倍。」

年輕人道：「爺爺啊！爲什麼這樣多人去奠祭蕭翎呢？」

那老人道：「因爲那蕭翎是一位胸懷救世大志的大俠，不爲百花山莊威武所畏，厚利所動，爲江湖正義，挺身拔劍力鬥惡人，武林道上，原本無人敢和百花山莊作對，都抱著自掃門前雪的態度，但那蕭大俠的豪勇，卻振奮了人心，武林中人都自覺醒悟，與其日後受那百花山莊的茶毒宰割，還不如奮起一戰的好……」

長長歎息一聲，接道：「如今那蕭大俠慘遭燒死，此後，再也無人替咱們抗拒沈木風了，這番各方英雄趕來此地，除了奠祭蕭大俠之外，還要替他報仇，也算是合力自救。」

那少年點點頭，道：「原來如此。」

老少祖孫兩人吃完飯，會帳起身。

店小二自動地送上兩件白衣，道：「兩位去奔蕭大俠之喪，想必要換上素服了。」

那老人點點頭，接過白衣，放下一錠銀子而去。

蕭翎目睹兩人出門，舉手一揮，一個店夥計行了過來，道：「大爺有何吩咐？」

蕭翎道：「我也要買件白衣。」

店小二捧過一件白衣，道：「大爺穿穿看，合不合身。」

百里冰眼看蕭翎買了衣服，也喚過店家買了一套。

兩人穿上素衣，離開了酒店，又向城外行去。

蕭翎低聲對百里冰道：「冰兒，如那宇文寒濤還未在那裏，其他之人，只怕都難防到那沈木風的陰謀，因此，咱們必須替他們防止暗算。」

百里冰道：「如何一個防止之法呢？」

蕭翎道：「咱們裝作互不相識，各自選擇一處視野廣闊的地方，暗中監視全場，如是發覺有可疑的人物，就以手勢聯絡，記著要小心一些，那靈堂中人物雜亂，不要弄錯了人，鬧出笑話。」

當下和百里冰詳細地研究了手勢聯絡之法。

百里冰一一默記於心，說道：「如是咱們發覺那人可疑，要如何對付他呢？」

蕭翎道：「最好是暗中傷了他，使他無法從中搗亂，非不得已，不要露出痕跡。」

百里冰道：「好吧！一切都遵從大哥吩咐就是。」

兩人一路急趕，待回到那荒店之時，景物已然大變。

只見篷帳連綿，不下十餘座，四周都用繩索攔成圍牆，每隔兩丈，就吊著一盞風燈。

正東方面，開著一個大門，一個布篷之下，坐著兩個人，放著一張單桌。

在那單桌之上，放著一本很厚的書冊和筆墨紙硯。

不遠處林木中馬嘶傳來，想是拴滿了百匹以上的健馬。

蕭翎緩步行到門口，只見桌後兩個當值的人，正是司馬乾和楚崑山。

原來，幾人追趕蕭翎，沿途處處遭遇埋伏攔擊，被阻難進，後見大火燒山，蕭翎死訊傳出，一行人只好退了回來。

蕭翎還未行近桌前，那楚崑山已站了起來，遙遙抱拳作揖，道：「兄弟楚崑山，閣下可是憑弔蕭大俠之喪而來？」

蕭翎怕他聽出口音，不敢答話，只好微微頷首。

楚崑山看蕭翎滿身塵土，知他沒有騎馬，當下說道：「朋友是行路趕來，更是盛情可貴，請留下姓名，早入篷帳休息去吧！」

蕭翎心中暗想：似這等簡單的訊問之法，那沈木風如若派來奸細，當真是易如反掌了。

爲怕啓人疑竇，蕭翎一直不敢回頭張望，直待進入帳篷之時，才緩緩回過頭望去。

只見那司馬乾也瞪著一雙眼睛，正向自己凝注，當下加快腳步、行入篷帳之中。

只見一雙白燭，還在燃燒，篷帳中已然有許多人，約掠一眼，大約有十四、五個，地上鋪著幾張蘆蓆，大部分人都在盤坐調息，也有人和衣睡去。

蕭翎生怕有人問話，不敢多看，急急盤膝而坐，閉上雙目，運氣調息。

隱隱間，他感覺到篷帳被人掀開，爲免啓人之疑，也不睜眼，心中卻在暗暗忖道：希望那冰兒的聰明，也能應付得了，混入此地。

只覺得掀開的垂簾又放下，緊接著響起輕微的步履聲，似是有人向篷帳中瞧瞧之後，又轉身而去。

突然覺得臉上一熱，似是有人故意地把一口氣吹在他的臉上，而且這口氣餘溫猶存。

蕭翎睜眼看去，只見一個矮胖的大漢，端坐在自己對面，兩人相距，也就不過兩尺左右，那人圓睜著一雙眼睛，盯注在自己臉上瞧著。

這舉動使蕭翎有些冒火，但仔細一看，那人竟是酒僧半戒大師。

這和尚仍然是那一件油污袈裟，滿臉酒光，一眼之下，就可識得出來。

蕭翎看清楚來人之後，忍耐下心中一腔怒火，重又閉上雙目。

突然間，臉上一熱，夾帶著濃重的酒氣撲來，顯然，酒僧半戒故意地把一口大氣，吹在那蕭翎的臉上。

蕭翎站起身子，行到篷帳一角，又自坐了下去。

他心中雖然覺得酒僧半戒，這等胡鬧，使人難以忍耐，但卻無法了解他用心何在。此番到此，既想保密身分，那也不用和他計較了。

酒僧半戒站起了身子，追在蕭翎的身後，緊傍著蕭翎身側而坐，低聲說道：「朋友，你很沉得住氣啊！」

蕭翎抬起頭，道：「怎麼樣？」

半戒大師道：「和尚想和閣下談幾句話，成不成？」

蕭翎道：「談什麼話，在下一向不願和人交談。」

半戒大師道：「閣下貴姓？在哪裏發財啊？」

蕭翎道：「在下姓藤名大丹，一向在湖北活動。」

半戒大師道：「好地方，我和尙一向也在那裏活動，怎麼沒見過藤兄呢？」

蕭翎道：「照你們佛家說法，在下和大師無緣。」

半戒大師「哦」了一聲，道：「藤兄，認得我和尙嗎？」

蕭翎道：「很多人都在休息，咱們不要驚擾了別人，大師和在下攀交，明日再談不遲。」閉上雙目，不再理會半戒。

半戒大師一連問了數聲，蕭翎一直是默不作答，但半戒大師卻也有一股傻勁，心平氣和的，低聲相向，一句話重複了數十遍，一直不停，看樣子，只要蕭翎不肯回答，他是永遠不會住口。

蕭翎無可奈何地睜開眼睛，道：「好！只問一句。」

半戒點點頭，道：「閣下認識我和尙嗎？」

蕭翎睁開雙目，道：「認識，閣下是酒僧半戒大師。」

半戒微微一怔，還待接口，蕭翎又閉上雙目，不再理會於他，半戒仔細地打量了蕭翎一陣，站起身子離去。

蕭翎微啓雙目，望了半戒一眼，心中暗自笑道：這酒和尙，實是難纏得很，如是不用這等法子對付他，勢必被他盤問出根底不可。

心念轉動之間，只見垂簾一啓，一個黑瘦的老人行了進來。

蕭翎一眼之間，已瞧出那人是百里冰化裝，心中暗暗忖道：希望她能有耐心，不要讓那半戒大師問出火來，而暴露了身分。

只見百里冰四顧了一眼，直對蕭翎走來。

但見百里冰行到距自己還有三尺左右時，坐了下去，竟然是望也未再轉頭多望蕭翎一眼。

酒僧半戒眼看百里冰剛剛坐好，立時就追了過去，問道：「朋友，從哪裏來啊？」

百里冰冷冷望了半戒一眼，卻是默不作聲。

半戒大師輕輕咳了一聲，道：「喂，和尚和你說話，聽到了沒有？」

百里冰冷冷地望了半戒一眼，仍然是默不作聲。

半戒大師緩緩說道：「閣下認識我和尚嗎？」

他口中不停地和百里冰說話，兩道眼神，卻盯注在百里冰的臉上瞧。

百里冰睜開雙目，暴射出冷峻的目光，望了半戒一眼，搖搖頭，重又閉上。

酒僧半戒看那百里冰始終是一語不發，竟然沒有辦法，起身而去，不再多問。

蕭翎心中原本替百里冰擔心，怕她一開口露出女子口音，定然會引起那酒僧半戒的疑心，卻不料百里冰一言不發，竟把半戒大師應付過去。

半宵中，再也無人打擾，天色初亮光景，突然，傳進來一陣哀樂之聲。

酒僧半戒大聲說道：「蕭大俠的靈堂已開，祭奠開始，諸位可以上香祭拜了。」

蕭翎睜眼看去，只見篷帳中的人全都站起了身子，紛紛向篷帳外面行去。

百里冰和蕭翎齊齊站起身子，隨在眾人身後，行了出去。

抬頭看去，只見四面篷帳中人，都已魚貫行出，蕭翎約掠一眼，看四周人群，不下數百之多，每人都穿著白色的孝衣，白巾勒頭。

轉目望去，只見那座獨立的荒店，也已經形貌大變。

四周都由白綾幔起，高約四丈有餘。

遠遠望去，有如一座白色的高樓。

數十盞白色的紗燈，用杉木竿挑起，環布在靈樓四周。

那木竿也經白綾裹著，靈樓四周一片白，所有的樹木，也都用白綾幔起，四周百丈內看不到一點雜色。

蕭翎心中暗道：想不到我蕭翎之死，還有如許光彩。

這時，從篷帳中行進來的人，已然排了四行縱隊，緩緩向靈樓中行去。

蕭翎行近了，才瞧出那是一座白綾圍成的靈樓，占地甚廣，雖然是以那幾間瓦屋磚舍做為中心，但這白綾環繞的靈堂，卻大那瓦舍百倍以上。

更奇怪的是，那環繞白綾有如一道圍牆，除了四個門之外，別處無法通行。

初時，蕭翎排隊隨行，並無感覺，但是越想越覺其間必有奧秘，不覺間引起好奇之心，暗道：這座白綾幔成的靈堂，定然是大有作用，進入之後，一定要仔細地觀察一番。

心中念轉，人已行到了入口之處。

只見三陽神彈陸魁章，滿面淒肅之容，抱拳說道：「有勞大駕。」

蕭翎還了一禮，行入門內，心中暗道：原來這些人都以主人身分出現，招待客人，想來四個入口都是一般了。

抬頭看去，只見一個長形的木桌上面，鋪著白色錦緞，兩個身著白色道袍的武當弟子，滿臉淒苦地站在桌後，桌上放著文房四寶，白緞已然題滿了姓名。

蕭翎提筆寫上湖北藤大丹五個字，行入靈堂。

靈堂上的布篷，一色純白的木柱，在平地中搭起了這一座白綾靈堂。

靈堂占地甚廣，鋪著白綾幔遮的草園，蕭翎約略估算一下，這靈堂足可容一千人以上。二方白緞之上，寫著「天下第一俠蕭翎之靈位」，豎立正中，兩旁是白綾做成的靈帳。素花羅列，白燭高燒，場中一片肅穆莊嚴的氣氛。

蕭翎緩步行向一方白綾蒲團之上坐下，目光微抬，只見靈位上一塊橫匾寫著：「武林明燈」四個大字，不禁黯然一歎，忖道：我蕭翎何德何能，能受到武林同道如此敬仰，想來實是慚愧得很。

又過了一刻工夫，突然那靈堂之後，緩步走出了兩個人。

當先一人身材瘦小，穿著一件又長又大的白衫，頭上包著白巾，看上去有些滑稽，但他臉上莊肅、淒苦的神情，卻又叫人笑不出來，正是丐幫中碩果僅存的長老，武林中黑、白兩道人人敬重的孫不邪。

第二人長髯垂胸，白色道袍，正是武當掌門人無爲道長。

只見孫不邪一抱拳，道：「老叫化孫不邪，諸位中定然有著和我老叫化見過面的人……」語聲微微一頓，道：「老叫化這把年紀，早已退休多年，而且已息隱江湖甚久，但因不願看武林同道，盡爲那沈木風魔掌控制，因此，不惜以風燭殘年之身，重出江湖……」

只聽一個沉重的聲音，由人群中響起，道：「孫大俠重出江湖爲我等謀命，凡我武林同道無不感激。」

孫不邪苦笑一下，道：「老叫化老邁了，真正有能救助我武林同道，免於淪入魔掌的蕭大俠，卻爲那沈木風詭計所乘，活活燒死……」

話至此處，老淚滾滾而下，竟自接不下去。

以孫不邪聲望之高，居然泣不成聲，場中的人，大都難以自制，流下淚來。

良久之後，孫不邪才擦乾淚水，接道：「老叫化和蕭大俠，相逢於百花山莊，看著他力鬥十八金剛的豪勇，當真是前無古人，後無來者，老叫化雖年近古稀，卻也沒有經過那等凶險慘厲的陣仗……」

長長吁一口氣，接道：「年不達弱冠的蕭大俠，凜凜氣魄，實爲老叫化生平所見中第一俠人，想不到一代俠士，竟爲詭計所傷，天道崩潰，夫復何言……」

回顧了無爲道長一眼，接道：「蕭大俠對武林影響之大，老叫化亦不知從何說起，道長你說給他們聽聽吧！老叫化實難控制心頭淒傷，無法再說下去了。」

無爲道長黯然歎息一聲，望著蕭翎的靈位，接道：「蕭大俠來得像一道閃光，照亮了滿天烏雲，但他走得太快了，留給人無盡的追慕、懷念，也留下一局殘棋！」

語聲一頓，接道：「但那蕭大俠，已然照出了武林中魑魅魍魎，雖然是天嫉奇才，遭那沈木風毒計所害，但他給咱們指明了一條可行之路，咱們得爲他報仇，拚命保命。」

只聽靈堂下，群豪起了一陣輕微的騷動，一個粗豪的聲音，接道：「不錯，蕭大俠爲了武林正義而死，咱們豈能坐視，就算咱們不是那沈木風的敵手，但也要奮起一戰。」

一人接言，群相呼應，靈堂前響起了一片爲蕭翎復仇之聲。

蕭翎只聽得大爲感動，暗道：這些人和我從未晤面，竟然對我之死，如此重視。

只聽無爲道長朗朗說道：「由於那蕭大俠靈光照耀，貧道和那蕭大俠幾位知友，決定在此開奠三日之後，在蕭大俠靈前立誓結盟，同拒百花山莊，蕭大俠生前是磊落君子，光明俠士，貧道不願他英名受汙，諸位盡可三思而行，好在還有三日時光，如是願意留此，爲武林正義效力，繼承蕭大俠未完之志，我等是竭誠歡迎，但如不願以身涉險，我們也不攔阻，三日內，諸位來去隨心。」

只見一個身著道袍的武當弟子，急步行了進來，低聲在無爲道長耳際說了數言。

無爲道長聽了武當弟子的話，點點頭，高聲說道：「諸位都是最早奠祭蕭大俠的人，我想在這等急促之下，超速來此地之人，都是對蕭大俠敬仰最深的人，現在，丐幫中人，趕來祭靈，諸位可以退回帳篷之中休息，或在這附近走動一陣也好，第四日中午時分，舉行爲蕭大俠

復仇、自保的誓盟大會，願來參加的，我等是全心歡迎，不願參與那誓盟大會的，諸位也已奠拜過蕭大俠的靈位，盡了心意。」

只見靈堂中群豪紛紛起身，退出了靈堂。

蕭翎暗中查看，這批人約有二百以上。

靈堂中突然靜了下來，大部分人，都已退出靈位。

但還有十餘人，不肯走，雲集於靈堂一角。

蕭翎目光轉動，只見百里冰也在其中，當下起身緩步行了過去。

只見孫不邪大步行了過來，抱拳對幾人一揖。

他在武林中德高望重，突然行此一禮，慌得十幾人齊齊長揖還禮，道：「老前輩這等大禮，我等如何敢當。」

孫不邪道：「諸位不肯退走，想必都是對蕭大俠特別愛戴之故，不過，那沈木風就在左右，極可能會派遣高手，來此驚擾，我等不能不作準備，諸位請集於靈堂西側，以使我等便於控制靈堂，有何變故，也好應付。」

十幾人齊應了一聲，退入到靈堂西側。

蕭翎和百里冰雜混於幾人之中，盤膝坐下。

只聽司馬乾的聲音高聲說道：「丐幫申幫主，親來奠祭。」

蕭翎轉目望去，只見一個五旬左右的清瘦中年人，緩步行了過來。

在那清瘦的中年人身後，緊隨著四個六旬左右的老丐。

來人腳踏多耳麻鞋，身著灰色長衫，頭上卻用白綾包起，胸前戴了一朵素花。

蕭翎心中暗道：那當先一位清瘦的中年人，自然是丐幫的申幫主了。

只見那申幫主，神情肅然地緩步行到蕭翎的靈前，躬身一個長揖，然後撩袍跪了下去。

靈幃後，突然傳出哀怨的樂聲，悽楚動人。

四個隨行老丐，一排站在那申幫主的身後，相距約四、五尺遠。

申幫主跪下之後，四個老丐，也隨著跪拜於地。

拜罷起身，哀樂隨止。

孫不邪大步行了過來，道：「幫主，還記得老叫化嗎？」

申幫主恭敬地對那孫不邪行了一禮，道：「師叔安好……」

語聲一頓，接道：「晚輩早已聞得師叔重出江湖之訊，本當早來拜候，只因幫中出了一點小事，使我無法分身。」

孫不邪歎息一聲，道：「現在，事情了結了嗎？」

申幫主道：「托師叔的福，小侄已然敉平叛徒，按幫規治罪了。」

蕭翎心中忖道：原來丐幫中出了內奸，我說呢！江湖上風雲如此緊急，這重要人物，何以始終未見現身。

但見孫不邪微微頷首，道：「那很好，老叫化也正要找你，咱們後面坐吧！」

中幫主點點頭，帶著四大隨行護法，行入靈幃之後。

蕭翎心中暗道：這丐幫幫主此番親身到此奠祭我，看來，丐幫倒似真的集中高手，準備和沈木風決戰一陣的樣子。

又過片刻，司馬乾的聲音又傳了過來，道：「少林三位高僧，奠祭蕭大俠的靈位。」

蕭翎心中一動，暗道：我在闖關之時，那沈木風身側，也站著一個和尚，難道他們正、邪兩分，各行其是不成。

忖思之間，只見身罩白綾罩袍的三個僧侶，緩步行了進來。

居中一人，年紀老邁，大約有六十以上，兩側的僧侶，卻都是三十許人。

三人並步而進，行到蕭翎靈前，合掌低喧一聲佛號，緩緩跪了下去。

哀樂重起，由靈幃之後，嫋嫋傳出。

蕭翎仔細聽那樂聲，只是一管一弦，但奏出的聲音，卻是淒涼無比，管似洞簫，弦若琵琶，不知是何人彈奏出來。

三個和尚隨著哀傷的管弦，拜了下去。

三僧起身，樂聲也隨著頓住。

無爲道長大步迎了上來，合掌說道：「三位請入後面用齋飯。」

那居中年紀最老的一僧，長長吁一口氣，道：「老衲已聞蕭施主的大名，心儀甚久，想不到，竟然不能和他一見。」

一面答話，一面舉步向靈幃後面行去。

蕭翎心中暗道：這三個僧侶，在少林寺中，不知是何身分，無爲道長既似和他們相識，卻不肯叫出名號，難道有意不宣出他們的名號嗎？

百里冰緩緩地移動身軀，和蕭翎坐在一起。

但聞司馬乾高聲叫道：「無名客，祭蕭大俠的靈位。」

蕭翎聽得心中一動，暗道：奇怪啊，既是來祭，何以不肯通名，不知是何許人物。

百里冰和他一般心意，同時特別留心來人。

只聽一陣步履之聲，一個身著青衣之人，外面披著白綾孝衫，緩步行向靈堂。

蕭翎看清楚來人之後，不禁心頭一震。

原來，這青衫少年正是白雲山莊簫王張放之孫，玉簫郎君。

玉簫郎君雖然常常在江湖之上走動，但他武功奇高，平常武林人物，很難得見他之面，而且他又常戴人皮面具，此刻以真面目出現，識他之人，可謂少之又少。

只見玉簫郎君行到蕭翎靈位前，既不下拜也不作揖，卻望著那靈位出神，良久之後，喃喃自語，道：「蕭翎啊！蕭翎！這一番你是真的死了呢？還是假亡呢？」

百里冰心中暗暗罵道：你咒我大哥死嗎？他要長命百歲，活上一百年、一千年。

靈堂中所有之人的目光，都投注在那玉簫郎君的身上，但那玉簫郎君，卻如身在無人之境，渾似不覺。

這時，孫不邪、無爲道長等，全都在那靈幃之後，未見出來，也無人干涉玉簫郎君的舉動。

大約過了一盞熱茶的工夫之久，玉簫郎君突然大聲喝道：「這靈堂上哪位執事？」

只見靈幃之後，緩步轉出來白髯飄飄的楚崑山，道：「朋友，有何見教？」

玉簫郎君打量了楚崑山一眼，道：「老丈怎麼稱呼？」

楚崑山道：「老朽楚崑山！朋友有什麼事，只管吩咐。」

玉簫郎君道：「楚老丈是這靈堂上的執事嗎？」

楚崑山道：「這時刻，正是老朽當値。」

玉簫郎君點頭應道：「那很好，在下有一個不情之求，不知老丈肯否答允。」

楚崑山道：「既是不情，想來必非好事了，朋友先請說說看，在下是否力所能及。」

玉簫郎君道：「我要仔細檢查蕭翎的屍體，如是他真的死了，在下當盡我之力，助你們幫他復仇，如若不是他的屍體……」

楚崑山道：「怎麼樣？」

玉簫郎君道：「在下要火燒靈堂……」

冷笑一聲，接道：「一個人裝上一次死，也就夠了，那位蕭大俠，似是裝出癮了……」

楚崑山長吁一口氣，道：「朋友貴姓啊？」

玉簫郎君道：「在下此刻，還不便奉告姓名，還請老丈見諒。」

楚崑山道：「朋友，言詞忽而甚為有禮，忽而激忿不平，實叫老朽捉摸不定，敵乎？友乎？」

事實上，玉簫郎君此刻心情，也正和他的說話一般，矛盾異常。

但見玉簫郎君臉色一寒，冷冷說道：「老丈，如是不想在你當值時刻中，惹出麻煩，最好能夠據實回答在下之言。」

楚崑山道：「好！老朽據實回答，蕭大俠並無屍體在此。」

玉簫郎君臉色一變，道：「那為何說他死了呢？」

楚崑山道：「沈木風把他騙入一座原始森林之中，四面放起火來燒，只燒得岩石變色，山川易形，那還會活得了嗎？」

玉簫郎君道：「那也不能確證他一定死了啊？」

楚崑山道：「自然，天下武林同道，都希望那蕭大俠活著，但他卻不見人。」

玉簫郎君道：「他如是真的死了，為何死不見屍體呢？」

楚崑山道：「漫天大火，燒得岩石成漿，何況人的屍體呢？」

玉簫郎君沉吟了一陣，道：「那是說，老丈確知那蕭翎已經死了嗎？」

楚崑山默然說道：「自然是不會活了。」

玉簫郎君雙目一瞪，冷然說道：「如是他還活著呢？」

楚崑山道：「老夫活了這一把年紀，足跡遍及大江南北，各色各等之人，我都見過……」

蕭翎一看那長髯之人，心中頓時一喜，暗道：原來，他也趕到了，這番設靈招魂，開弔祭我，只怕都是他安排的。

原來，那長髯人正是浙北向陽坪璇璣書廬主人，宇文寒濤。

孫不邪和無為道長，大約已從商八口中聽說了蕭翎對那宇文寒濤的推崇，是以，都對他有著適當的尊重。

無為道長回顧了宇文寒濤一眼，低聲說道：「宇文兄作主吧！」

宇文寒濤目光轉到司馬乾的身上，道：「司馬兄，那沈木風帶有多少從人？」

司馬乾道：「周兆龍、金花夫人，和一個年輕的藍衫人，一共四個。」

宇文寒濤道：「要他們進來。」

司馬乾道：「好！在下去對他說。」

宇文寒濤目光一掠無為道長，道：「有勞道兄，傳令下去，全面戒備，但未得兄弟之命時，不許擅自出手。」

無為道長應了一聲，轉入靈幃之後。

四五　哭靈之秘

宇文寒濤目光轉到玉簫郎君身上，道：「張世兄可是想從沈木風的口中，求證蕭大俠的生死？」

玉簫郎君道：「不錯，在下確有此意！」

宇文寒濤道：「在未證實蕭翎真死、假死之前，咱們之間，雖然非友，但也非敵，是嗎？」

玉簫郎君沉吟了一陣，道：「嗯！正是如此。」

宇文寒濤道：「那就請張世兄暫坐靈堂一側，待那沈木風奠拜過蕭翎的靈位之後，張世兄再質問他蕭翎是真死，還是假亡。」

玉簫郎君道：「那沈木風恨蕭翎有如刺骨，豈肯奠拜他的靈位。」

宇文寒濤道：「在下推想，那沈木風乃一代梟雄，豈能和張世兄一般沒有風度。」

玉簫郎君冷笑一聲，似要發作，但他卻又強自忍了下去，緩緩退到靈堂一邊，坐了下去。

這時，宇文寒濤和孫不邪一齊退入靈幃後面，無爲道長反而由靈幃後面行了出來。

只聽司馬乾高聲說道：「百花山莊大莊主，沈木風駕臨靈堂。」

語聲甫落，沈木風已緩步行了進來。

蕭翎轉目望去，只見沈木風左面走著周兆龍，右面是金花夫人，身後那藍衫少年，正是引誘自己入險的藍玉棠。

沈木風目光轉動，先掃掠了靈堂一眼，不見有什麼高人在場，目光才轉到無爲道長的臉上，緩緩說道：「道長別來無恙。」

無爲道長冷肅地說道：「貧道粗體安好，有勞沈大莊主下問。」

沈木風哈哈一笑，道：「道長，這靈堂佈置得極爲風雅、堂皇。」

無爲道長道：「天下英雄同心協力，一夕間成此靈堂，頃盡長沙府白綾白緞，布成十里縞素場面，俗語道：眾志成城，看來是不會錯了。」

沈木風道：「這氣魄很輝煌，道長雖然多才，只怕也未必有此等開闊的氣度。」

無爲道長冷然一笑，道：「沈大莊主此言，是何用心？貧道思解不透。」

沈木風仰天打個哈哈，道：「在下既然來到此地，總要停留一段時光，咱們先行奠祭了蕭翎的靈位之後，再談不遲。」

言罷，緩步行到蕭翎靈堂之前，長揖之後，跪拜了下去。

蕭翎眼看那沈木風對自己行這等大禮，倒是大感意外。

沈木風拜倒的同時，金花夫人和周兆龍，以及藍玉棠，也全都跪拜下去。

百里冰特別地留心那金花夫人，只見她珠淚紛紛滾了下來。

沈木風拜罷起身，望著蕭翎的靈堂，神情肅然地說道：「你雖晚生四十年，但為兄卻感覺，細論當代英雄，唯弟與兄爾，弟如肯與兄合作，此刻武林，已然全入我等掌握，一聲令下，江湖震動，那時，天下英雄，盡為我等所用……」

長長吁一口氣，接道：「可惜的是，兄弟你少不更事，為一般江湖上求命之輩，冠以俠名，那俠字害了你，使你落得大火焚身而死，兄弟啊，想想你死得划算嗎……」

無為道長冷冷接道：「他死得名標青史，天下武林，正義之士，人人哀傷，古往今來，武林中不少大英雄、大豪傑，又有哪一個能如他一般，死得這等光彩，何況，蕭翎之名，有如春雷乍響，已然驚醒了天下英雄，別說你沈木風陰謀難逞，就算你成就了霸業，也落得千古罵名。」

沈木風冷笑一聲，道：「道長對我這等無禮，如是在五年之前，沈某人早已取你之命了……」語聲微微一頓，接道：「但此刻，在下卻不願殺你。」

無為道長道：「也許貧道非你沈大莊主之敵，不過，你沈木風如願動手，貧道極願奉陪。」

沈木風哈哈一笑，道：「道長的勇氣，實叫在下佩服。」

無為道長冷冷說道：「沈木風，你已奠祭過蕭大俠的靈位，如若別無他事，可以走了。」

沈木風回目一顧金花夫人，只見金花夫人仍然珠淚紛落，呆呆地望著蕭翎的靈位出神。

顯然，她的哀傷、痛苦，是真出於內心。

藍玉棠冷冷地望了無爲道長一眼，道：「你就是武當派掌門人？」

無爲道長道：「正是貧道。」

藍玉棠道：「江湖上傳誦你們武當派劍法如何神妙，但在下看來，盡都是欺人之論。」

無爲道長道：「貧道似和閣下見過，只是一時記不起了。」

語帶雙關，有著不屑與談之意。

藍玉棠道：「在下藍玉棠，如是道長不信任在下，不妨當場來試驗一番，百招之內，我要道長棄劍認輸。」

沈木風搖手阻止住藍玉棠，道：「在下想和道長詳細談談。」

無爲道長道：「好！沈大莊主請說，貧道洗耳恭聽。」

沈木風道：「也許道長不信，江湖大局，我已然掌握了十分之七，只要一聲令下，九大門派，一夕間，可入我沈木風的掌握。」

無爲道長道：「就貧道所知，武林之中，也有很多同道，誓言要爲蕭大俠復仇，自然，這其間也包括有九大門派中人！」

沈木風道：「這就是你們在此設靈開弔的真正用心了，豈不知你們又錯了。」

無爲道長道：「貧道想不出哪裏錯了。」

沈木風道：「你們雲集於斯，正好授我以可乘之機，在下已然出盡了百花山莊高手，把爾沒有這麼強烈的信心。」

沈木風正要接口，突聞一個冷冷的聲音，搶先接道：「如是那蕭翎不死，你沈大莊主似乎

無為道長道：「設靈之前，我等已有準備，沈大莊主能否如願，只怕很難說。」

等團團圍困，如是在下不能口頭上說服諸位，那只有一鼓把爾等盡戮於斯了。」

藍玉棠想不到玉簫郎君竟也在此，不禁失聲驚噫了一聲！

沈木風目光轉到玉簫郎君的身上，望了一眼，道：「閣下是何許人？」

沈木風道：「藍兄弟認識他？」

藍玉棠道：「認識，他乃白雲山莊的少莊主，簫王張放之孫……」

玉簫郎君喝道：「住口，家祖是你什麼人？」

藍玉棠道：「咱們情意早斷……」

沈木風一揮手，攔住了藍玉棠，沉聲說道：「久聞白雲山莊大名，今日幸會少莊主！」

玉簫郎君道：「不用客套，在下想向沈大莊主打聽一件事，但望能據實見告。」

沈木風淡淡一笑，道：「少莊主的口氣，果然是咄咄逼人，如是在下不願奉告呢？」

不待玉簫郎君接口，立時接道：「不過，在下仍願一聞高見。」

玉簫郎君道：「問題很簡單，那蕭翎是否真的死了？」

沈木風反問道：「真死如何？假死又如何呢？」

玉簫郎君道：「關係很大，對在下和你沈大莊主而言，是生死相關！」

沈木風微微一笑，道：「太嚴重了，少莊主這點年紀，怎可輕易言死。」
玉簫郎君厲聲喝道：「在下問那蕭翎是否死了？」
沈木風皺皺眉頭，道：「死了！」
玉簫郎君口氣突然緩和，道：「當真嗎？」
沈木風看他神情，忽而聲色俱厲，忽而和緩自語，竟然不知他的用意何在，心中暗暗忖道：這小子不知是何用心。
當下應道：「不錯，閣下有何高見？」
玉簫郎君緩緩說道：「這話出自你沈大莊主之口，想來是不會錯了！」
沈木風道：「少莊主可是準備為那蕭翎復仇嗎？」
玉簫郎君緩緩說道：「如若那蕭翎真的死去，在下自有主張，但在下未見到他的屍體，終是放心不下。」
這時，金花夫人已站起了身子，冷冷地說道：「你這人年紀輕輕，卻是話也說不清楚，你究竟是希望那蕭翎死了呢?還是希望他還活著?」
玉簫郎君望了金花夫人一眼，只見她桃腮星目，長眉彎彎，別有一種徐娘風韻，動人心弦。
當下輕輕咳了一聲，道：「自然是希望他死！」
金花夫人眨動了一下圓圓的大眼睛，道：「那你就不用問了，他已被大火燒死。」

玉簫郎君突然縱聲大笑。

沈木風乃是久經大敵的人物，冷靜異常，不把內情完全瞭然之前，不肯輕率發作。

冷冷地站在一側，直待那玉簫郎君自行停下了大笑之聲，才緩緩說道：「少莊主笑什麼？」

玉簫郎君笑容突斂，緩緩說道：「在下笑那蕭翎真的死了，大約再不會有人假借蕭翎之名了。」

話到此處，冷冷地望了藍玉棠一眼。

目光中，充滿怨憤。

原來，藍玉棠假冒蕭翎之名，使那岳小釵得知消息，離他而去，如非藍玉棠假蕭翎之名，岳小釵可能已嫁他為妻，日後縱使蕭翎在江湖出現，生米已成熟飯，岳小釵已成張夫人，那也無可奈何了。

事後想及此事，愈想愈氣，覺出其中變化，大都壞在藍玉棠的手中。

但聞藍玉棠冷然說道：「張兄別太高興，蕭翎雖然死了，在下還活在世上。」

玉簫郎君冷笑一聲，道：「你如不想活，那倒是容易得很！」

藍玉棠怒道：「別人怕你張家簫法，在下卻是不怕。」

靈堂中人，看兩人突然爭吵起來，你一言我一語，若有所指，大家都不明白是怎麼回事，只有蕭翎心中瞭然，這兩位沾親帶故的表兄弟，為著岳小釵相互嫉恨，已到了水火不容之境。

使蕭翎心中不解的是，那藍玉棠一向畏懼玉簫郎君，何以此刻竟然毫無畏懼，而且擺出一副躍躍欲試的神情呢？

只見玉簫郎君身體移動，緩緩向後退了兩步，冷冷說道：「咱們在蕭翎靈堂之前，比試一百招，百招內我要取你之命。」

藍玉棠雖然明知玉簫郎君的武功強勝過自己，但也無法忍耐，緩步而出，道：「好！咱們就比一百招。」

他原想激怒玉簫郎君出手，觸怒沈木風和金花夫人，由這兩人出手，一舉間擊斃玉簫郎君，自己豈不減少一個情敵。

哪知事與願違，玉簫郎君竟是不肯貿然出手，反而退後兩步，向他挑戰。

眾目睽睽之下，藍玉棠就算明白非敵，也只好硬著頭皮出來。

他走得很慢，心中希望那沈木風或金花夫人出言阻止，自己就借階下臺。

哪知沈木風和金花夫人有如未曾看到一般，竟然是視若無睹。

此情此景之下，藍玉棠只好對那玉簫郎君行了過去，右手一抬，長劍出鞘。

無為道長一皺眉頭，道：「這地方似乎不是兩位動手的地方吧？」

藍玉棠回顧了沈木風一眼，一副茫然不知所措的樣子。

沈木風再也不能裝聾作啞，淡淡一笑道：「藍世兄請暫時忍耐一、二，來日方長，兩位的恩怨隨時可以結算。」

藍玉棠借階下臺，還劍入鞘，緩步退到沈木風的身後。

玉簫郎君仰天大笑三聲，放步向外行去。

行約數步，突見司馬乾急步奔了進來，道：「有一位女客奠靈。」

無爲道長道：「告訴她沈大莊主在此，要她晚一陣再來。」

司馬乾道：「在下也這麼說，但那位女客聽說沈大莊主在此，非要進來不可。」

玉簫郎君正要行出靈堂，聽得司馬乾之言，立時停下腳步。

但聞無爲道長道：「你可曾問了那姑娘的姓名？」

司馬乾道：「問過了，她說姓岳。」

沈木風接道：「好啊！不知那岳姑娘爲何突然要見在下？」

無爲道長道：「岳小釵岳姑娘，是嗎？」

司馬乾道：「這個在下沒有問她。」

無爲道長道：「請她進來。」

司馬乾應了一聲，正待轉身出去，突聞一個清脆的女子聲音，應道：「不敢有勞。」

語聲甫落，只見一個氣度清雅的白衣少女，緩步走了進來。

蕭翎轉目望去，不禁心頭一震，暗道：果然是岳小釵岳姊姊。

雖然是一身孝衣，而且是一身重孝，白綾勒髮，白緞蠻靴。

岳小釵雙目微現紅腫，但兩道目光卻仍如冷電一般。

她似是未料到玉簫郎君和藍玉棠都在此地，看到了兩人之後，不禁微微一怔。

但那只不過是一瞬間的工夫，略一怔神後，又恢復了平靜。

她緩步直向靈堂行了過去。

就在行向靈堂之時，另外兩個身佩長劍，全身孝衣的少女，已悄無聲息地行入靈堂，並肩行到岳小釵的身後。

蕭翎目光轉動，只見來人正是那素文、小虹。

只見岳小釵對蕭翎的靈位跪拜了下去，口中卻高聲說道：「翎弟陰靈有知，賤妾拜靈來了，慈母遺命，已把賤妾……」

突聞一聲重重的咳嗽，打斷了岳小釵未完之言，岳小釵回頭望去，只見那咳嗽之人，正是玉簫郎君，不禁一顰柳眉兒，但卻忍下未言。

玉簫郎君人極聰明，一聽岳小釵的口氣，已知岳小釵的用心，她想借拜靈之機，說出心中之言，說出她已是蕭翎的妻子，那是眾耳皆聞，日後縱然有使她就範的機會，她亦可以此做爲理由，堵人之口。

所以，玉簫郎君故意搗蛋，不讓她說出口來。

岳小釵望了玉簫郎君一眼之後，又高聲接道：「賤妾母親遺命之中，說得十分明白，已把賤妾的終身，許配給……」

玉簫郎君高聲說道：「岳姑娘！」

岳小釵冷冷說道：「什麼事？」

玉簫郎君道：「蕭翎死了，你是否要替他報仇？」

岳小釵道：「不錯，要替他報仇。」

玉簫郎君道：「你一人之力，不覺得太過單薄嗎？」

岳小釵道：「不要緊，如是我不能替他報仇，至少可以戰死，在陰曹地府之中會他。」

玉簫郎君淡淡一笑，道：「你戰死了，也沒有替他報仇啊！那豈不是死得很冤嗎？」

岳小釵道：「張兄有何高見？」

玉簫郎君道：「在下之意是，姑娘要替蕭翎報仇，就一心一意地替他報仇，不擇手段、不計後果。」

岳小釵似是已被那玉簫郎君說動，星目眨動了兩下，道：「怎麼樣？」

玉簫郎君道：「凡是能夠爲蕭翎報仇出力的人，姑娘都該把他當作朋友，就當今江湖上而論，在下我嘛！應該是姑娘首要拉攏之人！」

岳小釵沉吟了一陣，道：「不錯，如若我要不擇手段的爲蕭兄弟報仇，張兄應該是能力最強的一位了。」

玉簫郎君哈哈一笑，道：「姑娘誇獎了……」

忽的黯然一歎，接道：「咱們之間，似乎是陌生了。」

岳小釵想到他昔年相待之情，亦不禁爲之黯然，搖搖頭道：「張兄的病勢好了嗎？」

玉簫郎君道：「我這病勢，多虧了姑奶奶醫道，靈丹和心藥齊施，把我從垂死中救了回來。」

岳小釵心知他所謂心藥爲何，是以並不深問。

但那玉簫郎君卻自行接道：「我那姑奶奶告訴我一句話，實比服了她小羅丹還有妙用！她說不論我要什麼，都必得有一個健康的身體才成，她願全力助我。」

岳小釵聽到師父要全力助他，決定不再和玉簫郎君續談，緩緩轉過頭去，拜伏於蕭翎的靈位之前。

這次，她不再高聲祝禱，喃喃低語，別人只見她口齒啓動，卻不知她說些什麼。

沈木風神情冷靜，一直站在旁側，不言不語。

無爲道長早已和宇文寒濤、孫不邪等，有所安排，是以，也表現得冷靜異常。

直待岳小釵拜罷起身，沈木風才緩緩說道：「區區沈木風，聽說姑娘要見在下。」

岳小釵道：「我認識你。」

沈木風是何等才慧的人物，已然從玉簫郎君和岳小釵一番對話之中，聽出了一點內情，而且也從藍玉棠口中聽到過一點，藍玉棠甘心投效自己，就是爲了這岳小釵，藍玉棠唯一的條件，就是要沈木風助他生擒岳小釵。

因此，在沈木風心目之中，早已對岳小釵有了極深的印象。

只聽岳小釵冷然說道：「沈木風，你殺了我蕭兄弟？」

沈木風微微一笑，道：「不是殺死，是在下放的一把火，把他活活燒死了！」

岳小釵道：「殺死、燒死，似是沒有什麼不同，一樣要殺人償命……」

沈木風接道：「不錯！不過，那要有人能夠爲他報仇才成。」

岳小釵厲聲接道：「沈木風，咱們就在我蕭兄弟靈堂之前動手相搏，一分生死！」

沈木風雙目中奇光閃動，打個哈哈，笑道：「姑娘可是自信能夠勝過我沈某人嗎？」

岳小釵冷冷說道：「我沒有勝你的把握，但我卻有一顆必死的心！」

沈木風淡淡一笑，道：「有一件事，在下想不明白。」

岳小釵道：「什麼事？快些說。」

蕭翎冷眼旁觀，心中暗暗著急，忖道：岳姊姊如何能是那沈木風之敵，如若兩人真要動手相搏，那是非要逼我出手不可了。

沈木風回顧了藍玉棠一眼，道：「這位兄台，岳姑娘是否相識？」

岳小釵道：「認識，怎麼樣？」

沈木風哈哈一笑，道：「那很好，這位藍兄，爲了你岳姑娘，才肯投入我的百花山莊之中，爲在下效力，但卻要在下答應他一個條件，那就是要在下生擒岳姑娘，配他爲妻。」

岳小釵冷然一笑，沒有答話。

沈木風又道：「在下已經答應了他的條件，所以，岳姑娘盡可放心，你縱然非我之敵，我也不會殺你。」

岳小釵冷冷說道：「你亮兵刃吧！」

沈木風道：「姑娘請用兵刃，在下赤手空拳，奉陪姑娘幾招。」

岳小釵伸手鬆開腰中扣把，抖出軟劍，正待出手。

突聞玉簫郎君喝道：「岳姑娘，住手！」

岳小釵回頭望了玉簫郎君一眼，道：「什麼事？」

玉簫郎君道：「在下先打頭陣。」

岳小釵歎息一聲，道：「你如何是沈木風的敵手！」

玉簫郎君淡淡一笑，道：「我知道，我不能勝他，難道不能戰死嗎？」

岳小釵道：「那又何苦呢？你和蕭翎沒有這份交情啊！」

玉簫郎君道：「你要爲蕭翎戰死此地，是嗎？」

岳小釵道：「不錯。」

玉簫郎君黯然說道：「你如戰死於此，我的生死，還有什麼重要，我如先你而死，也許能得你灑幾滴同情之淚，那就夠了。」

一向冷靜、沉著的岳小釵，也爲玉簫郎君這幾句話大爲感動，長歎一聲，說道：「張兄的深情，小妹永銘肺腑，至於爲蕭翎戰死於此，那倒不用了。」

玉簫郎君突縱聲而笑，一撩長衫，取出一支玉簫，接道：「我不是爲蕭翎，而是爲你。」

玉簫一指沈木風，又道：「江湖上都說你沈木風武功高強，在下聞名已久，今日希望能見

識一番，閣下請亮兵刃吧！」

沈木風淡淡一笑，道：「你是簫王張放之後？」

玉簫郎君道：「不錯，張某的身分，還可和你沈大莊主一戰吧！」

沈木風緩緩說道：「張世兄家世輝煌，可當得武林世家之稱，世兄要和在下動手相搏一事，沈某人就想不通了。」

玉簫郎君道：「在下所思所爲，豈能是凡夫俗子能夠瞭然，沈大莊主請亮兵刃吧！」

沈木風冷然說道：「在下很奇怪，閣下志在岳小釵，但那蕭翎，卻又是張世兄最大的情敵、障礙，在下代你除去蕭翎，閣下應該對我沈某感激才是，爲何卻要和在下動手呢？」

玉簫郎君道：「這和蕭翎無關，在下是爲了岳姑娘。」

沈木風道：「如是那蕭翎還活著呢？」

玉簫郎君呆了一呆，道：「這個……這個……」

沈木風冷冷接道：「如是在下未燒死那蕭翎，你和那蕭翎將是水火不相容的仇人，岳小釵自然是幫助蕭翎，閣下和岳姑娘，也將是誓不並存的仇人，但在下幫你殺了蕭翎，我卻又變成了你的仇人，這筆帳，當真是難算得很。」

岳小釵雖然明知那沈木風在施展挑撥手段，勸服玉簫郎君，但她本無意讓那玉簫郎君爲自己拚命，芳心之內，倒希望沈木風挑撥生效，使那玉簫郎君退出事外。

所以，她也不出言反駁。

但聞玉簫郎君說道：「大莊主說得不錯，蕭翎活在世上，我和他是誓不兩立的仇人，但如他確實死了，他又是在下的好友了。」

沈木風道：「嗯！很糊塗的一筆帳。」

玉簫郎君道：「很清楚，但要看你怎樣想了，如是你能想到愛屋及烏，那就不用再忌恨蕭翎了。」

沈木風點點頭，道：「這麼說來，張世兄是一定要和在下動手了？」

玉簫郎君道：「不錯，而且咱們這番動手，定要分個生死勝敗出來。」

沈木風笑道：「現在嘛，太早了一些！」

玉簫郎君道：「為什麼？」

沈木風道：「在下想給閣下一個機會，你多想一想，明日午時，咱們再動手不遲。」

玉簫郎君目光轉注到岳小釵的臉上，道：「岳姑娘意下如何？」

岳小釵道：「答應他吧！」

玉簫郎君道：「明日咱們在何處相見？」

沈木風道：「悉憑張世兄之見。」

玉簫郎君道：「仍在這蕭翎靈堂之前如何？」

沈木風道：「明日午時，沈某人按時來此。」

玉簫郎君道：「在下午時之前到此，恭候大駕。」

沈木風道：「在下告辭了。」

轉對無為道長道：「道長請早做準備，明日午時，沈某人來此搏鬥過張公子之後，要和道長等交手。」

無為道長道：「貧道等隨時候教，恕不遠送了。」

沈木風道：「不敢有勞。」轉身大步而去。

無為道長目睹沈木風等去之後，才長長吁一口氣，道：「岳姑娘、張公子，請入靈堂後面休息一下吧！」

百里冰暗施傳音之術，道：「大哥，咱們不能讓那玉簫郎君騙了岳姊姊，我去告訴她你還活著。」

蕭翎吃了一驚，急急伸出手去，抓住了百里冰的左腕，低聲說道：「不可造次。」

兩人坐的距離很近，伸手即可相觸，不致引起別人的疑心。

但蕭翎心中明白，宇文寒濤為人心細如髮，只怕在這靈堂四周，早已暗中布下人手，稍露破綻，即將被他們瞧出內情。

是以，一拉百里冰手腕，立刻放手，低聲說道：「咱們在這靈堂之中，時間太久了，應該出去走走了。」

站起身子，向外行去。

百里冰隨在蕭翎身後，出了靈堂。

蕭翎搖搖頭，道：「情勢逼人，連年無日不在風頭浪尖的生死邊緣，讓我學會了用心思索，環境逼人，不用心也不成了……」

長長吁一口氣後，接道：「冰兒，你知道咱們此時的處境嗎？」

百里冰聽得一怔，道：「怎麼？難道咱們處境很險？」

蕭翎道：「正邪的決戰，迫在眉睫，沈木風已然全面發動，表面上，大家此刻處境很平靜，其實，這正是大風暴前的一段暫時沉寂，也正是各逞心機，決生死、爭存亡的緊要關頭，小兄內心沉重，有如重鉛壓身，此時此情，只要咱們一著失算，就要造成武林中悲慘劫難。」

百里冰道：「那大哥有什麼打算嗎？」

蕭翎道：「不錯！所以，我寧可要商兄弟和杜兄弟肝腸痛斷，岳姊姊椎心泣血，也不能現身說明內情，因爲要讓沈木風認爲我真的死去，我才能來去自如，破壞他的計畫，使他的陰謀難逞……」

話到此處，目光突然轉注到百里冰的臉上，道：「冰兒，咱們要暫時分手了。」

百里冰道：「大哥要到哪裏去，不能帶我同行嗎？」

蕭翎道：「我適才已經說明了目下情勢，咱們不能爲兒女私情，誤了大事。」

百里冰緩緩點頭，道：「好吧！咱們幾時再見？」

蕭翎道：「也許今夜，最遲明日午時之前。」

百里冰道：「我在靈堂中等你。」

蕭翎道：「你要替我辦一件事了。」

百里冰精神一振，道：「什麼事？」

蕭翎道：「岳姊姊不是沈木風的敵手，如是明日午時靈堂前一場決鬥，沈木風當真赴約而來，岳姊姊和玉簫郎君，都將傷死於沈木風的手中，午時之前，我如還不回來，你要設法阻止這一場惡鬥。」

百里冰道：「用什麼法子攔阻呢？」

蕭翎道：「悄然告訴岳姊姊，我沒有死，不要她和那沈木風硬拚……」

略一沉吟，接道：「不過，最好是不要用這辦法，這是最後之策。」

百里冰點點頭，道：「我記下了。」

蕭翎站起身子，道：「你的武功足堪自保，但要小心一些，乖乖的等我回來。」

言罷，起身出帳而去，百里冰追出帳外，只見蕭翎大步向外行去。

蕭翎行出那連綿帳篷，直向荒野走去。

百里冰直待蕭翎的背影完全消失之後，才長長吁一口氣，轉身又向靈堂之中行去。

這時，弔喪之人，大都已拜過靈位，路途較遠者還未趕到，靈堂中一片寂靜。

百里冰緩步行入靈堂，但見一縷嫋嫋清煙，散發出撲鼻清香，整個靈堂中，不見人影。

她緩步走近蕭翎靈前，目注蕭翎靈位，忍不住微微一笑，伸出手去，輕輕向蕭翎靈位上的幾個字摸去。

只聽一個低沉的聲音傳入耳際，道：「那只是白綾寫上的黑字，閣下伸手觸摸，不知是何用心？」

百里冰回頭望去，只見那說話人長髯及胸，身著白色長衫，正是宇文寒濤，心中暗道：大哥常說此人之能尤在那沈木風之上，我只要一開口，必要被他聽出破綻，無論如何不能開口。

但那宇文寒濤兩道目光，有如冷電一般盯注在百里冰的臉上，使她感覺無法不理對方。

百里冰心中大急，暗道：如若大哥在此，必有方法對付他，如今只我一人在此，勢將要被他逼出破綻了。

焦急之間，心中突然一動，忖道：有了，我裝作一個不會說話的啞巴，他就無法逼我說話了。念轉意決，伸手指指嘴巴，搖搖頭。

宇文寒濤一皺眉頭，道：「閣下不會說話。」

百里冰點點頭，伸手在地上寫道：「我能聽會寫，只是無法說話。」

宇文寒濤略一沉吟，道：「閣下請靈後待飯如何？」

百里冰心中暗道：就今日所見而言，這靈堂之後，似乎是他們專以招待高手嘉賓的要地，也是抗拒沈木風的核心，岳姊姊、玉簫郎君、無為道長等都在裏面，進去瞧瞧應該是很難得的事了。

是以也不推拒，轉身向靈幃後面行去。

靈幃之後，有一條兩尺寬窄走道，兩邊白綾作壁。

百里冰回目望去，只見宇文寒濤站在靈位之旁，並不隨同前來，心中大感奇怪。

但她假冒啞巴，又不能啓口追問。

只見宇文寒濤舉手一揮，道：「閣下只管向裏面行去，只要你能夠循著白綾夾道而行，自會有人接待。」

但她此刻有如騎上了虎背，只好轉身向前行去。

百里冰心中暗道：這人果是心機深沉，難測高深，要我一人行入，不知用心何在？

只見那白綾夾成的走道，七折八轉，有如行入了八卦圖中一般，百里冰足足走了一頓飯工夫之久，仍未走到盡處，也未見有人迎接。

忽然心中一動，停下了腳步，暗道：這整座靈堂，能有多大，我這一陣奔行，不下五里之途，卻仍然在這白綾走道之中打轉，分明陷入迷陣之中了，大哥再三稱讚宇文寒濤，看來果然不錯，這人的確是胸羅玄機，懷有甲兵。

突然間人影一閃，宇文寒濤陡然出現在一處轉角所在，緩緩說道：「朋友的修養很好。」

百里冰口齒啓動，幾乎說出聲來，話到口邊，又嚥了下去。

宇文寒濤舉手一招，道：「閣下請隨在下身後行走。」

百里冰依言行了過去，跟在宇文寒濤身後。

只見宇文寒濤轉了幾轉，人已出了白綾夾著的走道，景物隨著一變。

一座座白綾布成的雅室，分列兩側。

百里冰暗讚道：里許方圓之地，不但能以白綾布成迷陣，而且又能建築成一座座的雅室，如非精通建築計算，決難在短短數日之中完成。

但見宇文寒濤伸手掀起一個垂簾，緩緩道：「閣下請進。」

百里冰緩步行進，打量著室中佈置。

室中仍是一色白，不見雜色，一張木桌上，鋪著白色的桌布，四張木椅上放著白色的墊子，白色瓷壺，白色瓷杯。

兩張木椅上，分坐白色道袍的無爲道長，和白色長衫的孫不邪。

無爲道長望望宇文寒濤，道：「這人是誰？」

宇文寒濤道：「一個有口難言的武林朋友！」

孫不邪一皺眉頭，道：「有口難言，那是啞巴了？」

宇文寒濤點點頭，道：「不錯！」

一面答話，一面在位置上坐了下來。

孫不邪兩道炯炯的眼神，盯注在百里冰的臉上瞧了一陣，道：「閣下是否經過了易容？」

百里冰搖搖頭。

請續看《岳小釵》之四

臥龍生武俠經典珍藏版 27

岳小釵（三）

作者：臥龍生
發行人：陳曉林
出版所：風雲時代出版股份有限公司
地址：10576台北市民生東路五段178號7樓之3
電話：(02) 2756-0949　　傳真：(02) 2765-3799
執行主編：劉宇青
美術設計：許惠芳
行銷企劃：林安莉
業務總監：張瑋鳳
出版日期：臥龍生60週年珍藏版 2023年2月
版權授權：春秋出版社呂秦書
ISBN ：978-986-5589-92-9
風雲書網：http://www.eastbooks.com.tw
官方部落格：http://eastbooks.pixnet.net/blog
Facebook：http://www.facebook.com/h7560949
E-mail：h7560949@ms15.hinet.net
劃撥帳號：12043291
戶名：風雲時代出版股份有限公司

風雲發行所：33373桃園市龜山區公西村2鄰復興街304巷96號
電話：(03) 318-1378　　傳真：(03) 318-1378
法律顧問：永然法律事務所 李永然律師
　　　　　北辰著作權事務所 蕭雄淋律師

行政院新聞局局版台業字第3595號 營利事業統一編號22759935

定價：320元　　**版權所有　翻印必究**

國家圖書館出版品預行編目資料

岳小釵／臥龍生 著. -- 臺北市：風雲時代出版股份有限公司，2021.06- 冊；公分（臥龍生武俠經典珍藏版）
ISBN：978-986-5589-90-5（第1冊：平裝）
ISBN：978-986-5589-91-2（第2冊：平裝）
ISBN：978-986-5589-92-9（第3冊：平裝）
ISBN：978-986-5589-93-6（第4冊：平裝）

863.57　　110007335